KU-338-916

LES TRIBULATIONS D'ARTHUR MINEUR

DU MÊME AUTEUR

LES CONFESSIONS DE MAX TIVOLI, L'Olivier, 2005 ; Points n° 2222.
L'HISTOIRE D'UN MARIAGE, L'Olivier, 2009 ; Points n° 2323.
LES VIES PARALLÈLES DE GRETA WELLS, L'Olivier, 2014 ; Points n° 4015.
LES TRIBULATIONS D'ARTHUR MINEUR, Jacqueline Chambon, 2019 ; Babel n° 1755.

L'auteur tient à remercier les personnes suivantes : David Ross, Lisa Brown, Daniel Handler, Lynn Nesbit, Hannah Davey, Lee Boudreaux, Reagan Arthur, Beatrice Monti della Corte et Enrico Rotelli. Il tient également à remercier plusieurs autres personnes et plusieurs lieux dans le monde, et en particulier la Santa Maddalena Foundation, Arte Studio Ginestrelle, Art Castle International, les Evens & Odds et le Dolphin Swimming and Boating Club.

Titre original :
Less
Éditeur original :
Lee Boudreaux Books/Little, Brown and Company, New York

ISBN 978-2-330-15004-4

ANDREW SEAN GREER

LES TRIBULATIONS D'ARTHUR MINEUR

roman traduit de l'anglais (États-Unis)
par Gilbert Cohen-Solal

BABEL

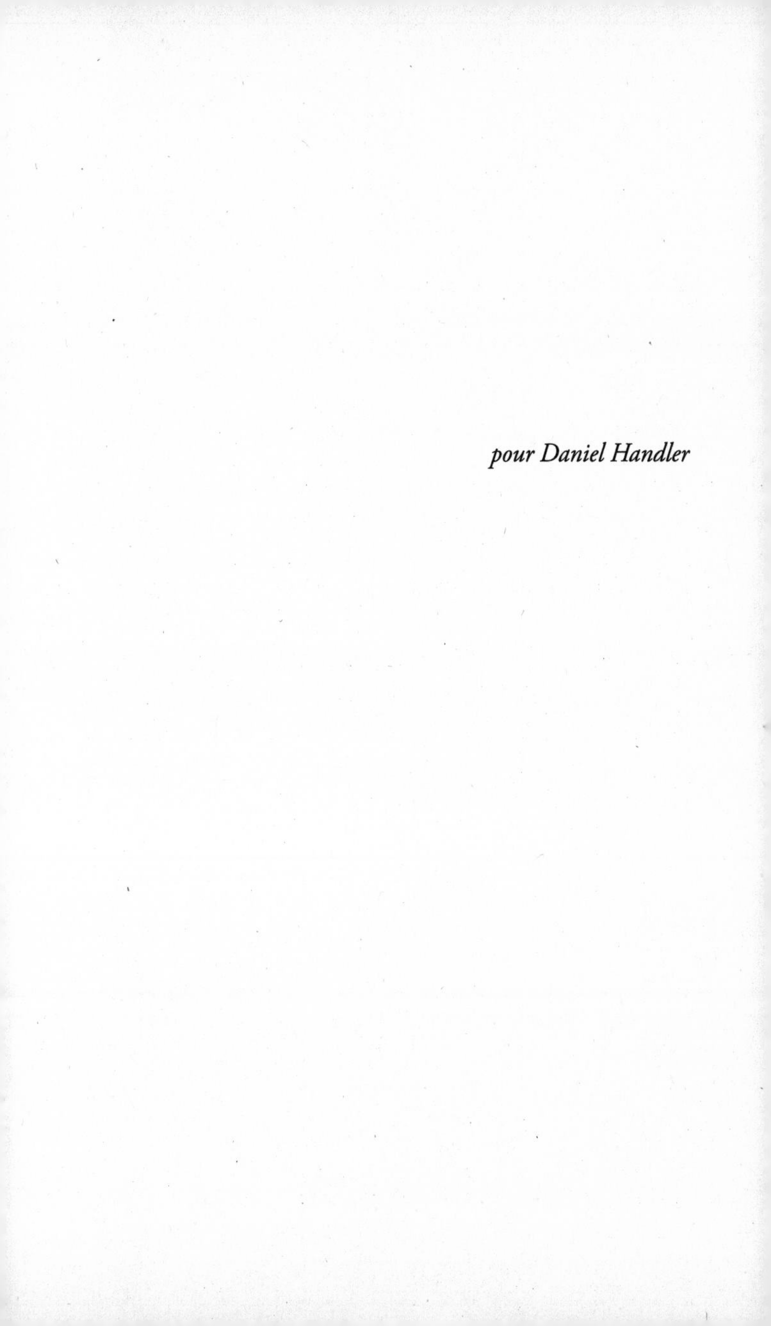

pour Daniel Handler

ENTRÉE EN SCÈNE EN MINEUR

De mon point de vue, l'histoire d'Arthur Mineur ne semble pas se dérouler si mal, somme toute.

Il faut le voir, un peu raide dans le canapé circulaire et douillet du hall de l'hôtel. En costume bleu et chemise blanche, les jambes croisées, il balance l'un de ses mocassins bien cirés au bout de son pied. Il se tient comme un jeune homme. Et, de fait, il a conservé l'allure de sa jeunesse. Mais, à près de cinquante ans, il évoque l'une de ces statues de bronze que l'on trouve dans les parcs, et qui sont superbement patinées par le temps, jusqu'à prendre la teinte des arbres qui les entourent, excepté à l'endroit du genou qui a la chance de continuer de briller, sans cesse caressé par les écoliers. C'est ce qui est arrivé à Arthur Mineur, qui fut paré de rose et d'or en ses jeunes années, et dont l'éclat semble aujourd'hui adouci, comme le tissu de ce sofa où il se tient. Il se tapote le genou tout en fixant la grande horloge du hall de l'hôtel. Son long nez aristocratique, tout le temps brûlé par le soleil, même en ce mois d'octobre nuageux à New York, sa chevelure d'un blond passé, trop longue sur le haut de son crâne et trop courte sur les côtés : c'est tout le portrait de son grand-père. D'ailleurs, il a les mêmes yeux bleu clair que lui. Si l'on tendait l'oreille, on pourrait percevoir l'angoisse qui bat de plus en plus fort en lui, tandis qu'il fixe l'horloge des yeux ; mais elle ne donne malheureusement plus l'heure : elle s'est arrêtée une quinzaine d'années plus tôt. Arthur Mineur, bien sûr, n'en sait rien : il croit toujours fermement, parvenu à l'âge mûr, que les personnes chargées de guider les participants lors d'événements littéraires arrivent pile à l'heure, et qu'on peut aussi compter sur les grooms pour remonter les horloges du hall d'accueil des hôtels. Il ne porte pas de montre ; foncièrement, il fait confiance. Pure coïncidence, l'horloge s'est arrêtée à six heures et demie, presque exactement à l'heure où l'on doit venir le chercher pour l'événement du soir. Il ne le sait pas, le pauvre, mais il est déjà sept heures moins le quart.

Pendant qu'il patiente, une jeune femme en robe de lainage marron pollinise l'un après l'autre des groupes de touristes, avec les mouvements circulaires d'une sorte d'oiseau-mouche vêtu de tweed. Elle se penche sur un bouquet de chaises, pose une certaine question et, mécontente de la réponse, s'élance à tire-d'aile vers un autre groupe. Mineur ne remarque pas son manège, trop polarisé qu'il est par cette horloge qui ne lui donnera jamais l'heure exacte. La jeune femme se dirige vers le comptoir du réceptionniste, puis vers l'ascenseur, faisant au passage sursauter un groupe de dames dont les robes de soirée, très habillées, indiquent qu'elles vont au théâtre. Arthur balance toujours son mocassin au bout de son pied. S'il y prêtait attention, il entendrait peut-être cette question, répétée cent fois, et comprendrait pourquoi cette femme, qui interroge tout le monde dans le hall de l'hôtel, ne lui pose à aucun moment sa question, à lui :

— Excusez-moi… Mais est-ce que c'est vous, madame Arthur ?

Le problème (et cette confusion ne va d'ailleurs pas se dissiper tout de suite, dans le hall de cet hôtel), c'est que l'accompagnatrice qui vient le chercher est persuadée qu'Arthur Mineur est une femme.

Pour sa défense, elle n'a lu qu'un seul de ses romans, en version numérique et sans photo de l'auteur, et elle a trouvé « la narratrice » si fascinante, si convaincante, qu'elle en a déduit que seule une femme pouvait écrire de cette manière ; et que ce nom, Arthur, était sûrement un exemple de ces curieux usages américains (elle est japonaise) qui permettent d'appeler de la même façon un homme ou une femme. Une critique si élogieuse est une chose inhabituelle pour Arthur Mineur ; cela dit, pour le moment, il ne serait guère en mesure de l'apprécier, toujours assis qu'il est dans ce canapé circulaire, planté en son centre d'un palmier aux feuilles luisantes. Parce que, maintenant, il est sept heures moins dix.

Arthur Mineur se trouve à New York depuis trois jours. Il est venu interviewer le célèbre auteur de science-fiction H. H. H. Mandern, pour fêter la sortie de son nouveau roman. On y voit le retour du personnage de Peabody, son robot à la Sherlock Holmes, qui jouit d'une immense popularité. Dans le monde littéraire, c'est une nouvelle qui fait la une et qui draine beaucoup d'argent, en espèces sonnantes et trébuchantes. Cette importance de l'argent, Mineur l'a déjà perçue, au téléphone, dans cette voix qui l'a appelé un beau jour pour lui demander s'il connaissait bien l'œuvre de H. H. H. Mandern, et s'il était disponible pour interviewer l'écrivain. On a aussi parlé argent dans les messages que l'attaché de presse lui a fait parvenir pour lui indiquer les questions qu'il faudrait absolument éviter de poser à Mandern (concernant sa femme, ou sa fille, ou encore son recueil de poésies qui a reçu un accueil pour le moins mitigé). Et de l'argent, on en a également beaucoup dépensé pour choisir le lieu des festivités. Ou encore pour les affiches publicitaires placardées partout dans le Village. De l'argent, aussi, pour faire en sorte que la baudruche représentant Peabody se dresse, à l'extérieur du bâtiment, luttant contre le vent. De l'argent, on en a même dépensé pour choisir l'hôtel qu'on a réservé pour Arthur ; là, on lui a présenté, en guise de bienvenue, et « avec les compliments de la maison », une pyramide de pommes mises gracieusement à sa disposition à toute heure du jour et de la nuit. Dans un monde où la plupart des gens lisent un seul livre par an, on investit de grosses sommes sur ce livre-là, avec l'espoir que cette soirée soit le coup d'envoi d'un succès. Et tout cela repose sur les épaules d'Arthur Mineur.

Consciencieusement, il regarde toujours l'horloge arrêtée. Il ne voit pas la personne venue le chercher, qui se tient devant lui, l'air affligé. Il ne la voit pas renouer son foulard puis sortir, essorée par le tambour de la porte du hall. Remarquez les cheveux d'Arthur, clairsemés au sommet de son crâne, et cette façon qu'il a de cligner rapidement des yeux. Observez donc sa confiance, sa certitude que tout va bien : c'est celle d'un petit garçon.

Autrefois, alors qu'il avait une vingtaine d'années, une poétesse avec qui il bavardait lui avait lancé, après avoir éteint sa cigarette dans une plante en pot : « Toi, ce qui te manque, c'est une carapace pour te protéger. » Et c'était une poétesse qui avait dit ça ! Une femme qui gagnait sa vie en se livrant dans ses textes comme une écorchée vive et qui lui disait que lui, Arthur Mineur, le beau jeune homme si grand, et dont on espérait tant, *n'avait pas de carapace pour se protéger* ! Et pourtant c'était vrai. « Il faut que tu aies toujours un avantage sur les autres », lui répétait à l'époque son vieux rival Carlos. Mais Arthur n'avait pas saisi ce que ça signifiait. Est-ce qu'il s'agissait d'être méchant ? Pas du tout. En fait, cela voulait dire qu'il fallait toujours se préserver, et même se blinder contre le monde ; mais est-il vraiment possible de trouver un moyen de constamment se préserver ? Eh bien non, pas plus qu'on ne peut trouver le moyen d'acquérir le sens de l'humour quand on ne l'a pas. Ou bien alors, est-ce qu'il faut toujours faire semblant ? Comme un businessman dépourvu d'humour, qui apprend par cœur des blagues et fait un véritable tabac lors d'une soirée – avant de quitter les lieux quand il a épuisé son stock ?

Quoi qu'il en soit, Mineur n'y est jamais parvenu. Vers la quarantaine, tout ce qu'il a réussi à acquérir, c'est une relative estime de soi, une peau semblable à celle d'un bernard-l'ermite : transparente et molle. Il n'est plus atteint par une critique médiocre, ou un affront vraiment blessant – mais un chagrin d'amour, un véritable chagrin, celui qui brise le cœur, voilà qui peut percer la fine couche de sa peau jusqu'au sang. Comment se peut-il que tant de choses deviennent si ennuyeuses quand on arrive à l'âge mûr (la philosophie, les positions radicales, et autres modes intellectuelles « fast-food »), alors qu'un simple chagrin d'amour blesse toujours autant ? Sans doute parce qu'un homme comme lui trouve toujours de nouvelles occasions d'avoir le cœur brisé. Même ces vieilles phobies ridicules, il ne les a jamais vaincues, mais il se contente de les éviter. La phobie des coups de fil, par exemple : il compose frénétiquement les numéros comme quelqu'un qui désamorce une bombe ; et puis celle des taxis, où il s'affole en fouillant dans ses poches au moment de donner un pourboire, avant de jaillir de la voiture comme s'il avait été pris en otage ; et enfin, lors d'une soirée, cette peur qu'il ressent lorsqu'il faut s'adresser à un homme séduisant, ou bien à une célébrité : le voilà qui en est encore à se répéter mentalement les premières phrases qu'il va prononcer, juste avant de se rendre compte qu'on se dit déjà au revoir. Il ressent toujours ces mêmes peurs mais, le temps passant, des solutions se sont offertes à lui. Les textos et les e-mails l'ont pour toujours sauvé du téléphone. Les cartes bancaires sont désormais acceptées dans les taxis. Une occasion manquée, et les choses peuvent toujours être rattrapées grâce à Internet. Mais un chagrin d'amour ? Comment l'éviter, sauf à renoncer complètement à aimer ? Eh bien, finalement, c'est la seule solution qu'Arthur Mineur ait trouvée.

Peut-être cela explique-t-il pourquoi il a consacré neuf années de sa vie à un certain jeune homme en particulier.

Au fait, j'ai oublié de préciser qu'il a sur les genoux un casque de cosmonaute russe. Mais soudain, coup de chance : depuis l'extérieur du hall de l'hôtel, une cloche se met à sonner : une, deux, trois, quatre, cinq, six, sept fois – et Arthur bondit de son siège. Voyez comment il braque son regard sur cette traîtresse d'horloge, et se précipite vers la réception pour poser, enfin, cette question essentielle : « Mais quelle heure est-il donc ?! »

— Je ne comprends pas comment vous avez pu penser que j'étais une femme.

— C'est que vous êtes un écrivain tellement talentueux, monsieur Mineur… Vous m'avez eue ! Mais… dites-moi, qu'est-ce que vous avez dans les mains ?

— Ça ? C'est à la librairie qu'on m'a demandé de…

— J'ai vraiment adoré *Dark Matter*. Il y a un passage qui m'a rappelé Kawabata.

— C'est un de mes écrivains préférés ! *Kyôto*…

— Je viens de Kyôto, monsieur Mineur.

— Ah bon, vraiment ? Eh bien, j'y serai dans quelques mois.

— Dites, monsieur Mineur, nous avons un problème, vous savez…

Cette conversation se déroule tandis qu'Arthur suit la femme en robe de lainage marron ; ils se dirigent vers une salle de conférences, dont le hall d'entrée est décoré d'un arbre pour seul accessoire, comme ceux derrière lesquels se cache le héros dans une comédie ; à part ça, tout est en briques noires et brillantes. Mineur et son accompagnatrice ont couru depuis l'hôtel jusqu'au lieu de l'événement, et il sent déjà la sueur froisser sa chemise blanche impeccable, et la rendre transparente.

Mais pourquoi lui, au fait ? Pourquoi se sont-ils adressés à lui, Arthur Mineur ? Un auteur de second ordre, dont le plus grand titre de gloire est d'avoir appartenu dans sa jeunesse à un collectif d'artistes et d'écrivains, la Russian River School, à San Francisco ; un auteur trop âgé pour être découvert, et encore trop jeune pour qu'on relance sa carrière ; un auteur qui, en avion, ne s'est jamais retrouvé assis à côté de quelqu'un ayant entendu parler de ses livres. Eh bien, Mineur sait pourquoi. Il n'y a pas de mystère. On a fait un simple calcul financier : quel écrivain accepterait de se documenter pour une interview sans être rémunéré ? Il fallait que ce soit quelqu'un de complètement désespéré. Combien d'autres auteurs de sa connaissance avaient répliqué : « Pas question ! » ? Combien en avait-on approché avant que quelqu'un propose : « Et pourquoi pas Arthur Mineur ? »

Et c'est bien ça : effectivement, il est désespéré.

À l'intérieur, il entend la foule scander quelque chose. Sûrement le nom de H. H. H. Mandern. Depuis un mois, chez lui, Mineur s'est gavé des œuvres de Mandern, ces *space operas* parodiques qui, au début, l'ont atterré par leur langage bébête et leurs personnages stéréotypés tellement risibles, et qui, ensuite, l'ont captivé par le talent d'invention de leur auteur, à l'évidence supérieur au sien. Le dernier roman de Mineur, une étude sérieuse sur l'âme humaine, ressemble à une planète minuscule, comparé aux véritables constellations inventées par cet homme. Et quelles questions faut-il donc lui poser ? Que demande-t-on à un écrivain, si ce n'est : « Comment avez-vous fait ? » Et la réponse est évidente, Mineur le sait bien : « En fait, ça me dépasse ! »

Son accompagnatrice ne cesse de jacasser : elle parle du nombre de participants, des réservations, de la tournée pour lancer le livre ; et elle parle d'argent, d'argent, et encore d'argent. Et puis elle signale que H. H. H. Mandern a sans doute été victime d'une intoxication alimentaire.

— Vous allez voir, dit-elle ; et une porte sombre s'ouvre sur une salle claire et propre, où des sandwichs raffinés sont disposés sur une table pliante. À côté, une dame aux cheveux blancs enveloppée de plusieurs châles est penchée sur H. H. H. Mandern, en train de vomir dans un seau.

La dame se retourne vers Arthur et scrute le casque de cosmonaute :

— Mais bon sang, qui êtes-vous donc ?

New York : première étape d'un voyage autour du monde. En fait un hasard, pur et simple ; c'est que Mineur a essayé de trouver un moyen de se tirer d'une situation bien délicate. Il est d'ailleurs très fier de s'être débrouillé pour y échapper. Il s'agissait d'une invitation à un mariage.

Pendant les quinze dernières années, Arthur Mineur est resté célibataire. Et cela, après avoir vécu de nombreuses années avec le poète Robert Brownburn, plus âgé que lui : ce fut comme un tunnel d'amour, où il s'était engouffré à vingt et un ans, et dont il avait émergé vers trente ans, ébloui par la lumière du dehors. Où en était-il alors ? Il y avait perdu la première étape de sa jeunesse, comme aurait échoué la première étape du lancement d'une fusée qui serait retombée, à court de carburant.

Et voici qu'arrivait la seconde. Et la dernière. Il se jura alors de ne l'offrir à personne ; il en profiterait. Et il en profiterait tout seul. Pourtant, comment vivre seul mais ne pas être seul ? Pour lui, le problème se trouva résolu grâce à la personne à laquelle il s'attendait le moins : son vieux rival de toujours, Carlos.

Si on lui parlait de Carlos, Mineur avait coutume de le désigner comme l'un de ses « plus vieux amis ». Il peut d'ailleurs situer précisément la date de leur première rencontre : c'était en 1987, lors du *Memorial Day*, la Journée des morts pour la patrie. Mineur peut même se rappeler ce qu'ils portaient tous les deux : lui, un slip de bain vert, et Carlos, le même, en jaune banane pétard. Chacun tenait à la main, comme un pistolet, un verre de vin blanc pétillant, et mesurait l'autre du regard, de part et d'autre de la jetée. On entendait une chanson ; c'était Whitney Houston, qui « voulait danser avec quelqu'un ». Entre eux deux, un séquoia étendait son ombre. « Danser avec quelqu'un qui l'aime. »… Ah, si l'on pouvait voyager dans le temps muni d'une caméra vidéo ! Et puis les saisir à l'époque : Arthur Mineur, tout mince et blond doré, et Carlos Pelu, baraqué et châtain foncé, tous deux en pleine jeunesse, alors que moi qui vous raconte tout cela, je n'étais qu'un enfant ! Mais en fait, à quoi bon une caméra ? Chacun d'eux, c'est certain, se rejoue automatiquement la scène lorsqu'on mentionne le nom de l'autre. Ce *Memorial Day*, le verre de vin pétillant, le séquoia, et Whitney qui veut danser… Et chacun de sourire, de dire à propos de l'autre : « C'est l'un de mes plus vieux amis. » Alors que, bien sûr, ils se sont détestés dès le premier regard.

Et puis, après tout, prenons-la quand même, cette machine à voyager dans le temps. Mais pour atterrir vingt ans plus tard. Destination San Francisco, au milieu des années 2000. Une maison dans les collines, sur Saturn Street. C'est l'une de ces étranges créations architecturales sur pilotis, où une paroi de verre laisse voir un grand piano à queue jamais utilisé, et puis une foule de gens, surtout des hommes, réunis pour célébrer les quarante ans de l'un d'entre eux, comme ils en avaient déjà fêté une douzaine cette année-là. Parmi les convives, un Carlos empâté ; l'homme dont il avait partagé la vie pendant des années lui avait légué quelques biens immobiliers qu'il avait fait prospérer pour bâtir un empire comprenant de vastes propriétés : au Viêtnam, en Thaïlande, et même un de ces grotesques complexes hôteliers, un *resort* situé en Inde, dont Mineur a entendu parler. Carlos : toujours le même profil digne, mais nulle trace de ce jeune homme musclé en slip de bain jaune banane. Arthur Mineur est venu en voisin, depuis sa petite cabane sur les Vulcan Steps, où il vit désormais seul. Se rendre à une soirée ? Pourquoi pas, après tout ? Mineur a choisi une tenue… minimum – un jean, une chemise de cowboy : à peine moins que ce qui aurait convenu. Et il se dirige vers la maison, sur le versant sud de la colline.

Pendant ce temps, figurez-vous Carlos, installé dans son fauteuil de rotin Emmanuelle, trônant au milieu de sa cour. À ses côtés, un jeune homme de vingt-cinq ans : jean noir, tee-shirt, lunettes rondes en écaille de tortue, cheveux bruns bouclés ; c'est son fils.

« Mon fils » : je me souviens de Carlos annonçant cela à la ronde quand il avait pour la première fois présenté ce garçon, alors à peine âgé d'une dizaine d'années. Mais ce n'était pas vraiment son fils : c'était un neveu orphelin, envoyé chez son proche parent de San Francisco. Comment le décrire ? De grands yeux, des cheveux bruns méchés par le soleil, et un comportement agressif à l'époque. Il refusait de manger des légumes, ou d'appeler Carlos autrement que « Carlos ». Il s'appelait Federico (sa mère était mexicaine), mais tout le monde l'appelait Freddy.

Retour à la soirée chez Carlos. Par la fenêtre, Freddy regardait du côté du centre-ville gommé par le brouillard. Désormais, il mangeait des légumes, mais appelait toujours son père adoptif Carlos. La poitrine creuse, il faisait de la peine, tellement maigre dans son costume et, tout en manquant de cette verve propre à la jeunesse, Freddy en possédait tout l'enthousiasme. On aurait pu s'installer à côté de lui avec un sac de popcorn et l'observer vivre à fond les films d'amour ou les comédies imaginaires qu'il projetait sur l'écran de son visage, tandis que les verres de ses lunettes à monture d'écaille reflétaient le tourbillon de ses pensées, pareils à la surface irisée de bulles de savon.

Freddy se retourna quand il entendit son nom : une femme en costume de soie blanche, parée d'un collier de perles d'ambre, avec une allure décontractée à la Diana Ross, s'adressait à lui :

— Freddy, mon chéri, j'ai entendu dire que tu reprenais tes études.

Elle lui demanda gentiment ce qu'il voulait faire après. Fièrement, il répondit en souriant :

— Devenir professeur d'anglais dans un lycée.

À ces mots, le visage de son interlocutrice s'illumina :

— Mon Dieu, comme c'est charmant ! Je n'ai jamais rencontré de jeune qui se destine à l'enseignement.

— À vrai dire, je pense que c'est surtout que je n'aime pas les jeunes de mon âge.

Elle piqua l'olive de son martini :

— Ça va rendre difficile ta vie amoureuse...

— Peut-être. Mais je n'ai pas vraiment de vie amoureuse, répondit Freddy en finissant d'un long trait sa coupe de champagne.

— Il faut simplement te trouver l'homme qui te convient. Tu connais mon fils, Tom...

Une voix s'éleva derrière eux :

— En réalité, il est poète ! dit Carlos, qui apparut, un verre de vin blanc à la main. La femme émit un glapissement. (La moindre des courtoisies requiert qu'on la présente : c'était Caroline Dennis, travaillant dans l'informatique. Freddy devait très bien la connaître par la suite.)

Freddy la regarda longuement, et eut un sourire timide :

— Je suis un poète épouvantable. Carlos se souvient simplement que c'est ce que je voulais être quand j'étais gamin.

— Mais c'était l'année dernière, dit Carlos avec un sourire.

Freddy resta silencieux ; sous l'effet de je ne sais quelle réflexion qui l'agita, ses boucles brunes se mirent à trembler.

Mme Dennis déclara, avec un petit rire pailleté, qu'elle adorait la poésie. Elle avait toujours eu une passion pour Bukowski « et toute cette bande ».

— Tu aimes Bukowski ? demanda Freddy.

— Ah ça non, dit Carlos.

— Je suis désolé, Caroline. Mais je pense qu'il est encore pire que moi.

Le décolleté de Mme Dennis s'empourpra, et Carlos attira son attention sur une peinture exécutée par un vieux copain à lui de la Russian River School ; Freddy, incapable d'ingurgiter la moindre banalité, comme jadis les légumes, se dirigea, agacé, vers le bar pour prendre une autre coupe de champagne.

Retrouvons Arthur Mineur, devant la porte blanche de la demeure, entourée de l'un de ces murs bas qui cachent la maison accrochée sur la pente de la colline. Mais que vont dire les gens ? « Oh, tu as bonne mine ! J'ai su pour toi et Robert. Qui habite la maison maintenant ? »

Comment notre héros pourrait-il savoir que, derrière cette porte, se trouvent neuf années de sa vie ?

— *Hello*, Arthur ! Mais qu'est-ce que c'est que cette tenue ?

— Salut, Carlos.

Vingt ans se sont écoulés, et pourtant, ce jour-là, à cet endroit : un duel se joue encore entre ces vieux rivaux.

À côté de lui, un jeune homme à lunettes et aux cheveux bouclés se tient au garde-à-vous.

— Arthur, tu te souviens de mon fils : Freddy…

Et puis, tout s'était passé si simplement. Freddy trouvait la maison de Carlos invivable et, très souvent, le vendredi, après une longue journée de cours, et après avoir passé une bonne heure à picoler avec quelques amis de la fac, il arrivait chez Mineur, pompette, pressé de se glisser tout le week-end sous les draps. Et le lendemain, Mineur abreuvait Freddy, qui avait la gueule de bois, de café et de vieux films, avant de le mettre à la porte le lundi matin. Cela se produisait, au début de leur relation, environ une fois par mois à peu près, mais cela était bientôt devenu une véritable habitude, jusqu'à ce que Mineur, un vendredi, se retrouve déçu que personne ne vienne sonner à sa porte, de toute la soirée. Comme c'était bizarre, de se réveiller dans ses draps blancs et tièdes, la lumière du soleil traversant la vigne vierge, et d'avoir la sensation d'un manque ! Il dit à Freddy, quand il le revit, qu'il ferait mieux de ne pas boire autant. Ni de réciter des poèmes aussi épouvantables. « Et puis tiens, voici la clé de la maison. » Freddy n'avait rien dit, mais il avait mis dans sa poche la clé qu'il utilisa à sa guise (et que d'ailleurs il ne lui rendit jamais).

Quelqu'un d'extérieur aurait pu dire : « C'est bien beau, tout ça, mais le piège à éviter, c'est de tomber amoureux. » Ils auraient tous les deux bien ri à cette idée. Voyons, Freddy Pelu et Arthur Mineur ?! Freddy montrait aussi peu d'intérêt à vivre une histoire sentimentale que n'importe quel jeune de son âge : il avait ses bouquins, ses cours, ses amis, et sa vie de célibataire. Arthur, lui, plus âgé, en homme accommodant, ne posait aucune question. Freddy se disait aussi que ça devait rendre son père fou de savoir qu'il couchait avec son ennemi juré, et il était encore assez jeune pour prendre plaisir à torturer son père adoptif. Il ne lui vint jamais à l'idée que Carlos était bien soulagé de se voir débarrassé du garçon. Quant à Mineur, eh bien Freddy n'était même pas son genre. Arthur Mineur avait toujours craqué pour des hommes plus âgés ; c'étaient eux le vrai danger. Quoi !? Un gamin qui ne pouvait même pas citer les noms des Beatles ? Une simple distraction, un passe-temps, un hobby !

Bien entendu, Mineur eut beaucoup d'autres amants qui comptèrent, durant les années où il voyait Freddy. Il y eut le professeur d'histoire qui enseignait à l'université de Davis, en Californie, et qui était capable de conduire durant deux heures pour emmener Mineur au théâtre. Chauve, une barbe rousse, des yeux vifs et l'esprit tout autant ; ce fut un plaisir, un certain temps, d'être un adulte avec un autre adulte, de vivre en commun la même période de vie – le début de la quarantaine – et de rire ensemble de leur crainte de la cinquantaine. Au théâtre, Mineur observait le profil de Howard éclairé par la scène et se disait : *Voilà quelqu'un qui ferait un bon compagnon, ce serait un bon choix.* Aurait-il pu aimer Howard ? Très probablement. Mais leurs rapports sexuels n'étaient pas idéaux : Howard était trop directif. « Pince-moi là ; oui, c'est ça ! Maintenant, touche-moi là ; non, plus haut ; mais non, plus haut ! Non, plus haut, je te dis ! » Mineur avait presque l'impression de passer une audition pour une comédie musicale. Pourtant, Howard était gentil, et c'était un bon cuisinier ; il venait avec ses ingrédients et préparait une soupe au chou et à la saucisse si relevée que Mineur se sentait presque planer. Et puis Howard prenait sans problème la main de Mineur dans la rue, et il se montrait toujours souriant. Si bien que Mineur patienta six mois, pour voir si leurs relations sexuelles allaient évoluer ; mais il n'en fut rien. Il ne souleva jamais le problème, et je suppose qu'il comprit que, tout compte fait, ce n'était pas vraiment de l'amour.

Il y en eut d'autres, beaucoup, beaucoup d'autres. Il y eut le banquier chinois, qui jouait du violon et qui faisait de drôles de bruits au lit, mais qui embrassait comme il n'avait jamais vu le faire que dans les films. Il y eut le barman colombien, dont le charme était indéniable mais l'anglais impossible (« Je veux être dans les petits soins pour toi, tes mains, tes pieds »). D'ailleurs, l'espagnol de Mineur ne valait guère mieux. Il y eut l'architecte de Long Island, qui dormait en pyjama de flanelle et avec un bonnet, comme dans les films muets. Il y eut le fleuriste, qui insistait pour faire l'amour à l'extérieur, ce qui d'ailleurs entraîna une visite chez le médecin, pendant laquelle Mineur dut demander à la fois un test de dépistage pour les MST et une pommade pour soulager les effets des allergies au pollen de chêne. Il y eut les *nerds*, qui partaient du principe que Mineur devait être au fait de toutes les avancées technologiques, mais qui ne se sentaient nullement obligés de se tenir au courant de l'actualité littéraire. Il y eut les hommes politiques, qui le jaugeaient comme s'ils prenaient ses mesures pour un costume. Il y eut les acteurs, qui évaluaient ce qu'il aurait donné sur le tapis rouge. Il y eut les photographes, qui voulaient le placer dans la lumière la plus avantageuse. Parmi tous ces hommes, plusieurs auraient pu faire l'affaire. Tant de gens finissent par trouver quelqu'un qui fait l'affaire. Mais quand on a été une fois vraiment amoureux, on ne peut pas vivre en se disant que ça va « faire l'affaire ». C'est pire que de vivre complètement seul.

Il n'est donc pas surprenant que, tant de fois, Mineur soit revenu vers le rêveur, le simple, le vif, le studieux, l'inoffensif, le juvénile Freddy.

Les deux hommes continuèrent ainsi pendant neuf ans. Et puis, un jour d'automne, ce fut terminé. Freddy avait changé, bien sûr : ce n'était plus le jeune homme de vingt-cinq ans mais un homme qui avait environ trente-cinq ans, un professeur de lycée, en chemise polo bleue bien boutonnée et cravate noire, que Mineur appelait en plaisantant monsieur Pelu (souvent en levant le doigt, comme s'il voulait être interrogé). M. Pelu avait gardé ses cheveux bouclés, mais portait désormais des lunettes en plastique rouge. Il ne pouvait plus mettre de vêtements ajustés, comme avant ; le garçon maigre s'était étoffé, était devenu adulte, avec des épaules et un torse musclés, et il prenait un petit peu de ventre. Il ne trébuchait plus, ivre, en montant l'escalier de Mineur, ne récitait plus de mauvais vers chaque fin de semaine. Pourtant, un week-end, il remit ça. Il revenait du mariage d'un ami, et il se pointa, éméché et le visage rubicond. Il chancela en rigolant vers Mineur, et se dirigea, titubant, vers son dressing. Cette nuit-là, il se raccrocha à Mineur, irradiant de chaleur. Et puis vint le lendemain matin où, en soupirant, il annonça qu'il fréquentait quelqu'un qui exigeait qu'il soit fidèle. Il lui avait promis de l'être, environ un mois plus tôt. Et il pensait qu'il était temps de tenir sa promesse.

Freddy était étendu sur le ventre, la tête sur le bras de Mineur, qui sentait sa barbe naissante le gratter. Sur la table de nuit, ses lunettes rouges faisaient un effet de loupe sur sa paire de boutons de manchettes. Mineur demanda :

— Est-ce qu'il sait, pour moi ?

Freddy souleva la tête :

— Est-ce qu'il sait quoi ?

— Tu sais bien, fit Mineur en désignant d'un geste leurs corps nus.

Freddy le fixa droit dans les yeux :

— Je ne peux plus venir te voir.

— Je comprends.

— Ce serait chouette. Ça a été chouette. Mais tu vois bien que je ne peux plus.

— Je comprends.

Freddy sembla sur le point d'ajouter quelque chose, et puis il s'arrêta. Il était silencieux, mais son regard appuyé était celui de quelqu'un qui veut mémoriser une photo. Que voyait-il dans cette pièce ? Il se retourna et prit ses lunettes.

— Tu devrais me faire un baiser d'adieu.

— Monsieur Pelu, fit Mineur, on ne se dit pas vraiment adieu.

Freddy mit ses lunettes rouges et, dans chaque aquarium, un petit poisson bleu se mit à nager.

— Tu veux que je reste ici, avec toi, pour toujours ?

Un rayon de soleil, traversant la vigne vierge, quadrilla une jambe nue.

Mineur regarda son amant, une série d'images défilant peut-être dans son esprit, en instantanés : une veste de smoking, une chambre d'hôtel à Paris, une soirée sur un toit-terrasse ; ou bien, ce qui lui apparut ne fut peut-être qu'une sorte d'aveuglement, comme un brouillard de panique, le sentiment d'une perte. Un message codé, envoyé par son cerveau, et qu'il choisit d'ignorer. Mineur se pencha, et embrassa longuement Freddy. Puis il s'en écarta en disant :

— Je vois que tu t'es servi de mon eau de Cologne.

Les lunettes, qui avaient comme renforcé la détermination du jeune homme, avaient maintenant un effet de loupe sur ses pupilles déjà dilatées. Son regard se mit à courir rapidement de gauche à droite sur le visage de Mineur, comme pour y lire quelque chose. Il paraissait rassembler toutes ses forces pour sourire – et c'est ce qu'il finit par faire.

— C'était ça, ton meilleur baiser d'adieu ? dit-il.

Et puis, quelques mois plus tard, une invitation arriva au courrier : « Votre présence serait souhaitée au mariage de Federico Pelu et Thomas Dennis. » Vraiment, c'était trop embarrassant. Il ne pouvait en aucun cas accepter, alors que tout le monde savait qu'il avait eu une liaison avec Freddy ; on glousserait, on hausserait les sourcils et, même si normalement Mineur aurait dû s'en ficher, c'était trop lui demander que d'imaginer le sourire sur le visage de Carlos. Un sourire d'apitoiement. Mineur était déjà tombé sur Carlos lors d'une soirée de bienfaisance, à Noël (une flambée de branches de sapin), et celui-ci l'avait pris à part pour lui dire : « Merci d'avoir eu la gentillesse de laisser partir Freddy ; Arthur, tu sais que mon fils n'a jamais été un garçon pour toi. »

Pourtant, Mineur ne pouvait tout simplement pas se contenter de décliner l'invitation. Et puis de rester simplement chez lui pendant que toute la bande d'autrefois se réunirait à Sonoma pour boire aux frais de Carlos… C'est qu'il les voyait déjà : ils ne se priveraient aucunement de cancaner à son sujet. Ah, Arthur Mineur, ce triste jeune homme, voilà qu'il était devenu le triste et vieil Arthur Mineur. Pour le ridiculiser, on ressortirait les histoires qui sentaient la naphtaline ; on testerait aussi l'effet comique des plus récentes. Cette idée lui était insupportable. Et pourtant, il ne pouvait en aucun cas décliner l'invitation sans un bon prétexte. La vie lui jouait là un sacré tour, vraiment !

En même temps que le carton d'invitation au mariage, une lettre était arrivée, qui lui rappelait courtoisement une offre pour aller enseigner à Berlin, dans une obscure université ; c'était très peu rétribué, et il restait très peu de temps pour y répondre. Mineur s'assit à son bureau et considéra longuement la proposition ; l'étalon cabré, sur l'en-tête, semblait en érection. Par la fenêtre ouverte lui parvenait le bruit des ouvriers couvreurs qui jouaient du marteau sur le toit, ainsi que l'odeur du goudron fondu. Il ouvrit ensuite un tiroir et en sortit une pile d'autres lettres, d'autres invitations restées sans réponse ; il y en avait davantage cachées à l'intérieur de son ordinateur ; d'autres encore, noyées dans un tas de messages sur sa boîte vocale. Mineur resta assis au milieu du violent vacarme des ouvriers qui venait de la fenêtre ouverte, et les examina toutes. Un poste d'enseignant, une conférence, une résidence d'écrivain, un article relatant un voyage, etc. Et à ce moment-là, comme pour ces nonnes siciliennes qui, une fois l'an, chantent en relevant le rideau afin que leurs familles puissent les observer, eh bien soudain, dans son petit bureau, dans sa petite maison, un rideau se leva devant Arthur Mineur – et ce fut sur une idée singulière.

« Toutes mes excuses, écrivit-il sur le carton de réponse, mais je ne serai pas aux États-Unis. Toute mon affection à Freddy et à Tom. »

Il allait les accepter, ces invitations, et toutes.

Quel itinéraire de dingue il s'est concocté !

D'abord, cette interview avec H. H. H. Mandern. Ça lui paiera son voyage vers New York, et il y sera deux jours en avance pour profiter de la ville, flamboyante en automne. Et, au moins un soir, il y aura un dîner aux frais de la princesse (le grand plaisir d'un écrivain) : en compagnie de son agent, qui a certainement discuté avec son éditeur. Le dernier roman de Mineur, comme ces couples modernes qui vivent ensemble et patientent avant de se marier, traîne depuis plus d'un mois chez son éditeur ; mais celui-ci posera sûrement la question très bientôt. Il y aura du champagne ; il y aura de l'argent.

Deuzio : une conférence à Mexico. Le genre d'événement que Mineur refusait depuis des années : un colloque sur l'œuvre de Robert. Robert et lui avaient rompu depuis une quinzaine d'années, mais depuis que Robert était tombé malade et n'était plus en mesure de voyager, les directeurs des festivals littéraires s'étaient mis à contacter Mineur. Pas comme romancier de plein droit, mais comme une sorte de témoin. Un veuf de guerre, comme Mineur se définit lui-même. Ces festivals veulent faire ressurgir un dernier éclat de la Russian River School, ce monde bohème des années 1970 qui a disparu depuis longtemps à l'horizon, et ils en acceptent volontiers un simple écho. Mais Mineur a toujours refusé. Non parce que cela déprécierait sa propre réputation – ça, c'est impossible, puisque Mineur se met déjà plus bas que terre –, mais parce que faire de l'argent sur le dos de Robert, tirer profit de ce qui, en fait, était son monde à lui, aurait donné à Mineur l'impression de se comporter en parasite. Et d'ailleurs, cette fois, ce n'est pas l'argent qui suffit à le décider. Loin de là, même. Il se trouve simplement que cela permet d'utiliser habilement les cinq jours entre le séjour à New York et une cérémonie de remise de prix prévue à Turin.

Tertio : Turin, donc. Mineur a des doutes. Il est en lice pour recevoir un prix *prestigioso*, attribué à un livre récemment traduit en italien. Mais lequel ? Il a dû faire des recherches pour découvrir qu'il s'agit de *Dark Matter*. Il a eu alors un pincement au cœur, d'amour, et de regret ; lui est revenu le nom d'une passion du passé, comme s'il la découvrait sur la liste des passagers de la croisière qu'il s'apprête à faire. « Oui, nous sommes heureux de vous offrir le vol de Mexico à Turin ; un chauffeur vous y attendra » – une phrase parmi les plus délicieuses que Mineur ait jamais lues. Il se demande qui, en Europe, peut bien prendre en charge de tels frais, et suppose qu'on blanchit peut-être de l'argent sale ; jusqu'à ce qu'il découvre, imprimé au bas de l'invitation, le nom d'un conglomérat italien de lessive. Blanchiment, en effet. Mais voilà qui lui permet de rejoindre l'Europe !

Quatrièmement : la *Wintersitzung* de l'« Université Libérée » de Berlin : cinq semaines de cours « sur un sujet à la discrétion de M. Mineur ». La lettre est rédigée en allemand ; l'université pense qu'Arthur Mineur maîtrise couramment l'allemand, tout comme le croit son éditeur qui l'a recommandé. D'ailleurs, c'est ce que se figure Mineur lui-même, qui répond donc en allemand : « S'il plaît à Dieu, j'accepte cet insigne honneur de confiance », et il envoie sa réponse avec une bouffée de plaisir.

Cinquièmement : un séjour au Maroc ; ce serait son seul vrai luxe dans cet itinéraire. Il en profiterait pour participer à une virée planifiée pour célébrer un autre anniversaire, celui d'une femme qu'il n'a jamais rencontrée, dénommée Zohra. Elle a organisé une vaste excursion, depuis Marrakech vers le Sahara, avant de remonter vers le nord jusqu'à Fez. Son ami Lewis avait insisté : Mineur remplacerait quelqu'un qui s'était désisté pour ce voyage – c'était donc parfait ! Le vin coulerait à flots, la conversation serait pétillante, et les hôtels de grand luxe. Comment pouvait-il refuser ? La réponse, comme toujours, se résumerait en un seul mot : l'argent. L'argent, toujours l'argent. Lewis lui communiqua le coût du voyage, tout compris, et, bien que le montant fût ahurissant (Mineur vérifia deux fois, pour être sûr qu'il n'était pas calculé en dirhams marocains), voilà qu'il s'était, comme chaque fois, déjà trop entiché de l'idée de ce voyage. Il entendait déjà résonner à ses oreilles la musique bédouine ; les chameaux blatéraient déjà dans la pénombre ; il s'imaginait déjà sur des coussins brodés, puis se lever, sa coupe de champagne à la main, et aller marcher en pleine nuit dans le désert, les grains du sable saharien tièdes entre ses orteils, tandis que, au-dessus de sa tête, la Voie lactée brillerait de toute la lueur de ses bougies d'anniversaire.

Car c'était quelque part au milieu du Sahara qu'Arthur Mineur devait passer le cap de la cinquantaine.

Et il se jura de ne pas être seul. Dans ses pires moments, il se souvenait encore de ses quarante ans, et de son errance dans les larges avenues de Las Vegas. Non, pas question d'être seul.

Sixièmement : départ pour l'Inde. Qui lui avait donné cette idée bizarre ? Carlos, pour invraisemblable que cela puisse paraître. C'était durant cette fameuse soirée de Noël pendant laquelle son vieux rival avait, d'une certaine façon, découragé Mineur (« mon fils n'a jamais été un garçon pour toi »), et puis, d'une autre, l'avait ensuite encouragé : « Tu sais, il y a un lieu idéal pour effectuer des retraites, tout près d'un complexe touristique, un *resort* que je suis en train de remettre à neuf : ce sont des amis à moi, l'endroit est superbe, au sommet d'une colline donnant sur la mer d'Arabie ; ce serait un lieu merveilleux, où tu pourrais écrire. » L'Inde : peut-être pourrait-il enfin être tranquille ; il pourrait mettre la dernière touche à son roman en cours, ce roman dont son agent, à New York, célébrerait sûrement au champagne la parution prochaine. Au fait, quand commence la saison de la mousson ?

Et pour finir : envol pour le Japon. Si improbable que cela puisse paraître, c'était pendant une partie de poker entre écrivains, à San Francisco, qu'il avait hérité de cette affaire. Inutile de le préciser, c'étaient des écrivains hétéros. Même coiffé de sa visière verte, Mineur n'était pas un joueur convaincant ; à la première partie, il perdit toutes les mains. Mais il était beau joueur. Pendant la troisième partie, quand Mineur commençait à se dire qu'il ne supporterait pas une minute de plus la fumée des cigarettes, et puis les grognements, et puis la bière tiède jamaïcaine, un homme leva les yeux et déclara que sa femme en avait marre de tous les voyages qu'il faisait, qu'il fallait qu'il reste chez lui, et qu'il passe l'article à quelqu'un d'autre : est-ce que quelqu'un pouvait aller à sa place à Kyôto ? « Moi, je peux ! », s'écria Mineur d'une voix perçante. Tous les joueurs levèrent la tête – et revint alors à la mémoire de Mineur le moment où il s'était porté volontaire au collège pour faire partie de l'équipe de football américain : la même expression s'était peinte sur le visage des sportifs. Dans la salle de jeu, Mineur s'éclaircit la gorge et redit à voix plus basse : « Moi, je peux. » Il s'agissait d'écrire, pour le magazine d'une compagnie aérienne, un article sur la cuisine traditionnelle japonaise *kaiseki*. Il espérait ne pas être trop en avance pour la floraison des cerisiers.

De là, il repartirait vers San Francisco, et rentrerait chez lui, à Vulcan Steps. Il aurait été défrayé, à peu près pour tout : par les festivals, les comités des prix, les universités, les programmes de résidences d'écrivains et les groupes médiatiques. Le reste, il s'est rendu compte qu'il peut le régler grâce aux *miles* qu'il a accumulés sans les utiliser, et qui se sont transformés, au fil des décennies, en une fortune numérique, comme dans le coffre magique d'un sorcier. Après avoir payé d'avance son voyage exorbitant au Maroc, il lui reste juste assez d'économies pour couvrir les frais imprévus, pourvu qu'il s'en tienne aux règles d'épargne inculquées par sa puritaine de mère. Pas d'achats de vêtements. Pas de soirées en ville. Et, Dieu l'en préserve, pas d'urgences médicales. Mais qu'est-ce qui pourrait mal tourner ?

Arthur Mineur qui fait le tour du monde ! Ça semble une aventure digne d'un cosmonaute. Le matin où il quittait San Francisco, deux jours avant la rencontre avec H. H. H. Mandern, Arthur Mineur s'émerveillait d'une chose : cette fois-ci, après son périple, son voyage de retour ne se ferait pas d'est en ouest, comme ça avait été le cas toute sa vie ; mais c'est par l'ouest qu'il reviendrait : du mystérieux Extrême-Orient. Et, durant cette odyssée, il était certain de ne pas penser une minute à Freddy Pelu.

New York est une ville de huit millions d'habitants. Parmi eux, près de sept millions seraient furieux d'apprendre que vous étiez là, sans leur avoir proposé de partager un repas hors de prix ; cinq millions, furieux que vous ne soyez pas venu voir leur nouveau-né ; trois millions, furieux que vous n'ayez pas assisté à leur dernier spectacle ; un million, furieux que vous ne les ayez pas appelés pour passer une nuit ensemble ; mais, en fait, cinq personnes seulement seraient vraiment disponibles pour vous rencontrer. Il est donc parfaitement envisageable de ne faire signe à personne. Mieux vaut, plutôt, aller en douce à Broadway, pour assister à l'un de ces spectacles dégoulinants de bons sentiments, qui va vous coûter deux cents dollars – ce que vous ne serez d'ailleurs jamais prêt à admettre. Et c'est ce que fait Mineur le premier soir, se contentant d'un hot-dog en guise de dîner pour compenser cette dépense extravagante. Il ne s'agit pas là de ce qu'on appelle un plaisir coupable : quand l'obscurité descend sur la salle, quand le rideau se lève, quand votre cœur d'adolescent s'emballe et se met à battre au rythme de l'orchestre, non : vous ne ressentez aucune culpabilité. Et Arthur n'en éprouve aucune, du reste : il ressent, tout simplement, ces frissons de plaisir qui vous saisissent quand personne n'est là pour vous juger. La comédie musicale est médiocre, certes ; mais comme un coup d'un soir, pas terrible, le spectacle fait quand même très bien l'affaire. Vers la fin, Arthur Mineur est en larmes, il sanglote sur son siège, et croit avoir pleuré parfaitement silencieusement, jusqu'à ce que les lumières se rallument, et que la femme assise sur le siège d'à côté se tourne vers lui et lui dise : « Mon petit, je ne sais pas ce qui vous est arrivé dans la vie, mais je compatis, de tout mon cœur », avant de le serrer dans ses bras et de l'envelopper d'effluves de lilas. *Rien ne m'est arrivé*, a-t-il envie de lui dire, *rien du tout, je suis juste un homo qui assiste à un show à Broadway.*

Le lendemain matin, la cafetière de l'hôtel, petit mollusque affamé, ouvre grandes ses mâchoires avec un claquement pour engloutir des capsules, avant de sécréter ensuite du café dans un mug. Le mode d'emploi est clair sur la manière de nourrir la machine : et pourtant, allez savoir pourquoi, Mineur, au premier essai, ne réussit qu'à obtenir de la vapeur et, au second, c'est toute la capsule qui a fondu. Et Mineur de soupirer.

Cette matinée d'automne est magnifique, comme très souvent à New York. C'est la première journée de son long périple, et la veille de son interview ; ses vêtements sont encore propres et bien repassés, ses chaussettes encore assorties, son costume bleu encore sans plis, son dentifrice encore américain et pas remplacé par un produit étranger au goût bizarre. Les gratte-ciels new-yorkais étincellent d'une lumière vive jaune citron, qui se reflète sur les parois capitonnées d'aluminium des kiosques des vendeurs de hot-dogs, avant que son éclat n'atteigne Arthur Mineur lui-même. Ni le petit regard sadique et ravi de cette dame qui n'a pas retenu l'ascenseur pour qu'il l'emprunte en même temps qu'elle, ni cette serveuse revêche et sans humour du café où il s'est arrêté, ni les touristes cloués sur place dans l'animation de la Cinquième Avenue, ni ces rabatteurs qui vous accostent avec une énergie sans cesse renouvelée : « Monsieur, une comédie, ça vous tente ? Mais oui, voyons, tout le monde aime les comédies ! », ni le bruit assommant des marteaux-piqueurs sur le béton : rien ni personne ne peut lui gâcher cette journée. Et puis, voilà une boutique qui ne vend que des fermetures Éclair… et là, il y en a une vingtaine ! C'est le Quartier des Fermetures Éclair. Ah, cette ville est une merveille !

— Qu'est-ce que vous allez mettre ? lui demande l'employée de la librairie, au moment où Mineur s'arrête pour lui dire bonjour, après avoir parcouru une bonne vingtaine de pâtés de maisons magnifiques pour arriver jusqu'à la boutique.

— Comment ça, qu'est-ce que je vais « mettre » ?… Oh, je vais simplement mettre mon costume bleu.

L'employée est prise d'un fou rire. Elle porte une jupe crayon, un pull et des lunettes sur le nez : une vraie caricature de libraire. Puis elle se calme, et son hilarité se mue en sourire :

— Non, mais, vraiment, je suis très sérieuse, reprend-elle : qu'est-ce que vous allez mettre pour l'occasion ?

— Mais c'est un très beau costume ! De quoi parlez-vous ?

— Eh bien c'est H. H. H. Mandern, tout de même ! Et puis Halloween approche ! Moi, je me suis dégoté une combinaison de la Nasa. Quant à Janice, elle va venir déguisée en reine de Mars.

— J'avais cru qu'il voulait qu'on le prenne au sérieux…

— Mais c'est H. H. H. Mandern ! Et ça va être Halloween ! On doit absolument se déguiser !

Elle ne sait pas tout le soin qu'il a mis pour faire sa valise. C'est une vraie roulotte de clown, remplie de tout un tas de choses totalement différentes : des pulls en cachemire et en même temps des pantalons de lin, des sous-vêtements chauds et en même temps une lotion solaire, une cravate et en même temps un maillot de bain, et puis ses bandes élastiques pour ses étirements, etc. Quelles chaussures mettre dans sa valise pour se rendre à l'université et aussi à la plage ? Quelles lunettes pour le ciel embrumé de l'Europe du Nord, et le soleil de l'Asie du Sud ? Il allait vivre Halloween, le Día de los Muertos, la Festa di San Martino, le Nikolaustag, Noël, le Jour de l'an, l'Aïd El Mouled au Maroc, le Vasant Panchami en Inde, et Hina Matsuri au Japon. Les couvre-chefs à eux seuls auraient pu remplir toute une vitrine. Et puis, il y a ce fameux costume…

*

Sans ce costume, Arthur Mineur n'existe pas. Il l'a acheté sur un coup de tête trois ans auparavant, durant ce bref laps de temps où, par caprice, il jetait son argent par les fenêtres, tout autant que ses principes de précaution. Il s'envolait alors vers Hô-Chi-Minh-Ville pour aller voir un ami, à l'occasion d'un déplacement professionnel et, en cherchant un lieu où la climatisation lui aurait permis d'échapper à l'humidité de la ville envahie de vélomoteurs, il s'était retrouvé dans une boutique de tailleur, en train de commander un costume. Saoulé par les pots d'échappement et par le combustible utilisé, extrait de la canne à sucre, il avait pris une série de décisions irréfléchies, donné l'adresse de son domicile, et oublié tout ça dès le matin suivant. Deux semaines plus tard, un paquet était arrivé à San Francisco. Perplexe, il l'avait ouvert, et en avait sorti un costume « bleu moyen », à la doublure fuchsia, et brodé de ses initiales : APM. De la boîte s'exhalait une odeur d'eau de rose, qui fit surgir instantanément dans son esprit cette femme autoritaire, au chignon serré, qui l'avait harcelé de questions. Sur la coupe, les boutons, les poches, le col. Mais surtout : sur la teinte du bleu. Il l'avait choisie précipitamment parmi tout un mur de tissus exposés. Ce n'était pas un bleu ordinaire. Un bleu paon ? Un bleu lapis ? Rien d'approchant. C'était un bleu moyen, mais vif, légèrement brillant, et pour le moins audacieux. Quelque chose entre l'outremer et le bleu des sels de cyanure, entre Vishnou et Amon, entre Israël et la Grèce, entre les logos de Pepsi et de Ford. En un mot : éclatant. Il avait adoré cette part de lui-même qui lui avait fait choisir ce bleu, et il avait par la suite constamment porté ce costume. Même Freddy l'avait approuvé : « Tu as l'air de quelqu'un de célèbre ! » Et c'est vraiment le cas. Finalement, à son âge, il a enfin mis dans le mille. Il a belle allure, et il se ressemble vraiment. Sans ce costume, dans une certaine mesure, il n'est pas vraiment lui-même. Quand il ne le porte pas, Arthur Mineur n'existe pas.

Mais apparemment, ce costume ne suffit pas. À présent, avec son emploi du temps surchargé de déjeuners et de dîners, il lui faudra trouver… mais quoi donc ? Un uniforme de *Star Trek* ? En sortant de la librairie, il flâne jusqu'à son ancien quartier, où il vivait après la fac, et ça lui donne l'occasion de se souvenir du West Village de l'époque. Tout a aujourd'hui disparu : le restaurant afro-américain de *soul food* où l'on permettait à Mineur de laisser une clé de secours dissimulée sous le gâteau à la noix de coco ; la série de magasins pour fétichistes, dont les vitrines remplies de tenues en latex le terrorisaient dans sa jeunesse ; les bars lesbiens qu'il fréquentait en espérant avoir plus de chance avec les hommes qu'il y rencontrerait ; le bar minable où un ami avait un jour acheté ce qu'il croyait être de la coke et qui, en revenant des toilettes, avait annoncé qu'il venait de sniffer des Smarties ; l'angoisse qui avait gagné les pianos-bars un été en raison de ce que le *New York Post* appela à tort « le Tueur des karaokés ». Disparu, tout cela, remplacé par de bien plus jolies choses : de belles boutiques d'objets en or, de petits restaurants charmants, décorés de lustres, qui ne servent que des hamburgers, et puis des chaussures exposées comme si on était dans un musée. À certains moments, Arthur Mineur en vient à croire qu'il est le seul à se rappeler combien cet endroit était purement et simplement crasseux.

Soudain, derrière lui :

— Arthur ! Arthur Mineur ?

Il se retourne.

— Arthur Mineur ! Incroyable ! Mais j'étais justement en train de parler de toi à l'instant même !

Avant de vraiment savoir de qui il s'agit, Arthur se retrouve à étreindre cet homme, qui le noie dans ses vêtements de flanelle, tandis que, derrière son épaule, les observe un jeune homme aux grands yeux tristes et au visage cerné de dreadlocks. L'homme qui l'enlace libère Arthur, et se met à épiloguer sur l'aspect extraordinaire de cette coïncidence, tandis que Mineur se demande tout du long : « Mais bon sang, qui c'est, ce type ? » Un homme chauve, jovial, rondouillard, à la barbe grise bien taillée, vêtu d'un pull écossais en flanelle et d'une écharpe orange se tient devant lui en souriant, sur la Huitième Avenue, devant une épicerie qui jadis était une banque. Paniqué, Mineur tente précipitamment de situer cet homme dans une série de contextes et de décors différents : à la plage sur fond de ciel bleu ; ou parmi de grands arbres près d'un fleuve ; ou bien dégustant une langouste avec un verre de vin ; ou encore dans une soirée avec boule à facettes et drogues ; ou enfin enroulé dans des draps au lever du soleil… Mais rien ne lui revient à l'esprit.

— Je n'arrive pas à le croire ! répète l'homme sans lâcher l'épaule de Mineur. Arlo était justement en train de me parler de sa rupture, et je lui disais : « Tu sais, laisse faire le temps. Ça te semble impossible pour l'instant, mais laisse faire le temps. Parfois ça prend plusieurs années. » Et puis je t'ai aperçu, Arthur ! Et je lui ai dit en te désignant : « Non mais regarde ! Regarde là-bas ! C'est l'homme qui m'a brisé le cœur ! Je pensais que je ne pourrais jamais m'en remettre, que je ne voudrais jamais revoir son visage, ni même entendre son nom, et puis regarde ! Le voici, surgi de nulle part, et je ne ressens aucune rancune. Ça fait combien de temps, Arthur ? Six ans ? Et aucune rancune, rien du tout. »

Mineur se tient devant lui et l'examine : les rides de son visage évoquent un origami qu'on aurait déplié et lissé, les petites taches de rousseur sur son front, le duvet blanc qui sort de ses oreilles pour remonter jusqu'au sommet du crâne, ces yeux cuivrés qui étincellent, mais pas sous l'effet d'une quelconque rancune. Qui est donc ce vieil homme, bon sang ?

— Tu vois, Arlo ? dit l'homme au jeune qui l'accompagne. Rien, on ne ressent plus rien ! On laisse ça derrière soi, tout simplement. Arlo, tu veux bien nous prendre en photo ?

Et Mineur se retrouve de nouveau à enlacer cet homme, cet étranger joufflu, tout sourire pour la photo que va prendre le jeune Arlo, qui se recule, cherche le bon angle – jusqu'à ce que l'homme se mette à lui donner des instructions : « Prends-en une autre ; non, prends-la de là-bas ; lève l'appareil, tiens-le plus haut ; non, plus haut ; mais non, plus haut, je te dis ! »

— Howard ! s'exclame Mineur à son vieil amant en souriant. Tu es resplendissant !

— Et toi aussi, Arthur ! Bien sûr, on ne se rendait pas compte, à ce moment-là, qu'on était si jeunes, non ? Et regarde-nous aujourd'hui : deux vieux !

Interloqué, Mineur recule d'un pas.

— En tout cas, quel plaisir de te voir ! dit Howard qui hoche la tête et qui répète : C'est pas génial ? Arthur Mineur, juste ici, sur la Huitième Avenue. Quel plaisir de te voir, Arthur ! Porte-toi bien ; nous, on doit se dépêcher !

Un baiser, qui se voulait sur la joue, dévie sur la bouche du professeur d'histoire ; il sent le pain de seigle. Bref retour en arrière, six ans auparavant : au théâtre, Arthur observe Howard de profil en se disant : *Ce serait un bon compagnon.* Un homme avec qui il avait failli vivre, qu'il avait presque aimé, et voilà qu'aujourd'hui il ne le reconnaît même pas dans la rue. Ou bien Arthur Mineur est un connard, ou bien le cœur a ses raisons… Possible que les deux soient vrais. Un salut à ce pauvre Arlo, pour qui rien de tout ça ne doit être très agréable. Ils sont sur le point de traverser la rue, quand Howard s'arrête, se retourne et lance à Mineur, l'air réjoui :

— Eh, au fait ! Tu étais bien ami avec Carlos Pelu, n'est-ce pas ? C'est incroyable comme le monde est petit ! Peut-être que je te verrai au mariage ?

Arthur Mineur ne publia rien jusqu'à la trentaine. À l'époque, il vivait depuis de nombreuses années avec le célèbre poète Robert Brownburn, dans ce qu'ils appelaient toujours leur « cabane », une petite maison nichée à mi-chemin d'une montée assez raide, dans un quartier résidentiel de San Francisco. On appelle cette côte The Vulcan Steps : elle descend en courbe depuis les hauteurs de Levant Street jusqu'en bas, vers Monterey, à travers les pins, les fougères, le lierre et les arbres bien taillés, pour déboucher sur un terre-plein de briques orienté à l'est, vers la ville. Des bougainvilliers fleurissaient sur le porche, comme une robe de bal abandonnée là. La « cabane » n'avait que quatre pièces, dont une exclusivement réservée à Robert ; ils en avaient peint les murs en blanc, et y avaient accroché des peintures que des amis avaient offertes à Robert (sur l'une d'elles, on pouvait deviner Arthur, nu, sur un rocher) et ils avaient planté une jeune vigne vierge qui grimpait sous la fenêtre de la chambre à coucher. Il avait fallu cinq années à Mineur pour suivre les conseils de Robert, et se mettre à écrire. D'abord des nouvelles, à peine élaborées. Et puis, presque à la fin de leur histoire commune, un roman : *Kalipso*. Une réinterprétation du mythe de Calypso, tiré de l'*Odyssée* : l'histoire d'un soldat de la Seconde Guerre mondiale, échoué sur une plage du Pacifique sud, ramené à la vie par un indigène qui en tombe amoureux, et qui doit l'aider à trouver un moyen de retourner vers son monde, et de rentrer chez lui, auprès de son épouse.

— Ah, ce livre, Arthur ! avait dit Robert en enlevant ses lunettes pour ajouter un effet dramatique. C'est un honneur de vivre une histoire d'amour avec toi.

Le succès avait été mitigé. Et seul Richard Champion daigna en faire une critique dans le *New York Times*. Robert l'avait d'abord lue, puis passée à Mineur en souriant, ses lunettes remontées sur le front, comme les yeux supplémentaires du poète ; il avait déclaré que c'était une bonne critique. Mais tout auteur sait reconnaître la pique qu'un autre a glissée dans une pointe finale, et Champion terminait sa critique en qualifiant le style de l'auteur « d'une folle grandiloquence ». Mineur, comme un enfant qui doit résoudre un problème, s'était arrêté sur ces mots. « Grandiloquence », ça pouvait sonner comme un compliment (sans pourtant en être un), mais « folle » ? Qu'est-ce que ce mot laissait vraiment entendre ?

— Ça ressemble à un code, avait dit Mineur. Est-ce qu'il envoie un message à l'ennemi ?

C'était bien ça. Robert avait pris la main de Mineur en lui disant :

— Il te traite tout simplement de pédé.

Pourtant, comme ces invraisemblables scarabées qui survivent des années dans les dunes en se contentant des rares gouttes d'eau qui tombent dans le désert, son roman avait continué à se vendre, au fil des ans. En Angleterre, en France, en Italie. Mineur en avait écrit un deuxième, *The Counterglow*, qui attira moins l'attention, et un troisième, *Dark Matter*, que le directeur des éditions Cormoran poussa tant qu'il put, en lui consacrant un énorme budget publicitaire, et en envoyant Mineur en faire la promotion dans plus d'une dizaine de villes. À la parution du roman, à Chicago, il était resté dans les coulisses pour écouter comment on le présentait (« Merci de bien vouloir accueillir le "grandiloquent auteur" du roman *Kalipso* acclamé par la critique… »), et il avait entendu les applaudissements peu empressés des quelque quinze ou vingt personnes présentes dans l'auditorium – terrible présage, comme les gouttes de pluie qui criblent de points sombres un trottoir avant l'orage –, il avait alors revécu une réunion des anciens de son lycée. Les organisateurs l'avaient convaincu de faire une séance de lecture annoncée comme « Une soirée en compagnie d'Arthur Mineur », sur le carton d'invitation. Quand Mineur était lui-même au lycée, personne n'avait jamais voulu passer une soirée en compagnie d'Arthur Mineur, et pourtant il les prit précisément au mot. Il s'était présenté au lycée Delmarva (plus minable encore que dans son souvenir), et avait pensé à toute la distance qu'il avait parcourue. Et je vous laisse imaginer combien d'anciens élèves étaient venus à cette « Soirée en compagnie d'Arthur Mineur ».

Au moment de la publication de *Dark Matter*, Robert et lui s'étaient séparés et, depuis, Mineur devait survivre seul et se contenter, si l'on peut dire, des rares gouttes d'eau du désert. Certes, quand Robert s'échappa pour aller vivre à Sonoma (une fois l'hypothèque en cours levée, grâce à l'argent du prix Pulitzer), la « cabane » revint à Arthur. Pour le reste, il essayait de joindre les deux bouts, dans cette folle vie d'écrivain, afin de se constituer un édredon bien chaud, mais jamais assez long pour lui couvrir complètement les pieds.

Mais ce nouveau livre ! C'est le bon ! Il a pour titre *Swift* : comme ceux qui, quoique « rapides », ne gagnent pas toujours la course, selon l'Ecclésiaste. C'est un roman quasi péripatéticien : le parcours d'un homme qui déambule à pied à travers San Francisco – en même temps qu'il voyage dans son passé – et qui rentre chez lui après une série de coups durs et de déceptions (« En fait, tu écris tout simplement un *Ulysse* homo », avait noté Freddy) ; le roman mélancolique et poignant d'un homme dont la vie est faite d'épreuves ; d'un cinquantenaire, homo et fauché. Et donc, aujourd'hui, pendant le dîner, au champagne sûrement, Mineur apprendra la bonne nouvelle.

Dans sa chambre d'hôtel, il met son costume bleu, qui sort du pressing, et se sourit à lui-même devant le miroir.

*

Personne n'était venu à la « Soirée en compagnie d'Arthur Mineur ».

Un jour, Freddy avait déclaré que son agent était « la grande histoire d'amour » de Mineur. Et effectivement, Peter Hunt connaît intimement Mineur. Il gère les querelles, et les attaques, et les joies dont personne d'autre n'est témoin. Pourtant, de Peter Hunt, Mineur ne sait pratiquement rien. Il ne se souvient même pas d'où il vient. Du Minnesota ? Est-ce qu'il est marié ? Combien de clients a-t-il ? Mineur n'en a aucune idée, et pourtant, comme une lycéenne, il ne vit que dans l'attente des coups de fil et des messages de Peter. Ou, plus précisément, comme une maîtresse qui attend un signe de son homme.

Le voici, qui entre dans le restaurant : Peter Hunt lui-même. Ex-star de basket à l'université, sa stature impose toujours le respect lorsqu'il pénètre dans une pièce, bien qu'aujourd'hui, au lieu d'être coiffé en brosse, il arbore une chevelure blanche et longue comme celle d'un chef d'orchestre dans un dessin animé. Tout en traversant la salle de restaurant, Peter serre comme par télépathie les mains d'amis qui se tendent de tous côtés, puis braque enfin son regard sur le pauvre Mineur énamouré. Peter arbore un costume de velours côtelé beige qui émet comme un ronronnement quand il s'assoit. Derrière lui, une actrice de Broadway fait son entrée en robe de dentelle noire, tandis que, de part et d'autre, se dévoilent, dans des nuages de vapeur, deux homards thermidor. Comme tout diplomate lors d'une négociation tendue, Peter ne discute jamais affaires avant le dernier moment, si bien que, pendant le repas, ce ne sont que propos littéraires sur des auteurs que Mineur doit faire semblant d'avoir lus. C'est seulement au moment du café que Peter lance :

— J'ai entendu dire que tu allais voyager.

Mineur acquiesce, dit qu'il va faire un petit tour du monde.

— Bien, dit Peter en faisant signe pour qu'on lui apporte l'addition. Ça te changera les idées. J'espère que tu n'es pas trop lié aux éditions Cormoran.

Mineur bredouille quelque chose, puis garde le silence. Alors, Peter de reprendre :

— Parce qu'ils ont refusé *Swift*. Je pense que tu devrais le rafistoler pendant ton voyage. Dans de nouveaux décors germent de nouvelles idées.

— Qu'est-ce qu'ils ont proposé ? Ils veulent des changements ?

— Aucun changement. Aucune proposition.

— Peter, ils me virent ?

— Arthur, ce n'est pas ça. Pensons à autre chose qu'à Cormoran.

C'est comme si une trappe venait de s'ouvrir sous la chaise de Mineur :

— Est-ce que ça fait trop… « folle » ?

— Trop mélancolique. Trop poignant. Ces récits où le personnage parcourt une ville, ces histoires de la vie de tous les jours, je sais que les écrivains les adorent. Mais, à mon avis, c'est difficile d'avoir de la peine pour ton type, ce Swift. Ce que je veux dire, c'est qu'il mène une vie plus belle que celle de tous les gens que je connais.

— Trop *homo* ?

— Mets à profit ce voyage, Arthur. Tu es tellement doué pour saisir l'atmosphère d'un lieu. Fais-moi signe quand tu seras de retour.

Sur ce, Peter lui donne l'accolade, et Mineur se rend compte qu'il s'en va ; que c'est terminé ; que l'addition était arrivée et avait été intégralement réglée, tandis qu'il se débattait dans le gouffre sombre, sans fond, aux parois glissantes, de cette terrible nouvelle.

— Et bonne chance pour demain avec Mandern. J'espère que son agent ne sera pas présente : c'est un monstre.

Il fouette l'air de sa chevelure blanche, comme la queue d'un cheval qui s'ébroue, et puis traverse la salle à grands pas. Mineur le regarde baiser la main tendue de l'actrice. Et le voilà parti. Envolée la grande histoire d'amour de Mineur, partie charmer un nouvel écrivain tout énamouré.

De retour dans sa chambre d'hôtel, il s'étonne de voir, dans la salle de bains lilliputienne, une immense baignoire digne des géants de Brobdingnag. Aussi, même s'il est dix heures du soir, il se fait couler un bain. Pendant que la baignoire se remplit, il regarde la ville par la fenêtre : l'Empire State Building, à vingt pâtés de maisons de là, et, comme en écho, plus bas, l'Empire Dinner, flanqué d'une pancarte où l'on peut lire : PASTRAMI. Depuis l'autre fenêtre, près de Central Park, il aperçoit l'enseigne du pompeux New Yorker Hotel. C'est qu'il ne s'agit pas de plaisanter, non monsieur ah, ça non ! Tout comme on ne plaisante pas avec les auberges de Nouvelle-Angleterre, qui s'appellent Minuteman ou le Tricorner, avec leurs coupoles coloniales, couronnées de girouettes en fer forgé, et leurs pyramides de boulets de canon dehors devant l'entrée ; ou bien les parcs à homards du Maine dénommés Nor'easter, décorés d'épuisettes et de bouées suspendues. Il ne s'agit pas de plaisanter, non. Pas plus pour les restaurants de Savannah, en Géorgie, avec leurs guirlandes ornées de mousse, ni pour les Western Grizzly Dry Goods dans l'Ouest américain, ni, non plus, pour les Florida Gator ceci ou les Florida Gator cela, ni même pour les Californian Surfboard Sandwiches ou bien, à San Francisco, pour les Cable Car Cafés et Fog City Inn. Personne ne plaisante sur ces sujets. Tout le monde se prend terriblement au sérieux. On croit que les Américains sont décontractés. Mais en fait ils ne plaisantent pas du tout, surtout en ce qui concerne leur « culture locale » : ils appellent leurs bars des *« saloons »*, et leurs boutiques *« Ye Olde »*, Au Vieil Untel ; ils portent les couleurs de l'équipe sportive du lycée du coin ; et ils sont célèbres pour leurs tartes. Même en plein New York.

Mineur est le seul, peut-être, à ne pas prendre cela au sérieux. Il reste là, à regarder les vêtements qu'il a choisis : un jean noir pour New York, un treillis pour le Mexique, le costume bleu pour l'Italie, des vêtements chauds pour l'Allemagne, en lin pour l'Inde. Il considère ses tenues, l'une après l'autre. Chacune est comme un clin d'œil, et il se voit lui-même comme une plaisanterie : Mineur le gentleman, Mineur l'écrivain, Mineur le touriste, Mineur le jeune artiste bohème, Mineur le colonialiste. Où est-il, le véritable Mineur dans tout ça ? Le Mineur jeune homme, alors terrifié par l'amour ? Le Mineur qui se prenait terriblement au sérieux il y a vingt-cinq ans ? Eh bien, il ne l'a pas du tout mis dans ses bagages. Après toutes ces années, Mineur ne sait même pas où est rangée sa véritable identité.

Il ferme le robinet et entre dans la baignoire. C'est chaud, très chaud, beaucoup trop chaud, bouillant même ! Il en ressort, le bas du corps écarlate, et laisse encore un peu couler l'eau froide. Les carreaux blancs, ornés d'une bande noire toute simple, sont recouverts de buée sur toute leur surface. Il se glisse à nouveau dans l'eau, maintenant à peine un peu trop chaude. Il aperçoit, sur le carrelage, les reflets de son corps fripé.

Arthur Mineur est le premier homosexuel à vieillir. C'est du moins ce qu'il ressent, dans des moments comme celui-ci. Là, dans cette baignoire, il pourrait avoir vingt-cinq ou trente ans, être un beau jeune homme, nu dans un bain. Et jouissant des plaisirs de la vie. Mais comme ce serait horrible si quelqu'un le surprenait tout nu aujourd'hui ! La moitié du corps tout rose, le sommet du crâne tout gris : on dirait ces vieilles gommes à double usage, pour effacer d'un côté le crayon et de l'autre l'encre d'un stylo. Il n'a jamais vu un homo de plus de cinquante ans, aucun, exception faite de Robert. Tous ceux qu'il a rencontrés avaient plus ou moins la quarantaine, mais il n'a jamais vu personne survivre au-delà : ils sont morts du sida, ceux de cette génération. Et celle de Mineur a souvent l'impression d'être la première à explorer les contrées qui s'étendent au-delà de cet âge. Comment faut-il s'y prendre ? Doit-on rester un éternel gamin, se teindre les cheveux, se mettre au régime pour rester mince, porter des chemises et des jeans près du corps, et puis sortir en boîte et danser jusqu'à tomber raide mort à quatre-vingts ans ? Ou alors faire le contraire : renoncer à tout ça, laisser ses cheveux devenir poivre et sel, porter des pulls élégants pour dissimuler son ventre, et garder le sourire en pensant aux plaisirs passés qui ne reviendront plus jamais ? Faut-il se marier et adopter un enfant ? Si on vit en couple, faut-il que chacun prenne un amant, comme on choisit des tables de nuit assorties pour chaque côté du lit, afin de ne pas renoncer à toute vie sexuelle ? Ou bien, au contraire, accepter d'y renoncer complètement, comme font les hétéros ? Vivre le soulagement de voir s'envoler la vanité, l'orgueil, l'angoisse, le désir et la souffrance ? Devenir bouddhiste ? En tout cas, il y a une chose à ne surtout pas faire : garder un amant neuf ans, en pensant qu'on peut vivre aisément comme ça et avec désinvolture, et puis, une fois qu'il vous quitte, disparaître et finir seul dans la baignoire d'un hôtel, en se demandant ce qui va ensuite advenir.

Surgie de nulle part, parvient la voix de Robert :

Je vais devenir trop vieux pour toi. Quand tu auras trente-cinq ans, j'en aurai soixante. Quand tu en auras cinquante, j'en aurai soixante-quinze. Et alors, à ce moment-là, qu'est-ce que nous ferons ?

C'était au début ; il était si jeune, il avait peut-être vingt-deux ans. C'était pendant l'une de ces conversations qu'on a après l'amour. *Je vais devenir trop vieux pour toi.* Bien sûr, Mineur avait répliqué que c'était ridicule, que la différence d'âge ne signifiait rien pour lui. Robert était vraiment plus sexy que tous ces jeunes hommes stupides, et il en était sûrement conscient. Les hommes étaient si sexy à la quarantaine : ils avaient cette certitude tranquille de ce qu'un homme aimait ou n'aimait pas, des limites qu'ils posaient ou non, avaient de l'expérience, et aussi le sens de l'aventure. Ça rendait les rapports sexuels tellement plus agréables. Robert avait allumé une cigarette et avait souri. *Et alors, à ce moment-là, qu'est-ce que nous ferons ?*

Et puis, voilà Freddy, vingt ans plus tard, debout dans la chambre de Mineur :

— Pour moi, tu n'es pas vieux.

— Pourtant c'est le cas, dit Mineur depuis le lit où il est allongé. Je vais le devenir, en tout cas.

Notre héros se tient de côté sur le coude. Le soleil, en taches de lumière, forme un treillage sur la fenêtre, d'où l'on voit combien la vigne vierge a poussé au fil des ans. Mineur a quarante-quatre ans. Freddy, vingt-neuf ; il porte ses lunettes rouges, la veste de smoking de Mineur, et rien d'autre. Le centre de son torse poilu est à peine affaissé, là où se formait, avant, un véritable creux.

Freddy se regarde dans la glace :

— À mon avis, ta veste de smoking me va mieux qu'à toi.

— Je veux être sûr, dit Mineur en baissant la voix, que je ne t'empêche pas de rencontrer quelqu'un.

Freddy croise le regard d'Arthur Mineur, qui le fixe dans le miroir. Son visage se ferme légèrement, comme s'il avait mal aux dents. Enfin, il lâche :

— Tu n'as pas à t'inquiéter de ça.

— Tu es à un âge où…

— Je sais.

Freddy a le regard de quelqu'un qui fait très attention à chaque mot :

— Je sais très bien où en est notre relation. Tu n'as pas à t'en faire.

Mineur se cale dans le lit, et ils se regardent en silence pendant un moment. Le vent souffle, la vigne vierge frappe sur la fenêtre, et brouille les ombres.

— Je voulais seulement parler de…

Freddy se retourne :

— Inutile de parler davantage, Arthur. Tu n'as pas à t'en faire. Je pense simplement que tu devrais me donner ce smoking.

— Il n'en est pas question. Et arrête d'utiliser mon eau de Cologne.

— Je le ferai quand je serai riche.

Freddy le rejoint au lit :

— Bon, regardons encore le film : *La Cloison de papier*.

— Monsieur Pelu, poursuit Mineur incapable de lâcher prise avant d'être certain qu'il a dit ce qu'il voulait, je voudrais seulement m'assurer que tu ne t'attaches pas à moi.

Il se demande à quel moment leurs conversations avaient commencé à ressembler à celles d'un roman traduit.

Freddy se redresse, l'air très sérieux. Il a la mâchoire puissante de l'homme qu'il est devenu, celle qu'un artiste pourrait croquer à grands traits. Sa mâchoire, et l'aigle de poils noirs sur sa poitrine : ce sont les marques d'un homme. Quelques détails – le nez, petit, le sourire évoquant un tamia, et les yeux bleus dans lesquels on peut si facilement lire ses pensées – voilà tout ce qui reste de ce jeune de vingt-cinq ans qui contemplait le brouillard. Puis il sourit :

— C'est incroyable de constater à quel point tu es vaniteux.

— Dis-moi juste que tu penses que mes rides sont sexy.

Et Freddy, en se rapprochant lentement de lui, lui dit :

— Arthur, il n'y a pas une parcelle de toi qui ne soit pas sexy.

L'eau du bain a refroidi, et dans cette salle de bains carrelée et dépourvue de fenêtre, on se sent maintenant comme dans un igloo. Arthur regarde son reflet sur les carreaux, fantôme vacillant sur la surface blanche et brillante. Il ne peut pas rester dans sa chambre. Il ne peut pas se coucher. Il doit faire quelque chose qui ne soit pas triste.

Quand tu auras cinquante ans, j'en aurai soixante-quinze. Et alors, à ce moment-là, qu'est-ce que nous ferons ?

Rien, sauf en rire. C'est vrai pour tout.

Je me souviens d'Arthur Mineur quand il était jeune. J'avais douze ans à peu près, et je m'ennuyais au milieu d'une réunion d'adultes. L'appartement était tout blanc, tous les invités vêtus de blanc aussi, et on m'avait donné un soda incolore en me disant de ne m'asseoir sur aucun siège ni aucun meuble. Le papier peint blanc argenté était orné d'un motif de jasmins qui, répété, me fascina tant que je finis par remarquer que, tous les mètres à peu près, une petite abeille tentait de se poser sur l'une des fleurs, mais restait figée dans son vol par le dessin de l'artiste. C'est alors que j'ai senti une main sur mon épaule : « Tu veux dessiner quelque chose ? » Je me suis retourné, et j'ai vu un jeune homme blond qui me souriait. Grand, mince, les cheveux longs sur le dessus, un visage idéalisé de statue romaine, il écarquillait légèrement les yeux avec un grand sourire : le genre d'expression vivante qui enchante les enfants. J'ai dû penser que c'était un adolescent. Il m'a conduit jusqu'à la cuisine, où il a trouvé du papier et des crayons, et m'a dit que nous pouvions dessiner la vue. Je lui ai demandé si je pouvais le dessiner, lui. Il s'est mis alors à rire, mais il a accepté, a pris place sur un tabouret, tout en écoutant la musique qui venait de l'autre pièce. Je connaissais le groupe. Il ne m'est jamais venu à l'esprit qu'il cherchait à se cacher, durant cette soirée.

Personne n'était aussi habile qu'Arthur pour quitter une pièce tout en y restant. Il était assis là, et m'a immédiatement quitté par la pensée. Un corps svelte dans un jean fuseau, un pull épais, blanc, à grosses mailles tachetées, d'où sortait un long cou tout rouge qu'il étirait en écoutant la chanson qui passait « Tellement *seul*, tellement *seul* » : il avait une tête un peu trop grosse par rapport à son corps, en quelque sorte trop allongée et rectangulaire, des lèvres trop rouges, des joues trop roses, d'épais cheveux blonds et brillants, coupés très court sur les côtés et retombant en ondulations sur le front. Le regard fixé sur le brouillard, les mains sur les genoux, il chantonnait tout bas les paroles de The Police : *« So lonely, so lonely »*, « Tellement *seul*, tellement *seul* ». Je rougis aujourd'hui en pensant au fouillis de traits que j'ai dessinés pour le représenter. J'étais trop impressionné par son véritable esprit d'indépendance, par sa véritable liberté. Rentrer en lui-même, et s'échapper ainsi comme ça, durant dix ou quinze minutes pendant que je le dessinais, alors que je pouvais à peine rester assis immobile pour tenir mon crayon. Et, après un moment, ses yeux ont repris vie, il m'a regardé et m'a dit :

— Où tu en es ?

Et je lui ai montré mon dessin. Il a eu un sourire, a hoché la tête, m'a donné quelques tuyaux, et m'a demandé si je voulais un autre soda.

— Quel âge as-tu ? lui ai-je alors demandé.

Il a grimacé un sourire. Il a repoussé ses mèches, dégagé ses yeux :

— J'ai vingt-sept ans.

Pour je ne sais quelle raison, j'ai eu le sentiment que c'était là une terrible trahison.

— Vous n'êtes pas un enfant ! Vous êtes un homme !

Ce qui m'a paru vraiment inconcevable, c'est de voir le visage de cet homme rougir, comme si je l'avais insulté. Mais pourquoi donc ce que j'avais dit l'avait ainsi blessé ? Je suppose qu'il aimait toujours se considérer comme un jeune homme. Je l'avais cru plein d'assurance, alors qu'en vérité, il était rempli d'inquiétudes et de peurs. Certes, je n'ai pas perçu tout ça, à cette époque, au moment où il a rougi et baissé les yeux. Je ne connaissais rien de l'angoisse ni des autres vaines souffrances humaines. Je savais seulement que j'avais dit ce qu'il ne fallait pas.

Un vieil homme est apparu sur le seuil de la cuisine. Pour moi, c'était un vieux : chemise oxford blanche, lunettes à monture noire, il faisait un peu penser à un pharmacien. « Arthur, allez, on s'en va. » Arthur m'a souri, et m'a remercié pour cet après-midi agréable. Le vieil homme m'a jeté un regard et fait un bref signe de tête. J'ai ressenti le besoin de réparer ce que j'avais bien pu faire de mal. Et puis là, ils sont partis tous les deux. Évidemment, je ne pouvais pas savoir que c'était le lauréat du prix Pulitzer, le poète Robert Brownburn. Accompagné de son jeune amant, Arthur Mineur.

— Un autre Manhattan, s'il vous plaît.

C'est la même nuit, plus tard. Arthur ferait bien de veiller à ne pas avoir la gueule de bois pour son interview du lendemain avec Mandern. Et il ferait mieux de trouver une tenue pour évoquer la science-fiction.

Il est en train de bavarder :

— Je suis en train de parcourir le monde.

Cette conversation a lieu dans un bar du centre de New York, proche de l'hôtel. Quand il était tout jeune, Mineur y venait souvent. Rien n'a changé dans ce boui-boui : ni le videur, méfiant dès qu'il voit quelqu'un sur le point d'entrer ; ni le portrait encadré d'un Charlie Chaplin âgé ; ni le comptoir en courbe où l'on sert rapidement les jeunes, et plus tardivement les vieux ; ni le grand piano à queue noir sur lequel le pianiste (comme dans un saloon du Far West) joue ce qu'on lui demande (surtout du Cole Porter) ; ni le papier peint rayé, ni les appliques en forme de coquilles, ni la clientèle. Le lieu est connu pour permettre à des hommes mûrs d'en rencontrer de plus jeunes ; deux vioques, sur un divan, sont en train de cuisiner un homme aux cheveux lissés en arrière. Ça amuse Mineur de penser que maintenant c'est lui qui se trouve de l'autre côté de la barrière. Il bavarde avec un beau jeune homme de l'Ohio, à la calvitie pourtant naissante, qui, il ne sait pas pourquoi, l'écoute intensément. Mineur n'a pas encore remarqué, placé au-dessus du bar, un casque de cosmonaute russe.

— Et tu vas où, ensuite ? demande le type sur un ton jovial.

Il est rouquin, il lui manque des cils, et son nez est couvert de taches de rousseur.

— À Mexico. Ensuite j'irai en Italie pour une remise de prix.

Il en est à son deuxième Manhattan, qui commence à faire son œuvre.

— Je ne vais pas l'avoir. Mais il fallait que je parte de chez moi.

— Et c'est où chez toi, beau gosse ? demande le rouquin en posant sa tête sur sa main.

— San Francisco.

Mineur se souvient de quelque chose qui s'est passé près de trente ans auparavant : il sortait d'un concert d'Erasure avec son ami, tous deux complètement stone et, apprenant que les démocrates avaient repris le Sénat, ils étaient rentrés dans ce bar, et ils avaient annoncé : « On veut coucher avec un républicain ! Qui est républicain ? » Et tout le monde de lever la main.

— San Francisco, c'est pas mal, dit le jeune homme en souriant. Seulement un peu trop m'as-tu-vu. Et pourquoi tu devais partir ?

Mineur se penche sur le bar et regarde son nouvel ami droit dans les yeux. Le piano joue toujours, du Cole

Porter, et la cerise est toujours là, dans son Manhattan ; il la retire de son verre. Charlie Chaplin les regarde (pourquoi Charlie Chaplin ?).

— Comment tu appellerais un mec avec qui tu couches, disons depuis neuf ans, à qui tu prépares son petit-déj', avec qui tu fêtes des anniversaires, avec qui tu te disputes, avec qui tu es d'accord pour porter ce qu'il te dit de mettre, pendant neuf ans, et puis tu es gentil avec ses potes, et lui, il est toujours chez toi, mais en même temps tu sais que ça va mener nulle part, qu'il va trouver quelqu'un, et que ça ne sera pas toi (et sur ça, vous êtes d'accord depuis le début), qu'il va trouver quelqu'un avec qui il va se marier… comment tu appellerais ce mec ?

Le piano joue maintenant *Night and Day*, sur un rythme martelé frénétique.

Son pote de bar lève un sourcil :

— Je sais pas. Comment tu l'appelles, toi ?

— Freddy.

Mineur prend la queue de la cerise, la met dans sa bouche et, en quelques secondes, la ressort toute nouée. Puis il la place sur la serviette du bar devant lui.

— Il a trouvé quelqu'un, et ils vont se marier.

Le jeune homme fait un signe de la tête, et lui demande :

— Qu'est-ce que tu bois, beau gosse ?

— Des Manhattan, mais c'est ma tournée. Excusez-moi, barman, dit Mineur en désignant le casque de cosmonaute, qu'est-ce que c'est, là, au-dessus du bar ?

— Désolé, dit le rouquin, ce soir c'est pour moi, cher monsieur, et il pose sa main sur celle de Mineur. Et ce casque de cosmonaute, c'est le mien.

— C'est le tien ?

— Je travaille ici.

Notre héros sourit, baisse le regard vers sa main, puis lève la tête vers le rouquin :

— Tu vas me prendre pour un cinglé, dit-il. Mais j'ai quelque chose d'un peu dingue à te demander. Je vais interviewer H. H. H. Mandern demain, et j'ai besoin…

— Moi aussi j'habite à côté. C'est quoi ton nom, déjà ?

— Arthur Mineur ? Mais bon sang, qui est donc cet Arthur Mineur ?

La dame aux cheveux blancs pose cette question dans la salle de conférences peinte en vert, pendant que H. H. H. Mandern vomit dans un seau.

Mineur se tient sur le seuil, le casque sous le bras, un sourire figé aux lèvres. Combien de fois lui a-t-on posé cette question ? Certainement suffisamment souvent pour qu'elle ne le pique pas au vif. On la lui a posée quand il était très jeune, à l'époque de Carlos, quand il avait pu entendre par hasard quelqu'un expliquer que, Arthur Mineur, c'était ce gamin du Delaware en maillot vert, le maigre, près de la piscine ; ou bien, plus tard, quand on précisait que c'était l'amant de Robert Brownburn, le timide, près du bar ; ou, encore plus tard, quand on avait bien remarqué qu'il était désormais son ex, et que peut-être on ne devrait plus l'inviter chaque fois ; ou alors quand on le présentait comme l'auteur d'un premier roman, puis d'un second, et puis comme ce type que quelqu'un avait connu quelque part, voilà longtemps. Et, finalement, comme l'homme avec qui Freddy Pelu avait couché pendant neuf années de suite avant de se marier avec Tom Dennis. Il avait été tout cela, pour toutes ces personnes qui ne savaient pas qui il était.

— Dites, je vous ai demandé qui vous étiez.

Personne dans ce théâtre ne peut savoir qui il est. D'ailleurs, quand il aidera H. H. H. Mandern à monter sur scène, victime qu'il est d'une intoxication alimentaire mais ne voulant pas décevoir ses fans, on présentera simplement Mineur comme « un de ces fans absolus ». Quand il va mener cette interview d'une heure et demie, et la meubler par de longues descriptions lorsqu'il s'apercevra que l'auteur n'y arrive plus, lorsqu'il va répondre aux questions du public quand Mandern tourne vers lui, Mineur, ses yeux fatigués, quand il va sauver la rencontre, sauver la carrière de ce pauvre homme – eh bien, là encore, personne ne saura qui il est. Ces gens sont là pour H. H. H. Mandern. Ils sont là pour son robot Peabody. Ils sont venus habillés en robots, ou bien en déesses de l'espace, ou encore en extraterrestres parce qu'un écrivain a changé leur vie. Cet autre écrivain, assis là, à ses côtés, dont le visage est partiellement visible par la visière ouverte d'un casque spatial de cosmonaute, il ne signifie rien pour eux. On ne s'en souviendra pas ; personne ne saura, ne se demandera même qui il est. Et plus tard ce soir-là, quand il montera à bord d'un vol pour Mexico, et que le jeune touriste japonais, assis à ses côtés, apprenant qu'il est écrivain, en sera tout excité, et voudra savoir qui il est, Mineur, toujours en chute libre depuis le pont de ses derniers espoirs brisés, va répondre la même chose que tant de fois auparavant.

Un écrivain d'une folle grandiloquence.

Aucune rancune. Rien, on ne ressent plus rien !

Arthur, tu sais que mon fils n'a jamais été un garçon pour toi.

— Je ne suis personne, dira notre héros à la ville de New York.

MEXICAIN EN MINEUR

« Freddy Pelu est un homme à qui, avant le décollage, il n'est pas nécessaire de dire de vérifier son propre masque à oxygène avant de venir en aide aux autres. »

Il s'agissait seulement d'un jeu, en attendant des amis qui devaient les rejoindre dans ce bar. L'un de ces bars de San Francisco, ni homos ni hétéros, mais seulement bizarres ; Freddy portait encore sa tenue d'enseignant, chemise bleue et cravate, et ils étaient en train de boire une espèce de bière qui avait un goût d'aspirine, une odeur de magnolia, et qui coûtait plus cher qu'un hamburger. Mineur portait un pull à grosses mailles. Le jeu constituait à essayer de se définir l'un l'autre en une seule phrase. Mineur s'était lancé le premier, et il avait dit la phrase ci-dessus.

Freddy avait froncé les sourcils. « Arthur... », dit-il. Et puis il avait baissé les yeux vers la table.

Mineur prit quelques noix de pécan caramélisées dans le bol devant lui. Il demanda où était donc le problème. Il pensait avoir trouvé une bonne phrase.

Freddy secoua la tête, ce qui fit trembler ses boucles, et puis il soupira :

— Je ne pense pas que ce soit vrai. Peut-être à l'époque où tu m'as rencontré. Mais c'était il y a longtemps. Tu sais ce que j'allais dire ?

Mineur lui dit que non.

Le jeune homme fixa son amant et, avant de reprendre une gorgée de bière, lui dit :

— Arthur Mineur est la personne la plus courageuse que je connaisse.

Arthur pense à cette phrase chaque fois qu'il prend l'avion. Ça lui gâche toujours tout. Ça lui gâche ce vol de New York à Mexico, qui semble sur le point d'être bel et bien gâché, de toute façon.

Arthur Mineur a entendu dire qu'il est d'usage, dans les pays d'Amérique latine, d'applaudir quand l'atterrissage se fait sans encombre. Dans son esprit, il associe cette coutume aux miracles de Notre-Dame de Guadalupe, et en effet, lorsque l'avion traverse une longue période de turbulences, Mineur constate qu'il cherche une prière appropriée. Cependant, il a été élevé selon les préceptes de l'église unitarienne, et il n'a que Joan Baez vers qui se tourner. Or, la chanson *Diamonds and Rust* ne lui procure aucun réconfort. L'avion ne cesse d'être pris de convulsions dans un ciel de pleine lune, comme un homme en train de se transformer en loup-garou. Et tout compte fait, Arthur Mineur est sensible aux métaphores de la vie, même banales : en effet, il s'agit bien d'une transformation. Arthur Mineur quitte enfin l'Amérique ; en passant les frontières, peut-être va-t-il enfin changer, comme la vieille bique du conte, secourue par un chevalier et qui, lorsqu'il lui fait franchir la rivière, devient une princesse. Il n'est plus Arthur Mineur le Sans-Identité, il est maintenant Arthur Mineur l'Intervenant Distingué et Vedette de la conférence de l'après-midi. Ou alors était-ce le contraire dans le conte, la princesse devenant la vieille bique ? Le jeune touriste japonais assis à côté de Mineur est vêtu, selon une mode invraisemblable, d'un survêtement jaune fluo et de baskets d'alunissage ; il transpire et respire par la bouche ; à un moment, il se tourne vers Mineur pour lui demander si tout ça est normal, et Mineur lui répond :

— Non, non, ce n'est pas normal.

Leurs accès de terreur sont de plus en plus forts, et le jeune homme lui saisit la main. Ensemble, ils tiennent le coup devant l'orage. Ils sont peut-être les seuls passagers littéralement privés de prière. Et quand l'avion atterrit enfin – les hublots dévoilant les immenses pistes éclairées de Mexico – Mineur se retrouve seul à applaudir à leur survie.

« La personne la plus courageuse que je connaisse » : qu'avait voulu dire Freddy ? Pour Mineur, ça reste un mystère. Pas une heure, pas un jour où Arthur Mineur ne ressente de la peur. Peur de commander un cocktail, de prendre un taxi, d'enseigner à une classe, d'écrire un livre. Peur de tout cela, et de presque tout dans la vie. C'est étrange, quand même : comme il a peur de tout, tout lui paraît difficile. Effectuer un voyage autour du monde n'est pas plus terrifiant que d'acheter un paquet de chewing-gums. À chaque jour sa dose de courage.

Quel réconfort, donc, à la sortie de la douane, d'entendre appeler son nom : « *Señor* Mineur ! » Et là, debout, un homme d'une trentaine d'années peut-être, barbu, en jean noir, tee-shirt et blouson de cuir de rocker, lui dit en tendant une main poilue :

— Je m'appelle Arturo. (C'est donc lui, l'« écrivain local » qui lui servira de guide pendant les trois prochains jours.) C'est un honneur de rencontrer un homme qui a connu la Russian River School.

— Moi aussi je m'appelle Arturo, dit Mineur en serrant cette main avec effusion.

— Oui, je sais. Vous êtes passé vite, à la douane.

— J'ai soudoyé quelqu'un pour qu'il s'occupe de mes bagages.

Mineur désigne un petit homme à la moustache digne de Zapata, en uniforme bleu, les poings sur les hanches.

— D'accord, mais « soudoyer » n'est pas le bon mot, dit Arturo en secouant la tête. Vous avez donné une *propina*. Un pourboire. Il est bagagiste.

— Ah ! dit Mineur, à qui le moustachu fait un sourire.

— C'est votre première fois au Mexique ?

— Oui, fait Mineur rapidement. Oui, c'est la première fois.

— Bienvenue au Mexique.

Arturo lui tend un dossier pour le colloque, en le fixant d'un air las : des cernes violets creusent ses yeux, et des rides marquent son front encore jeune. Mineur remarque à ce moment-là que ce qu'il avait pris pour des touches brillantes de gel dans ses cheveux sont des mèches grisonnantes.

— Ça m'embête de vous le dire, fait Arturo, mais maintenant il y a un très long trajet, sur une route très pénible, pour arriver à votre destination finale.

Il soupire, car il a formulé là une vérité valable pour tous les hommes.

Mineur en prend conscience : c'est à un poète qu'on l'a confié.

De la Russian River School, Arthur Mineur a manqué tout le côté festif. Ces hommes et ces femmes célèbres avaient déboulonné les statues de leurs icônes : ces poètes qui jouaient du bongo, et ces artistes de l'*action painting* avaient gravi les années 1960 jusqu'au meilleur des années 1970, tout au long de cette décennie d'amours faciles et de Quaalude* (y a-t-il plus parfaite orthographe que celle-ci, avec cette voyelle redoublée qui lui donne une sonorité somnolente ?). Ils s'étaient délectés de cette reconnaissance qu'on leur offrait, ils s'étaient querellés dans les cabanes de la rivière Russian, au nord de San Francisco, et puis ils avaient bu, fumé, baisé, jusqu'à la quarantaine. Et certains d'entre eux étaient eux-mêmes devenus de véritables icônes. Mais Mineur était arrivé en retard à la fête ; ceux qu'il avait rencontrés, ce n'étaient pas de jeunes Turcs mais des artistes d'âge mûr, bouffis et fiers, qui roulaient dans les eaux de la rivière Russian comme des otaries. Ils lui semblaient sur le déclin ; l'idée qu'ils puissent être en pleine possession de leurs moyens dépassait son entendement : Leonard Ross, et aussi Otto Handler, et même Franklin Woodhouse, qui avait peint ce nu de Mineur. Mineur possède d'ailleurs également le

* Autrement appelé méthaqualone, le Quaalude est un sédatif utilisé comme une drogue dans les années 1970. *(Toutes les notes sont du traducteur.)*

fragment d'un poème d'*Alice au pays des merveilles*, encadré pour son anniversaire par Stella Barry, et découpé dans un exemplaire tout abîmé. Il a entendu des morceaux de *Patty Hearst* de Handler, joués sur un vieux piano, un jour d'orage. Il a vu un brouillon de *Peines d'amour gagnées* de Ross, et l'a vu rayer d'un trait toute une scène. En outre, tous étaient toujours aimables avec Mineur, surtout si l'on prenait en compte le scandale (ou bien était-ce justement pour cette raison même ?) : Mineur avait volé Robert Brownburn à sa femme.

Mais finalement, peut-être est-il opportun que quelqu'un les encense, et puis les enterre, maintenant qu'ils sont presque tous morts (Robert se bat encore, mais respire à peine, dans un centre médical à Sonoma – « toutes ces cigarettes, mon chéri ». Ils bavardent par vidéo une fois par mois). Pourquoi donc Arthur Mineur ne s'en chargerait-il pas ? Dans le taxi, il sourit en soupesant le dossier, petit chien jaune sur ses genoux, avec sa laisse de ruban rouge. Jadis, le petit Arthur Mineur était assis dans la cuisine avec les épouses, et allongeait le gin avec de l'eau, tandis que les hommes éclataient de rire près du feu. *Et moi seul ai survécu pour raconter l'histoire*. Et demain, sur la scène de l'université : le célèbre écrivain américain Arthur Mineur.

Pour arriver à l'hôtel, il faut une heure et demie, avec cette circulation ; les flots des feux arrière évoquent les flots de lave qui détruisirent jadis les villages. Et enfin, une odeur de verdure envahit le taxi : ils arrivent à Parque México, autrefois si dégagé qu'on dit que Charles Lindbergh y a fait atterrir son avion. Aujourd'hui, des jeunes couples chics s'y promènent et, sur une pelouse, une dizaine de chiens de races diverses sont dressés pour demeurer couchés, parfaitement immobiles sur une longue couverture rouge. Arturo se caresse la barbe en disant :

— Oui, le stade au milieu du parc porte le nom de Lindbergh, qui fut bien sûr célèbre comme père, mais comme fasciste tout autant. Nous voici arrivés.

À la grande joie de Mineur, l'hôtel s'appelle le Monkey House, la Maison du singe, et c'est un lieu d'art et de musique : dans le hall d'entrée trône un immense portrait de Frida Kahlo, tenant un cœur dans chaque main. Sous Frida Kahlo, un piano mécanique joue un rouleau de Scott Joplin. Arturo parle espagnol à toute vitesse, en s'adressant à un homme mûr et corpulent, aux cheveux gominés et argentés. Celui-ci se tourne alors vers Mineur :

— Bienvenue dans notre modeste demeure ! J'ai entendu dire que vous êtes un célèbre poète !

— Non, dit Mineur. Mais j'ai connu un poète célèbre. De nos jours, ça semble suffisant.

— Oui, il a connu Robert Brownburn, explique gravement Arturo, les mains jointes.

— Brownburn ! s'écrie l'hôtelier. Pour moi il est meilleur que Ross ! Vous l'avez rencontré quand ?

— Oh, il y a longtemps. J'avais vingt et un ans.

— C'est votre première fois au Mexique ?

— Oui, en effet.

— Bienvenue au Mexique !

Quels autres personnages désespérés ont-ils invités à cette fiesta ? Il redoute l'apparition d'une connaissance ;

ce n'est qu'en privé qu'il peut affronter une humiliation. Arturo se tourne vers Mineur avec l'expression douloureuse de celui qui vient de casser quelque chose à quoi on tenait beaucoup :

— *Señor* Mineur, je suis tellement désolé, commence-t-il. Je pense que vous ne parlez pas l'espagnol, n'est-ce pas ?

— C'est exact, dit Mineur. (Il est si las, et le dossier du festival est si lourd.) C'est une longue histoire. J'ai choisi l'allemand. Une terrible erreur de jeunesse, mais c'est la faute de mes parents.

— Oui, la jeunesse... Et donc, demain, le festival se déroule entièrement en espagnol. Oui, je peux vous emmener, dans la matinée, au centre d'accueil du festival. Mais vous n'intervenez pas avant la troisième journée.

— Ah bon, pas avant le troisième jour ?

Son visage prend l'expression d'un médaillé de bronze dans une course à trois concurrents.

— Peut-être que (et là Arturo prend une profonde respiration) je peux à la place vous emmener visiter notre ville ? Avec un compatriote ?

Mineur soupire et sourit :

— Arturo, c'est une merveilleuse idée.

À dix heures le lendemain matin, Arthur Mineur se trouve devant l'entrée de son hôtel. Le soleil brille fort et, là-haut dans les jacarandas, trois merles à queue en éventail font des bruits bizarres et joyeux. Il faut un moment à Mineur pour comprendre qu'ils ont appris à imiter le piano mécanique. Mineur cherche un café ; à l'hôtel, le breuvage est étonnamment léger et très américain. Il a très peu dormi (il s'est souvenu avec tendresse et tristesse d'un certain baiser d'adieu), et cela l'a conduit à un état d'épuisement.

— Vous êtes Arthur Mineur ?

Un accent nord-américain : un homme d'une soixantaine d'années à tête de lion, crinière grise hirsute et yeux dorés, se présente à lui comme l'organisateur du festival.

— Je suis le directeur, dit-il, en tendant une patte étonnamment délicate pour lui serrer la main. (Après avoir nommé l'université du Midwest où il est professeur, il ajoute :) Harold Van Dervander. J'ai aidé le responsable de la programmation à organiser le colloque de cette année et à constituer les listes des intervenants.

— C'est merveilleux, professeur Vander… van…

— Van Dervander. C'est germano-néerlandais. Nous avions une liste d'intervenants fort respectable. Nous avions Fairborn, Gessup et McManahan. Nous avions O'Byrne, Tyson et Plum.

Mineur déglutit en entendant cette information :

— Mais Harold Plum est mort.

— Des modifications ont été apportées à cette liste, admet le directeur. Mais la liste initiale était une pure merveille. On avait Hemingway. On avait Faulkner et Woolf.

— Vous n'avez donc pas eu Plum. Ni Woolf, je présume.

— Nous n'avons eu personne, dit le directeur en relevant son menton massif. Mais je les avais fait imprimer sur la liste originale ; vous avez dû la trouver dans votre dossier.

— Formidable, dit Mineur en clignant des yeux avec perplexité.

— Votre dossier inclut aussi une enveloppe pour un don à la bourse d'études Haines. Je sais que vous venez d'arriver, mais après un week-end dans ce pays qu'il a tant aimé, il se peut que vous soyez très ému.

— Je ne… commence Arthur.

— Et là-bas, dit le directeur en désignant l'ouest, vous pouvez voir les pics d'Ajusco, dont vous allez sans doute vous souvenir en pensant à son poème *Drowning Woman*, « La femme qui se noie ».

Mineur ne voit rien dans le brouillard de l'air pollué. Il n'a jamais entendu parler ni de ce poème, ni de Haines. Le directeur se met à citer de mémoire : « Voilà que vous dévalez la cascade de charbon en ce dimanche après-midi. » Vous vous souvenez ?

— Je ne peux… dit Arthur.

— Et vous avez vu les *farmacias* ?

— Je n'ai pas…

— Ah, il faut y aller, il y en a une, juste à l'angle. Farmacias Similares. Des médicaments génériques. C'est surtout pour ça que j'ai lancé ce festival à Mexico. Vous avez pris vos ordonnances avec vous ? On peut les avoir pour tellement moins cher ici.

Le directeur tend le doigt, et Mineur peut alors reconnaître l'enseigne d'une pharmacie ; il observe une petite femme rondouillarde en blouse blanche en train de remonter le rideau de fer de la boutique.

— Klonopine, Lexapro, Ativan, s'extasie son interlocuteur. Mais en fait je ne viens ici que pour le Viagra.

— Je n'ai pas l'intention de…

Le directeur, avec un large sourire de chat :

— À nos âges, il faut faire des provisions ! Je vais en essayer une boîte cet après-midi et je vous dirai si c'est valable.

Il met son poing au niveau de son entrejambe, et puis il tend son pouce dressé comme un sexe.

Les mainates, au-dessus d'eux, se moquent sur un rythme de ragtime.

— *Señor* Mineur, *Señor* Banderbander… (C'est Arturo ; on dirait qu'il n'a changé ni de vêtements ni de manières depuis la veille.) Vous êtes prêts à y aller ?

Mineur, encore interloqué, se tourne vers le directeur :

— Vous venez avec nous ? Vous ne devez pas assister aux conférences ?

— J'ai vraiment constitué des listes qui rassemblent des gens merveilleux ! Mais je ne suis jamais présent, explique-t-il en posant ses mains ouvertes sur sa poitrine. Je ne parle pas l'espagnol.

Est-ce la première fois qu'il vient au Mexique ? Non.

Arthur Mineur y est venu il y a trente ans à peu près, dans une BMW blanche et déglinguée, munie d'un magnéto à huit pistes et de deux cassettes seulement, avec deux valises de vêtements remplies à la hâte, un sachet de marijuana et un de mescaline collés sous la roue de secours, et un chauffeur dévalant tout du long la côte californienne comme s'il voulait échapper à la police. Ce chauffeur, c'était le poète Robert Brownburn. Tôt ce matin-là, il avait réveillé le jeune Arthur Mineur en l'appelant au téléphone, et lui avait dit de prendre des affaires de rechange pour trois jours. Puis il était arrivé une heure plus tard et l'avait poussé en vitesse dans la voiture. Qu'est-ce que c'était que cette virée ? Rien de plus qu'une des lubies de Robert. Mineur allait finir par s'y habituer mais, à ce moment-là, il ne connaissait

Robert que depuis un mois ; leurs rendez-vous pour boire un verre s'étaient transformés en séjours dans des chambres d'hôtel, et maintenant, tout d'un coup, c'était ça ! Être enlevé, et partir au Mexique : voilà l'excitation de sa jeunesse. Les cris de Robert pour couvrir le bruit du moteur, à fond de train entre les champs d'amandiers de Californie ; puis les longs moments de silence pendant qu'ils changeaient à nouveau de cassettes ; et puis les aires de repos, quand Robert emmenait chaque fois le jeune Arthur Mineur derrière les chênes, pour l'embrasser jusqu'à ce qu'il en ait les yeux tout embués. Tout cela ébranlait Mineur. En y repensant, il se disait que Robert avait sûrement pris quelque chose ; probablement des amphétamines qu'un de ses amis artistes lui avait données à la Russian River. Robert était surexcité, joyeux et drôle. Il ne proposait jamais rien de ce qu'il prenait à Mineur ; il lui tendait seulement un joint. Mais il conduisit douze heures durant, ne s'arrêtant que rarement, avant d'atteindre la frontière mexicaine à San Ysidro ; puis ils reprirent la route pendant encore deux heures, en passant par Tijuana, jusqu'à Rosarito, où, enfin, ils longèrent un océan enflammé par le coucher du soleil, qui s'adoucissait ensuite en un liseré rose fluo : ils arrivèrent finalement à Ensenada, dans un hôtel bordant la mer, où l'on souhaita la bienvenue à Robert avec des tapes dans le dos, en lui offrant deux shots de tequila. Ils fumèrent et firent l'amour tout le week-end, ne quittant la chambre étouffante que pour aller manger et faire une promenade sous mescaline le long de la plage. D'en bas, un orchestre de mariachis n'en finissait pas de jouer une chanson que seule cette constante répétition permit à Mineur de mémoriser ; et il se mit à chanter lui aussi les *llorar*, tandis que Robert fumait et riait :

Yo se bien que estoy afuera
Pero el día que yo me muera
Se que tendras que llorar
(Llorar y llorar, llorar y llorar)

Je sais bien que tu m'as quitté
Mais le jour où je mourrai,
Je sais que tu vas pleurer
(Pleurer et pleurer, pleurer et pleurer)

Le dimanche matin, après avoir dit au revoir au personnel de l'hôtel, ils se mirent en route pour rentrer à toute vitesse chez eux ; cette fois, le trajet ne leur prit que onze heures. Épuisé et hébété, le jeune Arthur fut lâché devant son appartement, où il s'écroula quelques heures pour dormir avant de reprendre son travail. Il était absolument fou de joie, et tellement amoureux ! Il ne s'avisa d'une chose que plus tard ; durant toute cette escapade, il n'avait jamais pensé à poser la question cruciale : « Où est ta femme ? » Et il décida donc de ne jamais parler de ce week-end aux amis de Robert, de crainte de trahir quelque chose. Mineur s'habitua tellement à cacher leur escapade scandaleuse que, des années plus tard, quand on lui demande s'il est déjà venu au Mexique, et alors que ça n'a absolument plus aucune importance, il répond toujours que non.

La visite de la ville commence par un trajet en métro. Pourquoi Mineur s'attendait-il donc à voir les couloirs tout décorés de mosaïques aztèques ? Au lieu de cela, il descend avec étonnement vers un lieu qui est la réplique exacte de son école primaire du Delaware : des grilles colorées et des sols carrelés de couleurs vives : jaune, bleu et orange, reflétant cette gaîté des années 1960, dont l'histoire devait révéler qu'elle n'était qu'un leurre, mais qui demeure ici toujours vivante, comme dans la mémoire d'Arthur Mineur, qui était le chouchou du professeur. Quel proviseur à la retraite a été mandaté pour concevoir un métro s'accordant aux rêves de Mineur ? Arturo lui fait signe de prendre un ticket, et Mineur imite ses gestes en l'introduisant dans un automate, tandis que des groupes d'agents de police au béret rouge surveillent tout, assez nombreux pour constituer des équipes de *futbol*.

— *Señor* Mineur, voici notre métro.

Arrive alors un monorail orange ressemblant à un Lego, qui roule sur pneumatiques et finit par s'arrêter. Mineur y monte et s'accroche à une barre métallique glacée. Il demande où ils vont, et quand Arturo lui répond : « La Fleur », Mineur pense qu'il vit effectivement dans un rêve, jusqu'à ce qu'il remarque au-dessus de lui une carte où chaque arrêt est représenté par un pictogramme. Ils se dirigent bien vers « La Fleur ». De là, ils changent pour se diriger vers « La Tombe ». De la fleur à la tombe : il en est toujours ainsi. Quand ils arrivent à leur station, Mineur ressent une légère pression derrière lui : une femme descend, et il est éjecté en douceur sur le quai. La station, c'est une école primaire concurrente, cette fois-ci dans des bleus vifs. Arthur suit de près Arturo et le directeur, le long des couloirs carrelés, parmi les foules, et se retrouve sur un escalator, qui remonte en glissant vers un carré de ciel bleu paon… et le voilà sur une immense place en pleine ville. Tout autour, des immeubles de pierre taillée, penchant légèrement dans l'antique argile, et une imposante cathédrale. Pourquoi a-t-il toujours cru que Mexico serait pareil à Phoenix par un jour de brouillard ? Pourquoi personne ne lui a-t-il dit que ce serait Madrid ?

Ils sont accueillis par une femme en longue robe noire ornée d'un imprimé de fleurs d'hibiscus, leur guide, qui les conduit vers l'un des marchés de Mexico : un stade de tôle ondulée bleue, où les rejoignent quatre jeunes Hispaniques, à l'évidence des amis d'Arturo. Leur guide s'arrête devant une table de fruits confits, et demande si quelqu'un a des allergies, ou s'il y a des choses qu'ils ne veulent pas ou ne peuvent pas manger. Un silence. Mineur se dit qu'il devrait peut-être citer des aliments improbables, comme des insectes et des animaux marins monstrueux et visqueux dignes de Lovecraft, mais elle est déjà en train de les précéder entre les étals. Il y a là des chocolats amers enveloppés de papier, empilés en ziggourats ; ils sont placés à côté d'un panier de fouets culinaires aztèques en forme de massues de bois, de jarres de sels multicolores comme pourraient en utiliser les moines bouddhistes pour peindre des mandalas, et de seaux en plastique pleins de graines couleur rouille et cacao : leur guide explique qu'il ne s'agit pas de graines mais de crickets ; et puis des écrevisses et des vers, vivants ou grillés. Plus loin, les bouchers présentent des lapins et des chevreaux, qui portent encore leurs « socquettes » de pelage duveteux noir et blanc, pour prouver que ce ne sont pas des chats : interminable vitrine de boucher, qui pour Mineur se révèle d'une horreur croissante à mesure qu'il la longe, au point qu'il semble s'agir d'une épreuve de courage, qu'il est sûr de perdre. Mais, heureusement, ils obliquent du côté des poissons, où les battements de son cœur se calment sous l'effet du froid, devant ces poulpes tachetés de gris enroulés en esperluettes, ce poisson orange inconnu, aux grands yeux fixes et aux dents acérées, et devant ce poisson-perroquet muni d'un bec, dont la chair, apprend-on à Mineur, est bleue et a le goût de la langouste (là, il flaire le mensonge). Comme tout cela est proche de ces maisons hantées qui font frissonner les enfants, avec leurs jarres pleines de globes oculaires, leurs plats de cerveaux et de doigts en gelée ! Tout ce qui faisait les délices épouvantables d'Arthur quand il était enfant.

— Arthur, dit le directeur tandis que leur hôtesse les dirige entre les bancs de poissons recouverts de glace, qu'est-ce que ça faisait, de vivre avec un génie ? J'ai cru comprendre que vous avez rencontré Brownburn dans votre lointaine jeunesse.

« Lointaine jeunesse » : est-ce que la politesse ne voudrait pas qu'on soit le seul à pouvoir utiliser cette expression à propos de soi-même ? Mais Mineur se contente de répondre :

— Oui, c'est exact.

— C'était un homme remarquable, enjoué, rieur, attirant les critiques de toutes sortes. Et son mouvement littéraire était sublime. Plein de joie. Lui et Ross étaient toujours en train de prendre l'avantage sur l'autre. Et ils en faisaient un jeu. Ross, Barry et Jack : de vrais farceurs. Et il n'y a rien de plus sérieux qu'un farceur.

— Vous les connaissiez ?

— Mais je les connais ! J'ai inclus chacun d'entre eux dans le programme de mes cours sur la poésie de l'Amérique moyenne : et, par cela, j'entends autre chose que celle des petits esprits et des boutiques de whisky, ou bien l'Amérique du milieu du siècle : je désigne plutôt par là le centre, le fouillis, le « vide », devrais-je dire, de l'Amérique.

— Tout cela paraît…

— Arthur, est-ce que vous vous considérez comme un génie ?

— Quoi ? Moi ?

Apparemment, le directeur prend cela pour un non.

— Vous et moi, nous avons rencontré des génies. Et nous savons que nous sommes différents d'eux, n'est-ce pas ? Comment fait-on pour continuer, en sachant qu'on n'est pas un génie, en sachant qu'on est médiocre ? Je crois que c'est le pire enfer qui soit.

— Eh bien, dit Mineur, je pense qu'il y a quelque chose entre le génie et la médiocrité…

— C'est ce que Virgile n'a jamais montré à Dante. Il lui a montré Platon et Aristote dans un paradis païen. Mais *quid* des esprits mineurs ? Sommes-nous voués aux flammes ?

— Je suppose que non, hasarde Mineur ; simplement aux colloques comme celui-ci.

— Vous aviez quel âge quand vous avez rencontré Brownburn ?

Mineur fixe une barrique de morue salée :

— J'avais vingt et un ans.

— Moi j'en avais quarante quand je suis tombé sur Brownburn. Une rencontre vraiment tardive, et pour nous deux. Mais mon premier mariage avait pris fin, et tout d'un coup il y avait de l'humour, de l'invention. C'était un grand homme.

— Il est toujours vivant.

— Ah oui, on l'a invité au festival.

— Mais il est cloué au lit à Sonoma, dit Mineur, sur un ton enfin plus froid, comme accordé à la température du marché aux poissons.

— Son nom figurait sur une liste précédente. À propos, Arthur, il faut que je vous dise, nous avons une surprise pour vous…

Leur guide s'arrête et s'adresse au groupe :

— Ces piments sont au cœur de la cuisine mexicaine, qui a été inscrite par l'Unesco sur la liste du Patrimoine culturel immatériel de l'humanité.

Elle se tient près d'une rangée de paniers, tous remplis de piments séchés de formes variées.

— Le Mexique est le principal pays d'Amérique latine à utiliser les piments piquants, qu'on appelle « *chilis* ». Vous, dit-elle en s'adressant à Mineur, vous êtes probablement plus habitué aux *chilis* qu'un Chilien.

L'un des amis d'Arturo qui les a rejoints pour la journée est chilien, et acquiesce de la tête. Quand on lui demande quel est le plus piquant, la guide consulte le vendeur, et désigne les petits piments roses dans une jarre venant de Veracruz. C'est également le plus cher.

— Voulez-vous goûter certains de ces condiments ?

Un chœur de « *Sí !* » se fait entendre. Ce qui suit est un concours aux difficultés croissantes, comme un concours d'orthographe. Un par un, ils goûtent les divers *chilis*, qui sont de plus en plus forts, pour voir qui va renoncer en premier. Mineur sent son visage s'empourprer chaque fois, mais au troisième tour, il a déjà dépassé le directeur. Et quand on lui donne à goûter un mélange de cinq piments, il déclare au groupe :

— Ça a exactement le même goût que le chow-chow de ma grand-mère.

Ils le regardent tous interloqués.

Le Chilien s'étonne :

— Qu'est-ce que vous avez dit ?

— Chow-chow. Demandez au Pr Van Dervander. C'est un assaisonnement du Sud des États-Unis. (Mais le directeur ne pipe mot.) Oui, c'est le goût du chow-chow de ma grand-mère.

Lentement, le Chilien se met à rire, de plus en plus fort, la main devant la bouche. Les autres semblent se retenir.

Mineur hausse les épaules, et les dévisage un à un :

— Mais bien sûr, son chow-chow n'était pas si épicé.

Alors, le barrage cède ; tous les jeunes gens éclatent de rire, s'esclaffent, rient aux larmes, devant les sacs de piments. Le vendeur les regarde, éberlué. Et même quand tout cela commence à se calmer, les hommes sont rattrapés par leur fou rire, et demandent à Mineur combien de fois il a goûté au chow-chow de sa grand-mère. Et est-ce que le goût en est différent à Noël ? Et ainsi de suite. Il ne faut pas longtemps à Mineur pour comprendre, après un échange de regards compatissants avec le directeur, et alors qu'il commence à ressentir la brûlure du piment se réveiller au fond de sa gorge, que le mot doit avoir un autre sens en espagnol, et que c'est encore un faux ami…

Comment c'était, de vivre avec un génie ? Eh bien, il y a eu ce jour où il avait perdu sa bague dans un panier de champignons à Happy Produce.

Mineur portait une bague que Robert lui avait offerte pour leur cinquième anniversaire et, même si cela se passait longtemps avant l'époque du mariage gay, ils savaient bien tous deux qu'il s'agissait d'une sorte de mariage : c'était un fin anneau d'or de chez Cartier, que Robert avait trouvé au marché aux puces de Paris. Et donc le jeune Arthur Mineur ne s'en séparait jamais. Pendant que Robert écrivait, enfermé dans sa chambre, avec vue sur la Vallée Eureka, Mineur allait souvent faire des achats à l'épicerie. Ce jour-là, il était au rayon des champignons. Il avait pris un sac en plastique, et venait de commencer à choisir des champignons quand il sentit quelque chose lui échapper du doigt. Il comprit tout de suite ce qui arrivait.

Durant cette période, Arthur Mineur était loin d'être fidèle. C'était la façon de vivre, dans leur monde, et c'était quelque chose dont lui et Robert ne parlaient jamais. Si, lors d'une de ses courses, il rencontrait un bel homme qui avait un appartement disponible, il était tout à fait disposé à traîner une demi-heure avant de rentrer. Et il lui était arrivé une fois de prendre un véritable amant. Quelqu'un qui voulait bavarder, et qui s'engageait sans aller jusqu'à demander des promesses. Au début c'était merveilleux, une simple aventure pas très loin de chez lui, une occasion facile à saisir. L'après-midi, ou lorsque Robert était en voyage. Il y avait un lit blanc près d'une fenêtre. Il y avait une perruche qui jacassait. Les deux hommes avaient de merveilleux rapports sexuels, mais, ensuite, pas de phrases, du genre : « J'ai oublié de te dire que Janet a appelé », ou bien : « As-tu mis la carte de stationnement sur le pare-brise ? » Ou alors : « Rappelle-toi que je pars demain pour L.A. » Simplement du sexe, et un sourire : « N'est-ce pas merveilleux d'obtenir ce que l'on veut sans rien payer pour ça ? » C'était quelqu'un de très différent de Robert, quelqu'un d'enjoué et de lumineux, qui se montrait affectueux, et qui, peut-être, n'était pas très intelligent. Il se passa beaucoup de temps avant que cela devienne une histoire triste. Il y avait eu des disputes, des coups de fil, de longues promenades où l'on ne se disait pas grand-chose. Et cela prit fin ; c'est Mineur qui y mit fin. Il savait qu'il blessait terriblement cet homme, que c'était impardonnable. Cela s'était passé peu de temps avant qu'il ne perde sa bague dans le panier de champignons.

— Merde, fit-il.

— Ça ne va pas ? demanda un barbu qui se trouvait non loin dans l'allée des légumes. Grand, des lunettes, un petit chou chinois à la main.

— Et merde ! Je viens de perdre mon alliance.

— Ah, merde ! dit l'homme en se penchant au-dessus du panier.

Il y en avait peut-être une soixantaine, de ces champignons cremini. Et bien sûr elle avait pu tomber n'importe où ! Dans les champignons de Paris ! Dans les shiitakés ! Elle avait pu rouler dans les piments, tellement piquants ! Comment pouvait-on plonger ses mains dans ces piments ?

L'homme à la barbe s'approcha :

— OK, mon gars. Essayons ça, dit-il comme s'ils allaient remettre en place un bras cassé. Un par un.

Lentement, méthodiquement, ils mirent chaque champignon dans le sachet de Mineur.

— J'ai perdu la mienne une fois, confia l'homme en tenant le panier. Ma femme était furieuse. En fait, je l'ai perdue deux fois.

— Elle va sûrement être furax, dit Arthur. (Pourquoi avait-il transformé Robert en femme ? Et pourquoi être si prêt à jouer le jeu ?) Il ne faut pas que je la perde. Elle l'a achetée dans un marché aux puces à Paris.

Un autre intervint :

— Servez-vous de cire d'abeille. Jusqu'à ce que vous la fassiez mettre à votre taille.

C'était le genre de type à garder son casque de vélo sur la tête en faisant ses courses.

L'homme à la barbe demanda :

— Où est-ce qu'on peut la faire mettre à sa taille ?

— Chez un bijoutier, dit l'homme au vélo. N'importe où.

— Oh, merci, dit Arthur. Si je la retrouve…

À la sombre perspective de cette perte, l'homme au casque se joignit à eux pour chercher dans les champignons. Derrière lui retentit une voix masculine :

— Vous avez perdu votre bague ?

— Ouais, répondit le barbu.

— Quand vous la retrouverez, utilisez du chewing-gum pour qu'elle ne glisse pas.

— Moi j'ai conseillé d'utiliser de la cire.

— Ouais, la cire, c'est pas mal.

C'était donc comme ça que les hommes réagissaient ? Les hétéros ? Seuls si souvent, mais s'ils fléchissaient – s'ils perdaient une alliance ! – alors toute la bande de frères se précipitait pour régler le problème ? La vie n'était pas si difficile ; on faisait face au problème, courageusement, avec la certitude que si on lançait un appel, les secours arriveraient. Que c'était merveilleux de faire partie d'un tel club... Une demi-douzaine d'hommes se rassembla, prenant part à la mission : sauver son mariage et son orgueil. Ils avaient donc du cœur, après tout. Ce n'étaient pas des hommes froids, de cruels dominateurs ; de ces brutes comme celles qu'on doit éviter dans les couloirs des lycées. Ils étaient bons ; ils étaient aimables ; ils étaient venus à sa rescousse. Et ce jour-là, Mineur faisait partie de la bande.

Ils arrivèrent au fond du panier. Rien.

— Oh, oh, désolé, mon pote, dit l'homme au casque en grimaçant.

Le barbu ajouta :

— Dites à votre femme que vous l'avez perdue en nageant.

L'un après l'autre, ils lui serrèrent la main et s'en allèrent.

Mineur en aurait pleuré.

Quel personnage ridicule il était. Et quel mauvais écrivain, pour se laisser piéger par un tel symbole ! Comme si cela devait révéler quoi que ce soit à Robert ; signifier quoi que ce soit au sujet de leur amour. Ce n'était qu'une bague perdue dans un panier. Mais il ne pouvait pas s'en empêcher ; il était trop attiré par toute la pauvre métaphore poétique qu'il y voyait, et par l'unique chose importante pour lui : sa vie avec Robert, détruite par son insouciance. Quelle que soit la façon dont il expliquerait la situation, sa trahison serait révélée. Tout transparaîtrait dans sa voix. Et Robert, le poète, lèverait les yeux depuis sa chaise, et comprendrait. Saurait que leur histoire était parvenue à sa fin.

Mineur s'appuya sur le panier d'oignons vidalia avec un soupir. Il se saisit de son sac maintenant vidé de ses champignons pour le froisser et le jeter dans la poubelle. Un éclair doré.

Et voilà qu'elle reparut. Dans son sac depuis le début. Ah, merveille de la vie !

Il se mit à rire, et la montra au propriétaire de la boutique. Il acheta les deux kilos et demi de champignons que les hommes avaient touchés, rentra chez lui, fit une soupe avec des côtes de porc, des graines de moutarde, et y mit tous les champignons. Il raconta tout à Robert : la bague perdue, les hommes, la trouvaille, toute la comédie que ça avait été.

Et puis, en racontant l'histoire, en riant de lui-même, il vit Robert lever les yeux, depuis son fauteuil, et tout comprendre.

Voilà comment c'était, de vivre avec un génie.

Le trajet du retour vers l'hôtel est moitié moins agréable, car le métro est deux fois plus rempli et la chaleur de l'après-midi fait prendre conscience à Mineur qu'il sent le poisson et les cacahuètes. En marchant vers l'hôtel, ils dépassent les Farmacias Similares, et le directeur leur dit alors qu'il les rattrapera dans une minute. Ils continuent jusqu'au Monkey House (où l'on n'entend plus les mainates) et, au moment où Mineur s'incline en faisant un petit geste d'au revoir, Arturo, en fait, n'entend pas le laisser partir. Il insiste : il faut que l'Américain essaie le mescal, qui pourrait changer sa façon d'écrire, ou peut-être sa vie. « D'autres écrivains n'attendent que ça, vous savez. » Mineur ne cesse de dire qu'il a mal à la tête, mais le bruit de travaux de construction à proximité couvre ses paroles, et Arturo ne parvient pas comprendre ce qu'il lui dit. Le directeur revient, radieux dans la lumière de cette fin d'après-midi, un sachet blanc à la main. Et donc, Arthur Mineur les suit. Il s'avère que le mescal a le goût d'une boisson dans laquelle on aurait plongé une cigarette. On lui dit que ça se boit avec une tranche d'orange qu'on a enrobée de vers grillés.

— Vous vous moquez de moi, dit Mineur.

Mais ce n'est pas le cas du tout. Ici non plus, personne ne plaisante. Six tournées s'enchaînent. Mineur interroge Arturo sur son intervention au festival, qui se déroulera dans deux jours maintenant. Arturo, qui garde son air renfrogné, même après s'être noyé dans le mescal, lui annonce :

— Oui, je suis désolé de vous dire que demain, le festival se déroulera aussi entièrement en espagnol ; est-ce que vous voulez que je vous conduise à Teotihuacán ?

Mineur, qui n'a aucune idée de ce que c'est, accepte, et pose de nouvelles questions sur sa propre intervention. Sera-t-il seul sur scène, ou y aura-t-il une discussion avec quelqu'un d'autre ?

— J'espère bien qu'il y aura une discussion, déclare Arturo. Vous serez en compagnie de quelqu'un qui fait partie de vos amis.

Mineur demande si son compagnon sera un professeur, ou bien un collègue écrivain.

— Non, non, je parle de quelqu'un qui fait vraiment partie de vos amis, insiste Arturo. Vous allez discuter avec Marian Brownburn.

— Marian ? Sa femme ? Elle est ici ?!

— *Sí.* Elle arrive demain soir.

Mineur essaie de mettre de l'ordre dans les idées qui se bousculent dans sa tête. Marian. Les dernières paroles qu'elle lui ait jamais adressées étaient : « Prenez soin de mon Robert. » Mais à l'époque, elle ne savait pas du tout qu'Arthur allait le lui enlever. Robert tint Mineur éloigné de la procédure de divorce ; il trouva la cabane des Vulcan Steps, et Mineur ne revit jamais Marian. Elle devait bien avoir soixante-dix ans aujourd'hui, non ? Et finalement, elle aurait une tribune, d'où elle pourrait dire ce qu'elle pensait d'Arthur Mineur ?

— Écoutez, écoutez, écoutez. Vous ne pouvez pas nous mettre ensemble tous les deux. Nous ne nous sommes pas vus depuis près de trente ans.

— *Señor* Banderbander pense que c'est une belle surprise pour vous.

Mineur ne se rappelle pas ce qu'il répond. Tout ce qu'il sait, c'est qu'il a été assez idiot pour revenir au Mexique, sur la scène du crime, et pour se voir épinglé aux yeux du monde entier, aux côtés de la femme à qui il a fait du mal. Marian Brownburn, munie d'un micro. C'est sûrement comme ça que les gays sont jugés en Enfer.

Quand il est enfin de retour à l'hôtel, il est ivre, et il pue la cigarette et les vers.

Le lendemain matin, on réveille Mineur à six heures, comme prévu ; on lui offre une tasse de café, et on le met dans un van noir aux vitres fumées. Arturo est là avec deux nouveaux amis, qui n'ont pas l'air de parler anglais. Mineur cherche des yeux le directeur, afin de prévenir le désastre, mais ne le voit nulle part. Tout cela dans la grisaille d'avant l'aube à Mexico, accompagnée du bruit des charrettes à bras et du cri des oiseaux qui s'éveillent. Arturo a également loué les services d'un autre guide (probablement aux frais du festival) : un petit homme athlétique aux cheveux gris et aux lunettes cerclées. C'est Fernando, et il se trouve qu'il est professeur d'histoire à l'université. Celui-ci essaie d'engager une discussion avec Arthur sur les endroits les plus marquants de la ville, pour savoir si cela intéresserait Arthur de les découvrir, peut-être après la visite à Teotihuacán (qu'on ne lui a pas encore décrit). Par exemple, il y a les deux maisons jumelles de Diego Rivera et de Frida Kahlo, entourées d'une haie de cactus sans piquants. Arthur opine, en disant que ce matin, il se sent lui-même semblable à un cactus sans piquants.

— Pardon ? fait le guide.

Oui, dit Mineur, oui, il aimerait bien voir ça.

— Je crains que ce ne soit fermé, car on monte une nouvelle exposition.

Et il y a aussi la maison de l'architecte Luis Barragán, conçue pour mener une vie monacale et mystérieuse : les plafonds bas mènent à des espaces voûtés, où des

Madones veillent sur le lit des invités, et où le vestiaire privé du propriétaire est surveillé par un Christ crucifié, mais sans croix. Mineur dit que tout cela doit refléter une grande solitude, mais qu'il apprécierait également de voir ce lieu.

— Oui, eh bien… en fait, ça aussi, c'est fermé.

— Vous êtes terriblement taquin, Fernando, dit Mineur.

Mais l'homme ne semble pas comprendre ce que cela veut dire, et poursuit en décrivant le Musée national d'anthropologie, le plus grand musée de la ville, dont la visite demanderait des jours ou même des semaines, mais qui, avec lui pour guide, pourrait s'effectuer en quelques heures. À ce moment-là de leur trajet, le van les a de toute évidence conduits à l'extérieur de la ville de Mexico proprement dite, et les parcs et les demeures ont laissé la place à des bidonvilles de béton, tous recouverts d'une peinture couleur caramel qui, Arthur le sait, dissimule leur misère. Une pancarte indique : TEOTIHUACÁN Y PIRÁMIDES. Le Musée d'anthropologie, Fernando insiste, ça, il ne faut pas le manquer.

— Mais il est fermé, suggère Mineur.

— Oui, le lundi, je suis désolé.

Tandis que le van contourne un petit bois d'agaves, Arthur s'aperçoit qu'une énorme structure se dresse devant lui ; et le soleil, qui semble palpiter derrière elle, projette à sa surface des rayures sombres, vertes et indigo : c'est le temple du Soleil. Fernando rectifie :

— En fait, ce n'est pas le temple du Soleil, comme le croyaient les Aztèques ; c'est plus probablement le temple de la Pluie. Mais nous ne savons presque rien des gens qui l'ont construit. Le site était abandonné depuis longtemps lorsque les Aztèques sont arrivés. Nous pensons que ce peuple avait totalement brûlé sa propre cité.

Une silhouette d'un bleu froid, celle d'une civilisation depuis longtemps éteinte.

Ils passent la matinée à escalader les deux pyramides massives, le temple du Soleil et le temple de la Lune, en empruntant l'avenue des Morts (« Ce n'est pas vraiment l'avenue des Morts, glisse Fernando, et ce n'est pas non plus le temple de la Lune »).

Ils imaginent tout l'ensemble recouvert de stuc peint, sur des kilomètres : tous les murs, et les sols, et les toits de cette antique cité qui avait jadis abrité des centaines de milliers de gens dont on ne sait littéralement rien. Pas même leurs noms. Mineur imagine un prêtre couvert de plumes de paon descendant les marches comme dans une comédie musicale de la MGM ou dans un spectacle de travestis, les bras largement écartés, tandis que des conques, tout autour, font résonner de la musique, et que Marian Brownburn, debout au sommet, tient entre ses mains le cœur palpitant d'Arthur Mineur.

— On pense qu'ils choisirent ce site parce qu'il se trouvait éloigné du volcan qui avait longtemps auparavant détruit des villages tout entiers. C'est ce volcan là-bas, dit Fernando en pointant du doigt un pic à peine visible dans la brume matinale.

— Est-il toujours en activité, ce volcan ?

— Non, dit tristement Fernando en secouant la tête. Il est fermé.

C'était comment, de vivre avec un génie ?

C'était comme si on vivait seul.

C'était comme si on vivait seul avec un tigre.

Tout devait être sacrifié au travail. Il fallait annuler des projets, retarder des repas ; il fallait acheter de l'alcool sans tarder, ou bien il fallait tout vider dans l'évier. L'argent, il fallait l'économiser, ou alors le dépenser sans compter, et ça changeait tous les jours. Les heures de sommeil, c'était le poète qui en décidait, et cela donnait aussi souvent des nuits blanches que des levers aux aurores. Les habitudes, c'était comme l'animal domestique démoniaque de la maison : il n'y avait que ça, les habitudes, les habitudes, encore les habitudes ; le café du matin, les livres, la poésie, le silence jusqu'à midi. Une promenade matinale pouvait-elle le tenter ? Ça oui, et c'était invariablement le cas ; c'était la seule addiction de celui qui souffrait : il pouvait enfin y exprimer le désir intense de tout autre chose que de ce qui était sa quête incessante. Mais une promenade matinale signifiait du travail non fait, et de la souffrance, de la souffrance, encore de la souffrance. S'en tenir à l'habitude, renforcer une habitude ; se tenir devant son café noir et sa feuille blanche ; garder le silence ; sourire quand il se rendait d'un air maussade de son bureau aux toilettes. Ne rien prendre à titre personnel. Et si vous laissiez parfois traîner un livre d'art avec l'idée que ça pourrait donner accès à son esprit ? Et si parfois vous mettiez une musique qui pourrait débloquer les doutes et les craintes ? Vous aimiez ça, la danse de la pluie tous les jours ? Seulement quand il pleuvait.

D'où venait le génie ? Où allait-il ?

C'était comme permettre à un autre amant de vivre avec vous dans votre maison : quelqu'un que vous n'aviez jamais rencontré mais qu'il aimait plus que vous, ça, vous le saviez.

De la poésie, tous les jours. Un roman, tous les deux ou trois ans. Quelque chose se passait dans cette pièce, malgré tous les aléas ; quelque chose de beau se produisait. C'était le seul endroit au monde où le temps améliorait les choses.

Une vie avec le doute. Douter le matin, devant les perles de crème dans une tasse de café. Douter durant la pause pipi, pour ne pas attirer son regard. Douter, au bruit de la porte d'entrée qui s'ouvre et se referme – des pas agités, pas d'au revoir – et puis douter au moment du retour. Douter, en entendant le bruit léger des touches de la machine à écrire. Douter au moment du déjeuner, pris dans sa chambre. Ce doute s'évanouissait l'après-midi, comme le brouillard. Chassé, ce doute. Ce doute : oublié ! Quatre heures du matin, pressentir qu'il vibre, bien réveillé, en sachant qu'il fixe l'obscurité… et le Doute. *Mémoires d'une vie dans le doute.*

Qu'est-ce qui faisait que l'œuvre naissait ? Qu'est-ce qui l'en empêchait ?

Penser à un moyen de le soigner, à une semaine loin de la ville, à une soirée avec d'autres génies, à un nouveau tapis, une nouvelle chemise, une nouvelle façon de le garder au lit, et échouer, encore échouer – et puis, on ne sait comment, par hasard, réussir.

Est-ce que ça en valait la peine ?

La chance, c'était lors de ces journées où les mots devenaient des joyaux. La chance, c'était de trouver des chèques au courrier. La chance, c'était pendant les cérémonies de prix, les voyages à Rome et à Londres.

C'était lorsque, en smoking, on se tenait la main en secret, non loin du maire, du gouverneur ou même, une fois, du président.

Jeter un coup d'œil furtif dans sa chambre en son absence. Fouiller dans la corbeille à papier. Regarder la couverture jetée en boule, sur le divan de la sieste, les livres alentour. Et, craintif, regarder la feuille à demi écrite engagée entre les dents du bonheur de la machine à écrire. Car au début, on ne savait jamais ce sur quoi il écrivait. Est-ce que c'était sur soi ?

Devant une glace, se tenir derrière lui, nouer sa cravate avant qu'il participe à une lecture, tandis qu'il sourit, parce qu'en fait il sait exactement comment la nouer.

Marian, est-ce que, pour vous, ça en valait la peine ?

Le festival a lieu à la cité universitaire, dans un immeuble de béton aux plafonds bas, rattaché à la section de linguistique générale et au département de littérature, dont les célèbres mosaïques ont été retirées pour sans doute être restaurées, ce qui laisse le bâtiment aussi rebutant qu'une vieille dame privée de ses dents. Là encore, le directeur n'apparaît pas. Le jour du Jugement de Mineur est arrivé ; il s'aperçoit qu'il tremble de peur. Des moquettes de couleurs différentes mènent aux divers sous-départements, et Marian Brownburn pourrait bien apparaître à n'importe quel détour, bronzée et athlétique, telle qu'il se souvient de l'avoir vue sur une plage. Mais quand on conduit Mineur dans les coulisses (dont les murs sont peints en vert pastel, et où l'on a placé une pyramide de fruits), on le présente seulement à un homme affable, paré d'une cravate arlequin.

— *Señor* Mineur ! dit-il en s'inclinant deux fois. Quel honneur pour vous d'assister au festival !

Mineur jette un regard circulaire pour voir si sa Furie personnelle est là : il n'y a dans la pièce que lui, cet homme, et Arturo.

— Marian Brownburn n'est pas là ?

L'homme s'incline :

— Je suis désolé que tout soit tellement en espagnol.

Mineur entend qu'on crie son nom depuis le seuil, et sursaute. C'est le directeur, la tignasse blanche et bouclée en broussaille, le visage teinté d'une grotesque couleur rouge. Il fait signe à Mineur de s'approcher ; Mineur s'empresse de le faire.

— Désolé de vous avoir raté hier, dit le directeur. J'avais d'autres affaires à régler, mais je ne manquerais cette discussion aujourd'hui pour rien au monde.

— Marian est-elle là ? dit calmement Mineur.

— Ça se passera bien, ne vous inquiétez pas.

— Je voudrais juste la voir avant de…

— Elle ne vient pas.

Le directeur pose sa main massive sur l'épaule de Mineur :

— Nous avons reçu un mot hier soir. Elle s'est fracturé la hanche. Elle a presque quatre-vingts ans, vous savez. Quel dommage : nous avions tellement de questions à vous poser à tous les deux.

Mineur ressent non pas un sentiment de soulagement comme si on l'avait gonflé à l'hélium, mais un terrible chagrin qui se dégonfle.

— Elle va bien ?

— Elle vous envoie ses amitiés.

— Mais est-ce qu'elle va bien ?

— Mais oui bien sûr. Il a fallu organiser les choses autrement. Je serai avec vous sur scène ! Je vais prendre à peu près vingt minutes peut-être, pour parler de mes travaux, et ensuite je vous poserai des questions sur votre rencontre avec Brownburn quand vous aviez vingt et un ans. C'est bien ça ? Vous aviez bien vingt et un ans ?

*

— J'ai vingt-cinq ans, dit Mineur en mentant à la femme près de lui, sur la plage.

Le jeune Arthur Mineur est assis sur une serviette de plage, perché en compagnie de trois hommes au-delà du point le plus haut qu'atteint la marée. À San Francisco, en octobre 1987, il fait près de 24 °C, et tout le monde fête cette journée comme le font les enfants un jour de neige. Personne ne va travailler. Chacun prend soin de ses plantes en pot. Le soleil brille d'un éclat aussi doré et doux que la bouteille de champagne bon marché, à demi pleine et désormais trop tiède, posée sur le sable près du jeune Arthur. L'anomalie climatique qui est la cause de cette chaleur est également responsable des extraordinaires rouleaux de vagues qui font que, depuis la plage gay, rocailleuse, les hommes se précipitent vers Baker Beach, la partie fréquentée par les hétéros ; et les voilà tous rassemblés, regroupés au milieu des dunes. Devant eux, l'océan bleu argent se bat contre lui-même. Arthur Mineur est un peu ivre et un peu stone. Il est nu. Il a vingt et un ans.

C'est la femme qui se trouve à ses côtés qui a entamé la conversation ; elle est seins nus, bronzée couleur brique, elle porte des lunettes de soleil ; elle fume ; elle a un peu plus de quarante ans. Elle lui dit :

— Dites-moi, j'espère que vous faites bon usage de votre jeunesse.

— Je ne sais pas, répond Mineur, jambes croisées sur sa serviette et rose comme une crevette.

Elle hoche la tête :

— Eh bien, vous devriez la gaspiller.

— Comment ça ?

— Vous devriez aller à la plage comme vous le faites aujourd'hui, vous défoncer, vous enivrer, avoir des tas d'aventures sexuelles. (Elle tire une nouvelle bouffée sur sa cigarette.) J'estime que la chose la plus triste au monde, c'est un jeune de vingt-cinq ans qui discute de la Bourse. Ou pire, des impôts ! Ou encore d'immobilier, nom de Dieu ! Ça, c'est rigoureusement tout ce qui reste comme sujet de conversation quand on a quarante ans. L'immobilier, nom de Dieu ! Tout homme de vingt-cinq ans qui prononce le mot « refinancer », on devrait l'arrêter et le fusiller. Parlez d'amour, de musique, de poésie. De ces choses dont on oublie tous qu'elles ont un jour compté. Gaspillez chaque jour, voilà ce que je dis, moi.

Il rit niaisement, et jette un coup d'œil à sa bande d'amis :

— Je pense que je suis assez bon, pour ça.

— Vous êtes homo, mon chou ?

— Eh ben… ouais, répond-il en souriant.

L'homme qui se trouve à côté de lui, la trentaine, de type italien, le torse athlétique, demande au jeune Arthur Mineur de lui « faire le dos ». La dame semble amusée, et Mineur se retourne pour appliquer de la crème sur le dos de cet homme, dont la couleur révèle qu'il est bien trop tard pour ça. Consciencieusement, il accomplit quand même ce qu'on lui a demandé, et reçoit pour récompense une tape sur les fesses. Mineur se sert une lampée de champagne tiède. Les vagues redoublent de force ; tous les gens dans l'eau sautent, rient, poussent des hurlements joyeux. Arthur Mineur, à vingt et un ans, est mince, juvénile, pas musclé du tout, les cheveux blonds décolorés, les orteils vernis de rouge, assis sur une plage à San Francisco par une belle journée, durant cette terrible année 1987 – et il est terrifié, absolument terrifié. Rien n'arrête le sida.

Quand il se retourne, la dame est toujours en train de le fixer en fumant.

— C'est votre mec ? demande-t-elle.

Il regarde vers l'Italien, se retourne puis fait signe que oui.

— Et le bel homme un peu plus loin ?

— C'est mon ami Carlos.

Nu, musclé, et bruni par le soleil comme le bois poli d'un tronc de séquoia : le jeune Carlos, qui s'essuyait les cheveux avec sa serviette, lève la tête en entendant son nom.

— Ah, vous, les garçons, vous êtes tous si beaux. Heureux homme, celui qui vous a mis le grappin dessus. J'espère qu'il vous baise comme un fou. (Elle rit.) C'était le cas avec mon homme.

— Je n'en suis pas si sûr, dit Mineur à voix basse, pour que l'Italien n'entende pas.

— Peut-être qu'à votre âge il vous faudrait un bon chagrin d'amour.

Il se met à rire, et passe une main dans ses mèches décolorées :

— Je n'en suis pas sûr non plus !

— Vous en avez déjà eu un ?

— Non, s'écrie-t-il, en riant toujours, et il ramène les genoux sur sa poitrine.

Un homme apparaît derrière la femme ; elle était placée de telle façon qu'elle le cachait, tout ce temps. Le corps mince d'un coureur, des lunettes de soleil, une mâchoire à la Rock Hudson. Nu lui aussi. Il baisse d'abord les yeux sur elle, puis regarde le jeune Arthur Mineur, et finit par crier à tout le monde qu'il va aller à l'eau.

— Tu es idiot ! dit la dame en se redressant. C'est un véritable ouragan, là-bas.

Il rétorque qu'il a déjà nagé dans des ouragans. Il a un léger accent britannique, ou peut-être vient-il de la Nouvelle-Angleterre.

La dame se retourne vers Mineur et baisse ses lunettes. Son fard à paupières a le bleu d'un colibri.

— Jeune homme, je m'appelle Marian. Rendez-moi service : allez dans l'eau accompagner mon ridicule époux. C'est peut-être un grand poète, mais il nage très mal, et je ne peux pas supporter l'idée de le voir mourir. Voulez-vous bien l'accompagner ?

Le jeune Arthur Mineur accepte, se relève en arborant le sourire qu'il réserve aux adultes. L'homme le salue de la tête.

Marian Brownburn se saisit d'un grand chapeau de paille noire qu'elle se pose sur la tête, et leur fait signe :

— Allez-y les garçons. Et vous, prenez soin de mon Robert !

Le ciel se charge de teintes chatoyantes de bleu, du bleu de son fard à paupières, et à mesure que les deux hommes s'approchent des vagues, celles-ci semblent redoubler de violence, comme un feu alimenté par un fagot de petit bois. Ensemble, ils se tiennent tous deux face au soleil, devant ces énormes vagues, à l'automne de cette année terrible.

Au printemps, ils vivront ensemble sur les Vulcan Steps.

— Nous avons dû effectuer un changement de programme. Vous pouvez le constater : le titre a changé.

Mais Mineur, qui ne connaît guère que l'allemand, ne sait que faire de la feuille qu'on vient de lui tendre. Les gens vont et viennent maintenant, accrochent un micro à son revers, lui offrent de l'eau. Mais Arthur Mineur est encore à demi baigné du soleil de la plage, à demi immergé dans les eaux du Golden Gate, en 1987. *Prenez soin de mon Robert.* Et maintenant, une vieille femme, qui tombe et se fracture la hanche.

« Elle vous envoie ses amitiés. » Aucune rancune. Rien, on ne ressent plus rien !

Le directeur se penche vers lui avec un soupir et un clin d'œil amical :

— À propos. Il faut que je vous dise. Ces pilules – elles marchent du tonnerre !

Mineur lève les yeux. Est-ce que ce sont les pilules qui le rendent si rougeaud et si grotesque ? Qu'est-ce qu'ils peuvent bien vendre d'autre ici, pour les hommes d'âge mûr ? Est-ce qu'il y a une pilule à prendre lorsqu'une image de vigne vierge vous traverse l'esprit ? Pourra-t-elle effacer cette image ? Effacer la voix qui disait : *Tu devrais me faire un baiser d'adieu* ? Effacer la veste de smoking, ou du moins le visage qui la surmontait ? Effacer ces neuf années ? Robert dirait : *Le travail te fera du bien.* Le travail, les habitudes, les mots te feront du bien. On ne peut dépendre de rien d'autre. Mineur a connu le génie, et ce que peut faire le génie. Mais si vous n'êtes pas un génie vous-même ? Que pourra alors vous apporter le travail ?

— Quel est le nouveau titre ? demande Mineur.

Le directeur passe le programme à Arturo. Mineur se console à l'idée que le lendemain il sera dans un avion pour l'Italie.

Cette langue lui tape sur les nerfs. Le goût persistant du mescal lui tape sur les nerfs. Le côté tragicomique de la vie lui tape sur les nerfs.

Arturo étudie le programme un moment, puis lève les yeux d'un air grave :

« Una Noche con Arthur Mineur. »

ITALIEN EN MINEUR

Outre les autres médicaments qu'il a achetés à la pharmacie de l'aéroport de Mexico, Arthur Mineur s'est procuré une nouvelle variété de somnifères. Il se souvient du conseil de Freddy, il y a des années : « C'est un hypnotique plutôt qu'un narcotique. On te sert le dîner, tu dors sept heures ; on te sert le petit-déjeuner, tu es arrivé. » Armé de tout cela, Mineur monte à bord du vol de la Lufthansa (il devra faire une escale plutôt précipitée à Francfort), s'installe dans son siège côté hublot, choisit le poulet toscan (dont le nom enchanteur s'avère n'être qu'un simple poulet-purée, décevant comme un amant rencontré sur Internet) et, avec sa mini-bouteille de vin rouge, avale une seule pilule blanche. Depuis cette *« Noche con Arthur Mineur »*, il ressent toujours une anxiété bien plus forte que son épuisement ; le son de la voix amplifiée du directeur retentit en boucle dans sa tête : *Nous parlions en coulisse de médiocrité.* Il espère que le médicament fera son œuvre. Et ça marche : il ne se souvient pas d'avoir fini sa crème bavaroise dans son petit coquetier, ni qu'on lui a repris son plateau-repas, ni qu'il a changé l'heure de sa montre pour l'adapter au nouveau fuseau horaire, ni d'avoir somnolé en bavardant avec sa voisine de siège, une fille de Jalisco. En revanche, il se réveille dans un avion rempli de citoyens endormis, prisonniers de couvertures bleues. Béat et rêveur, il regarde sa montre et est pris de panique : il ne s'est passé que deux heures à peine ! Il en reste encore neuf. Sur les écrans muets, on passe une comédie policière américaine récente. Comme pour tous les films muets, il n'a pas besoin de son pour en imaginer l'intrigue : un casse d'amateurs. Il essaie de se rendormir, sa veste lui servant d'oreiller ; son esprit rejoue le film de sa vie telle qu'elle est aujourd'hui. Un véritable casse d'amateurs. Mineur prend une profonde inspiration, et fouille dans son sac. Il trouve une autre pilule, qu'il met à la bouche. Cette habitude qu'il a d'avaler un médicament sans eau lui rappelle la façon dont il prenait ses vitamines quand il était enfant. Voilà, c'est fait ; il remet en place le masque de satin sur ses yeux, prêt à retrouver l'obscurité…

— Monsieur, votre petit-déjeuner. Café ou thé ?

— Quoi ? Euh, du café.

On ouvre des stores pour laisser pénétrer le soleil qui brille au-dessus des gros nuages. On range les couvertures. Est-ce que du temps a passé ? Il ne se souvient pas d'avoir dormi. Il regarde sa montre : quel est le fou qui l'a réglée ? Selon quel fuseau horaire : celui de Singapour ? Petit-déjeuner ; ils vont amorcer la descente sur Francfort. Et il vient de prendre un somnifère. On lui place un plateau sur les genoux : un croissant réchauffé au micro-ondes avec du beurre congelé et de la confiture. Une tasse de café. Eh bien, il va falloir qu'il s'en arrange. Peut-être le café contrebalancera-t-il le sédatif.

On prend un excitant pour contrebalancer l'effet d'un tranquillisant, c'est bien ça ? Tandis qu'il essaie d'étaler sur le pain son gros glaçon de beurre, Mineur se dit : *C'est ainsi que raisonnent les drogués.*

Il se rend à Turin pour une remise de prix et, durant les jours qui la précéderont, il y aura des interviews, quelque chose qu'on appelle une « confrontation » avec des lycéens, et beaucoup de déjeuners et de dîners. Il attend avec impatience de s'échapper, furtivement, dans les rues de Turin, une ville qu'il ne connaît pas. Incluse dans l'invitation, se cache l'information selon laquelle le premier prix a déjà été attribué au célèbre écrivain britannique Fosters Lancett, fils du célèbre écrivain britannique Reginald Lancett. Il se demande si le pauvre homme va vraiment assister à la remise de prix. À cause de sa crainte du décalage horaire, Mineur a demandé à arriver un jour avant tous ces événements et, il en est le premier surpris, on a accédé à sa requête. On lui a précisé qu'une voiture l'attendrait à Turin. S'il parvient à y arriver.

Dans l'aéroport de Francfort, il flotte comme dans un rêve, avec à l'esprit : *passeport, portefeuille, téléphone, passeport, portefeuille, téléphone*. Sur un grand écran bleu, il découvre que l'embarquement pour son prochain vol pour Turin ne s'effectue finalement plus dans le même terminal. Et se demande : *Pourquoi n'y a-t-il pas d'horloges dans les aéroports ?* Il longe des kilomètres de sacs en cuir, de parfums et de whiskies, passe pendant des kilomètres devant des stands tenus par de belles vendeuses turques et, dans ce rêve, il leur parle d'eau de Cologne, les laisse glousser et l'asperger d'essences de cuir et de musc ; il examine des portefeuilles dont il tâte le cuir d'autruche comme si quelque message y était inscrit en braille ; il s'imagine devant le comptoir d'un salon VIP, et discuter avec la réceptionniste, une femme à la chevelure d'oursin, de son enfance dans le Delaware, usant de son charme pour pénétrer dans le salon où des hommes d'affaires de toutes nationalités portent le même costume, et s'asseoir dans un fauteuil de cuir crème, boire du champagne, manger des huîtres et puis, à ce moment-là, le rêve s'évanouit…

Il se réveille dans un bus, qui se dirige quelque part. Mais où ? Pourquoi porte-t-il tant de bagages ? Pourquoi ressent-il le chatouillement des bulles de champagne dans sa gorge ? Mineur essaie d'écouter, parmi les voyageurs qui se tiennent debout, ceux qui parlent italien ; il faut qu'il trouve le vol à destination de Turin. Autour de lui, il semble n'y avoir que des hommes d'affaires américains, qui parlent de sport. Mineur reconnaît les mots, pas les noms. Il ne se sent pas du tout américain. Il se sent homosexuel. Il remarque qu'il y a au moins cinq hommes plus grands que lui dans le bus, ce qui est un record. Son esprit, tel le paresseux progressant lentement sur la branche de la nécessité, enregistre le fait qu'il est encore en Allemagne. Mineur devra y revenir dans une semaine tout juste, pour enseigner à l'Université Libérée durant cinq semaines. Et c'est pendant son séjour en Allemagne que le mariage aura lieu. Freddy va épouser Tom quelque part à Sonoma. La navette traverse le tarmac et dépose ses passagers devant un terminal identique en tous points. Cauchemardesque : le contrôle des passeports. Oui, il a toujours le sien dans sa poche de devant, à gauche. « *Geschäftlich* », répond-il à l'employé musclé (roux, à la coupe de cheveux si courte qu'elle semble peinte) en pensant secrètement : *Ce que je fais, ce n'est pas vraiment un travail ; c'est plutôt du plaisir*. Sécurité, de nouveau. Chaussures, ceinture, il faut les enlever, de nouveau. Mais où est la logique, dans tout ça ? Passeport, douane, sécurité : encore ? Pourquoi les jeunes gens d'aujourd'hui insistent-ils pour se marier ? Est-ce pour ça qu'on a jeté des pierres à la police ? Pour avoir droit à des noces ? Obéissant enfin à sa vessie, Mineur entre dans des toilettes carrelées de blanc et voit, dans le miroir, un vieil *Onkel* qui se dégarnit, dans des vêtements froissés et trop amples. Il s'avère qu'il n'y a pas de miroir : c'est l'homme d'affaires qui se trouve de l'autre côté du lavabo. Un gag à la Marx Brothers. Mineur se passe un coup d'eau sur le visage, le sien, et non celui de l'homme d'affaires, trouve le numéro de la porte d'embarquement, et monte à bord. *Passeport, portefeuille, téléphone*. Il s'enfonce dans son siège côté hublot avec un soupir, et ne touchera jamais à son second petit-déjeuner : il s'est instantanément endormi.

Mineur se réveille avec un sentiment de paix et de triomphe. « *Siamo iniziando la discesa verso Torino*. Nous commençons notre descente vers Turin. » Il semble que son voisin de vol ait changé de place, et se soit installé de l'autre côté. Il retire son masque et sourit aux Alpes, là en bas, qu'une illusion d'optique transforme en cratères et non en montagnes, et puis il voit la ville elle-même. Ils atterrissent sans encombre, et une femme à l'arrière applaudit – ça lui rappelle l'atterrissage à Mexico. Il se souvient d'avoir fumé à bord quand il était jeune, examine le bras de son fauteuil, et y voit encore un cendrier. Est-ce charmant ou alarmant ? Une clochette retentit : les passagers se lèvent. *Passeport, portefeuille, téléphone.* Mineur a, de façon virile, réussi à surmonter la crise ; il ne se sent plus anesthésié ni même bon à rien. Son bagage est le premier à apparaître dans les montagnes russes des valises : comme un chien impatient de retrouver son maître. Pas de contrôle de passeports. Juste une sortie, et là, merveille, un jeune homme portant une moustache de vieux, qui tient une pancarte : *SR. EUR*. Mineur lève la main, et l'homme prend son bagage. Une fois à l'intérieur de l'élégante voiture noire, Mineur découvre que le chauffeur ne parle pas du tout anglais. *Fantastico*, se dit-il en refermant les yeux.

Est-il déjà venu en Italie ? Oui, deux fois. Une fois quand il avait douze ans, lors d'un voyage en famille qui avait pris l'allure d'un jeu de Pachinko, le périple avait débuté à Rome, s'était terminé à Londres, entrecoupé de va-et-vient entre différents pays, dont un passage par la botte de l'Italie. De Rome, tout ce dont il se souvient (dans ses souvenirs d'enfant épuisé), ce sont les immeubles de pierre maculés comme s'ils avaient été extraits de l'océan, la circulation terrifiante, son père qui, sur les pavés, traînait de vieilles valises (y compris le mystérieux nécessaire à maquillage de sa mère) et le cliquetis nocturne, incessant, du store jaune qui flirtait avec le vent romain. Sa mère, vers la fin de sa vie, tentait souvent d'amadouer Mineur, assis au bord de son lit, pour qu'il retrouve d'autres souvenirs : « Tu ne te souviens pas de la logeuse dont la perruque n'arrêtait pas de glisser ? Du beau serveur qui nous a proposé de nous conduire chez sa mère pour déguster des lasagnes ? De cet homme, au Vatican, qui voulait te faire payer un tarif adulte parce que tu étais si grand de taille ? » Elle était là, la tête coiffée d'un foulard orné de coquillages blancs. « Oui », disait-il chaque fois, exactement comme il le faisait toujours avec son agent, en prétendant avoir lu des livres dont il n'avait jamais entendu parler. La perruque ! Les lasagnes ! Le Vatican !

La deuxième fois, il y était allé avec Robert. C'était au milieu de leur histoire, lorsque Mineur était finalement assez expérimenté pour être d'une véritable aide pendant un voyage, et à une époque où Robert n'était pas encore si plein d'amertume qu'il en devenait une véritable entrave à leur bonheur. Cette période où un couple a trouvé son équilibre, la passion s'apaisant après les premiers moments d'exaltation, mais où la gratitude est toujours très présente ; c'est en fait un véritable âge d'or, ce dont personne ne prend conscience. Robert n'avait pas souvent envie de voyager, et il avait accepté une invitation pour faire une lecture à Rome lors d'un festival littéraire. Se rendre à Rome était déjà une chance suffisante en soi, mais faire découvrir Rome à Mineur, c'était comme avoir l'occasion de présenter une tante adorée à quelqu'un qu'on apprécie. Tout ce qu'ils y vivraient serait mémorable. Ce dont ils ne s'étaient pas avisés jusqu'à leur arrivée, c'était que l'événement se déroulerait dans le Forum antique, où des milliers de personnes devaient se rassembler sous le vent d'été pour écouter un poète lire devant une arche en ruine ; il se tiendrait debout sur une estrade éclairée par des projecteurs diffusant une lumière rose, et un orchestre jouerait du Philip Glass entre chaque poème. « Jamais plus je ne lirai dans ces conditions, où que ce soit », murmura Robert à Mineur qui était avec lui en coulisses, tandis que sur un écran géant on passait un bref clip biographique pour le public : Robert enfant en costume de cow-boy ; Robert en étudiant sérieux à Harvard avec son copain Ross ; puis lui et Ross dans un café de San Francisco, dans un décor de sous-bois ; le clip réunissant de plus en plus d'amis artistes, jusqu'à ce qu'on reconnaisse le visage de Robert sur la photo parue dans *Newsweek* : cheveux gris en broussaille, et toujours cette expression simiesque d'un esprit farceur (il ne rechignait pas de se voir en photo). La musique augmenta en puissance, on appela son nom. Quatre mille personnes applaudirent, et Robert en costume de soie grise se prépara à fouler une scène éclairée de rose sous les ruines centenaires, et lâcha la main de son amant comme s'il allait tomber d'une falaise…

Mineur ouvre les yeux sur un paysage de vignes automnales, des rangées interminables de ces plantes crucifiées, au bout desquelles se trouve toujours un rosier rose. Il se demande bien pourquoi. Les collines s'étendent jusqu'à l'horizon et, au sommet de chacune d'elles, se trouve une petite ville, où se dessine l'unique clocher d'une église, mais sans aucun moyen visible d'accéder au village, sauf à s'aider d'un piton et d'une corde. Mineur remarque, à la position du soleil, qu'une heure au moins est passée. On ne le conduit donc pas à Turin : on l'emmène quelque part ailleurs. En Suisse ?

Mineur comprend enfin ce qui se passe : il n'a pas pris la voiture qu'il fallait.

SR. EUR : il revoit les lettres que son esprit, dans son persistant état hypnotique et dans sa fierté, a prises pour *Signor*, et ensuite une façon erronée et enfantine d'orthographier son nom. Sriramathan Eur ? Srovinka Euronanisme ? *SREUR :* Società di la Repubblica d'Europea ? À cette altitude, presque toutes les hypothèses sont bonnes pour Mineur. Mais c'est évident : ayant réglé les problèmes liés au voyage, il a baissé la garde, a salué la première personne tenant une pancarte avec un nom se rapprochant du sien, et a été entraîné vers une destination inconnue. Il sait ce qu'est la *commedia dell'arte* de la vie, et le rôle qui lui a été attribué. Il soupire dans son siège. Il regarde par la vitre et voit un autel dressé pour commémorer un accident de voiture, placé dans un virage particulièrement ardu de la route. Un court instant, il a le sentiment que les yeux en plastique de la Madone rencontrent les siens.

Et voici que des signes de plus en plus fréquents indiquent qu'une ville est proche, et en particulier un hôtel : un lieu qui s'appelle Le Mondolce Golf Resort. Mineur se raidit de crainte. Son esprit doué pour la narration élabore la liste de ces possibilités : il a pris la voiture d'un certain Dr Ludwig Eur, un médecin autrichien en vacances, qui se rend dans un golf du Piémont avec son épouse. Lui : tête brune, mèches blanches en touffes sur les oreilles, petites lunettes cerclées d'acier, short rouge et bretelles. *Frau* Eur : cheveux blonds coupés court avec une mèche rose, tunique de lin brut, et leggings rouge piment. Des bâtons de marche dans leurs bagages pour des balades au village. Elle s'est inscrite à des cours de cuisine italienne, tandis que lui rêve de neuf trous et de neuf bières Moretti. Et les voilà à présent dans je ne sais quel lobby d'hôtel à Turin, parlant fort au propriétaire tandis qu'un groom attend, en maintenant ouverte la porte de l'ascenseur. Pourquoi Mineur est-il arrivé un jour plus tôt ? Il n'y aura personne de la Fondation en charge de remettre les prix pour résoudre le malentendu ; la voix des pauvres époux Eur résonnera dans le vide jusqu'au lustre du hall. BENVENUTO AL MONDOLCE GOLF RESORT, indique une pancarte alors qu'ils arrivent dans une allée. Un cube de verre perché sur une colline, une piscine, des trous de golf tout autour. « *Ecco* », annonce le chauffeur lorsqu'ils arrivent devant la façade de l'hôtel. Le dernier rayon de soleil se réverbère sur l'eau de la piscine. Deux jolies jeunes femmes émergent de l'entrée du hall tapissé de miroirs, les mains serrées l'une contre l'autre. Mineur se prépare à une totale mortification.

Mais la vie lui a accordé son pardon sur les marches de l'échafaud :

— Bienvenue, dit la plus grande des jeunes femmes, vêtue d'une robe imprimée d'hippocampes, bienvenue en Italie et dans votre hôtel ! Monsieur Mineur, nous accueillons vous de la part le comité des prix…

Les autres finalistes n'arrivent que le lendemain en fin de journée, si bien que Mineur a presque vingt-quatre heures pour profiter seul du complexe hôtelier.

Comme un gamin curieux, il essaie la piscine, puis le sauna, le bain d'eau froide, le hammam, de nouveau le bain d'eau froide, jusqu'à parvenir à la couleur écarlate d'un garçon atteint de scarlatine. Incapable de déchiffrer le menu au restaurant (où il dîne seul sous une véranda chatoyante), il commande pour chacun de ses trois repas quelque chose qu'il se souvient d'avoir lu dans un roman : un steak tartare de la *Fassona* locale. Pour les trois repas, il commande le même Nebbiolo. Il s'installe dans la pièce de verre éclairée par le soleil, comme s'il était le dernier humain sur terre, où il trouve une cave à vins qui pourrait lui durer une vie entière. Sur sa terrasse privée se dresse une amphore garnie de fleurs qui ressemblent à des pétunias, assaillies nuit et jour par de petites abeilles. En y regardant de plus près, il s'aperçoit qu'au lieu de dards, ces insectes possèdent de longs appendices nasaux pour sonder les fleurs pourpres. Ce ne sont pas des abeilles, mais des oiseaux-mouches pygmées. Cette découverte le ravit et l'émeut profondément. L'après-midi suivant, son plaisir est à peine gâché par un groupe de jeunes gens, garçons et filles qui, venus bronzer au bord de la piscine, le regardent faire ses longueurs. Il retourne dans sa chambre, toute tapissée de bois blanc suédois, où trône, suspendue, une cheminée d'acier. « Il y a du bois dans la chambre, dit la jeune femme aux hippocampes. Vous savez allumer un feu, n'est-ce pas ? » Mineur opine : il faisait du camping avec son père. Il empile le bois, en forme de petit tipi de scout, et fourre dessous des pages du *Corriere della Sera*, avant d'allumer le feu. Il est temps d'utiliser ses bandes élastiques d'étirement.

Depuis des années, Mineur voyage avec un jeu de bandes élastiques qu'il considère comme sa salle de gym portative. L'ensemble est multicolore, muni de poignées interchangeables, et il imagine toujours, quand il les enroule dans sa valise, combien il sera en forme et tonique en revenant de voyage. Il commence avec le plus grand sérieux l'ambitieuse série d'exercices le premier soir : des dizaines de mouvements particuliers, recommandés par le manuel (depuis longtemps perdu à Los Angeles, mais dont il se souvient en partie). Mineur fixe les bandes autour des pieds de lits, des colonnes, ou des chevrons, et accomplit ce que le manuel désignait par les termes de « bûcherons », de « trophées », et d'« actes héroïques ». Il termine sa séance d'entraînement luisant de sueur, et avec le sentiment qu'il a gagné une nouvelle journée face aux assauts du temps. Cinquante ans, ça lui paraît le bout du monde. Le deuxième soir, il se convainc de laisser ses muscles se reposer. Le troisième, il se souvient de son matériel, et commence l'entraînement, à demi convaincu ; tous les prétextes sont bons : les minces cloisons de la chambre pourraient trembler à cause du volume sonore de la télévision d'un voisin, ou bien la faible lumière de la salle de bains pourrait le déprimer, de même qu'un article inachevé auquel il pourrait penser. Mineur se promet de s'entraîner plus sérieusement dans deux jours. Pour fêter cette promesse, il prend une mignonnette de whisky dans le minibar de la chambre. Et puis l'équipement est oublié, abandonné sur la table de nuit de l'hôtel : le dragon a été terrassé.

Mineur n'a rien d'un athlète. Le seul moment où il s'est senti héroïque, c'était par un après-midi de printemps, quand il avait douze ans. Dans les banlieues du Delaware, le printemps ne signifiait pas amourettes et fleurs couvertes de rosée, mais plutôt affreux divorce d'avec l'hiver, et second mariage avec un plantureux été. Le hammam du mois d'août se mettait automatiquement en marche dès le mois de mai, les bourgeons des cerisiers et des pruniers faisaient du moindre souffle de vent une grande parade de serpentins, et saturaient l'air de pollen. Les enseignantes entendaient leurs élèves glousser aux premières lueurs de sueur sur leur poitrine ; les jeunes patineurs à roulettes se trouvaient pris dans l'asphalte qui mollissait. Cette année-là marqua le retour des cigales ; Mineur n'était pas encore né lorsqu'elles s'étaient enfouies sous terre. Mais voilà qu'elles revenaient : par dizaines de milliers, terrifiantes mais inoffensives, elles volaient, ivres de vie, dans les airs, et cognaient les têtes et les oreilles, recouvraient les poteaux téléphoniques et les voitures garées de leur ancienne mue délicate, couleur d'ambre et presque égyptienne. Les filles les portaient en boucles d'oreilles. Les garçons, en dignes descendants de Tom Sawyer, les attrapaient vivantes pour les enfermer dans des sacs de papier et les relâcher pendant les heures d'étude. Toute la journée, ces créatures stridulaient en chœurs immenses, et la pulsation de leur chant résonnait dans tout le voisinage. Et l'école ne se terminerait pas avant juin. Et encore.

Il faut alors s'imaginer le jeune Arthur Mineur, âgé de douze ans, portant pour la première année des lunettes cerclées d'or, qu'il retrouverait trente ans plus tard, lorsqu'un opticien lui recommanderait à Paris une paire semblable, et qu'il sentirait un frisson de reconnaissance et de honte, mêlées de tristesse, lui parcourir le corps : un petit garçon à lunettes jouant au baseball, les cheveux d'un blanc doré de vieil ivoire, une casquette de baseball noir et jaune sur la tête, et errant dans le champ de trèfles, une lueur rêveuse dans les yeux. Rien ne s'était produit de toute la saison de baseball, et c'était pourquoi on l'avait mis là : un vrai no man's land athlétique. Son père (mais Mineur devait tout ignorer de cela pendant plus de dix ans) avait dû assister à une réunion du Comité public athlétique pour défendre le droit de son fils à participer à la ligue, malgré son manque évident de talent au baseball et son manque de concentration sur le terrain. En fait, son père avait dû rappeler au coach de son fils (qui avait recommandé l'exclusion de Mineur) que c'était une ligue athlétique *publique*, qui devait donc, de même qu'une bibliothèque publique, être ouverte à tous. Même aux grands dadais maladroits qui pouvaient se trouver parmi eux. Sa mère, championne de softball dans sa jeunesse, avait dû prétendre que tout cela ne lui importait pas du tout, et accompagner Mineur à ses matchs en tenant un discours sur l'esprit sportif qui était davantage une inversion de ses propres convictions qu'un encouragement pour le garçon. Il faut imaginer Mineur, avec ce gant de cuir alourdissant sa main gauche, transpirant dans la chaleur du printemps, et l'esprit perdu dans ses rêveries extravagantes d'enfant, appelées à laisser place à ses extravagantes rêveries d'adolescent – Mineur qui, soudain, voit apparaître un objet dans le ciel. Agissant presque sous le coup d'une mémoire reptilienne, il se précipite, le gant tendu en avant. Le soleil qui brille fait scintiller sa vision. Et puis :

un choc ! La foule hurle. Il regarde le gant et constate, en voyant la balle aux deux coutures rouges glorieusement tachée d'herbe, qu'il a réussi la seule prise de toute sa vie.

Dans les tribunes : les cris d'extase de sa mère.

Dans son sac, au Piémont : les fameuses bandes élastiques déroulées pour le célèbre héros de l'enfance.

Depuis la porte de son antre : la dame aux hippocampes qui fait irruption, et qui ouvre les fenêtres pour dissiper la fumée que Mineur a provoquée, dans sa tentative avortée de faire du feu.

Arthur Mineur n'avait assisté à une remise de prix qu'une seule fois : il s'agissait d'un événement littéraire appelé « Les Lauriers littéraires de Wilde et Stein ». C'était son agent, Peter Hunt, qui l'avait informé de cette manifestation honorifique autant que mystérieuse. Mineur, qui avait sans doute entendu Wildenstein, avait rétorqué qu'il n'était pas juif. Peter avait toussé, et ajouté : « Je crois qu'il s'agit de quelque chose de gay. » C'était le cas, et pourtant, Mineur fut surpris : il avait passé la moitié de sa vie avec un écrivain dont la sexualité n'avait jamais été mentionnée, pas plus d'ailleurs que durant la période où il avait été marié. Être décrit comme un écrivain gay ! Robert n'avait que mépris pour cette idée ; c'était comme si on soulignait l'importance de son enfance à Westchester, dans le Connecticut. Il protestait : « Je n'écris pas sur Westchester. Je ne pense pas à Westchester. Je ne suis pas un poète de Westchester… » – ce qui aurait étonné Westchester, dont le conseil municipal avait apposé une plaque à l'entrée du collège qu'avait fréquenté Robert. Gay, noir, juif : Robert et ses amis pensaient qu'ils étaient au-delà de tout ça. Aussi Mineur avait-il été surpris de constater que ce genre de récompenses puisse même exister. Sa première réponse à Peter fut de lui demander : « Comment ont-ils même su que je suis gay ? » Il avait posé cette question, vêtu d'un kimono, depuis le porche d'entrée de sa maison. Mais Peter l'avait convaincu d'assister à cette cérémonie. À l'époque, Robert et lui étaient séparés et, anxieux de la manière dont il pourrait apparaître aux yeux de ce mystérieux monde littéraire gay et, ayant désespérément besoin de quelqu'un avec qui s'y rendre, il avait paniqué, et avait demandé l'avis de Freddy Pelu.

Qui aurait pensé que Freddy, alors âgé de vingt-six ans, pourrait être une telle bénédiction ? Ils arrivèrent dans une salle d'université, tout ornée de banderoles : *Les espoirs sont les échelles qui mènent aux rêves !* Sur l'estrade étaient alignées six chaises de bois comme dans une salle de tribunal. Mineur et Freddy prirent place. (« Wilde et Stein, dit Freddy, on dirait le nom d'un vaudeville. ») Autour d'eux, les gens se saluaient, se reconnaissaient en poussant des cris, échangeaient des accolades et menaient de grandes conversations. Mineur ne reconnut personne. Tout cela lui parut si étrange ; là, ses contemporains, ses pairs : et c'étaient des étrangers. Mais pas pour le lecteur qu'était Freddy, soudain revivifié par ce cercle littéraire : « Regarde, c'est Meredith Castle ; c'est une vraie poétesse du langage, Arthur, tu devrais la connaître ; et celui-ci, c'est Harold Frickes », etc. Freddy scrutait avec ses lunettes rouges tous ces gens bizarres, satisfait de nommer chacun d'entre eux. C'était comme se trouver avec un ornithologue. Les lumières s'éteignirent, et six hommes et femmes montèrent sur scène, certains si âgés qu'on aurait dit des automates, pour s'installer sur les chaises. Un petit homme chauve aux lunettes avec des verres fumés s'avança vers le micro. « C'est Finley Dwyer », murmura Freddy. Peu importe qui c'était !

L'homme commença par souhaiter la bienvenue à tout le monde, puis son visage s'anima : « J'admets que je serai déçu ce soir, si nous récompensons les assimilationnistes, ceux qui écrivent comme les hétérosexuels, qui élèvent les hétérosexuels au statut de héros de guerre, qui font souffrir les personnages gays, qui les montrent à la dérive, dans la nostalgie d'un passé qui fait fi de notre oppression actuelle. Je dis qu'il nous faut nous purger de ces gens-là, qui nous feraient disparaître des librairies, ces assimilationnistes qui sont, au plus profond d'eux-mêmes, honteux de ce qu'ils sont, de qui nous sommes, de qui vous êtes, *vous* tous ! » L'assistance applaudit à tout rompre. Des héros de guerre, des personnages qui souffrent, à la dérive dans un passé nostalgique : Mineur reconnaissait ces caractéristiques comme une mère pourrait reconnaître la description d'un *serial killer* faite par la police. C'était *Kalipso* ! Finley Dwyer parlait explicitement de *lui*. Lui, l'inoffensif petit Arthur Mineur : *l'ennemi* de tous ! Le public continuait de rugir ; Mineur se tourna vers Freddy et murmura en tremblant : « Freddy, il faut que je sorte d'ici. » Freddy le regarda, surpris : « Les espoirs sont les échelles qui mènent aux rêves, Arthur. » Mais il s'aperçut alors que Mineur était on ne peut plus sérieux. Quand fut proclamé le gagnant du prix du Livre de l'Année, Mineur n'entendit pas l'annonce : il gisait dans son lit, tandis que Freddy lui disait de ne pas s'en faire. Leurs ébats amoureux avaient été gâchés par la bibliothèque de la chambre à coucher : depuis ses rayons, des écrivains morts observaient Mineur, comme des chiens au pied du lit. Peut-être bien qu'il était vraiment honteux, comme Finley Dwyer en avait lancé l'accusation. Un oiseau, devant la fenêtre, semblait se moquer de lui. Il n'avait, de toute façon, pas reçu de prix.

Mineur a lu (dans le dossier que ces belles femmes lui ont tendu avant de disparaître dans la véranda) que le jury final se compose de douze lycéens, alors que les cinq finalistes ont été choisis par un comité de gens plus âgés. Le deuxième soir, ces jeunes font leur entrée dans le hall de réception, vêtus d'élégantes robes fleuries (pour les filles) ou de blazers trop grands empruntés à leur père (pour les garçons). Pourquoi n'est-il pas venu à l'esprit de Mineur que ces jeunes gens sont les mêmes que ceux de la piscine ? Les adolescents se promènent comme un groupe de touristes dans la véranda qui a servi de salle à manger privée à Mineur, et qui maintenant grouille de serveurs employés par les traiteurs, ainsi que de gens inconnus. Les belles Italiennes réapparaissent et lui présentent ses cofinalistes. Mineur sent faiblir sa confiance. Le premier d'entre eux, c'est Riccardo, un jeune Italien à la barbe de trois jours, incroyablement grand et mince, portant lunettes de soleil, jean, et un tee-shirt dévoilant des tatouages de carpe japonaise sur les deux bras. Les trois autres sont tous beaucoup plus âgés : Luisa, très chic, cheveux blancs impeccables, vêtue d'une tunique de coton blanc, et des bracelets d'or ethniques aux bras pour se défendre contre les critiques ; Alessandro, méchant de dessin animé, mèches blanches sur les tempes, fine moustache comme dessinée au crayon, lunettes de plastique noir qui atténuent l'air de désapprobation qu'il affiche ; et un petit gnome rose et or venu de Finlande qui veut qu'on l'appelle Harry, alors que son nom est tout à fait différent sur la couverture de son livre. Mineur apprend que leurs œuvres sont les suivantes : un roman historique sicilien, une réécriture de Raiponce dans la Russie contemporaine, un roman de huit cents pages narrant les derniers instants d'un homme sur son lit de mort à Paris, et une vie imaginaire de sainte Marjorie. Mineur n'arrive pas à dire qui a écrit quoi : le jeune a-t-il écrit ce roman sur le lit de mort, ou bien celui sur Raiponce ? L'une ou l'autre réponse paraît vraisemblable. Ils sont tous si intellectuels. Mineur comprend tout de suite qu'il n'a aucune chance.

— J'ai lu votre livre, dit Luisa, qui bat de la paupière gauche pour se débarrasser d'un petit brin de mascara, tandis que son œil droit le regarde fixement, comme pour pénétrer son cœur. Ce texte m'a emporté vers de nouveaux lieux. J'ai pensé à Joyce dans l'espace.

Le Finlandais est sur le point d'exploser de rire.

Le méchant du dessin animé ajoute :

— Il n'y vivrait pas longtemps, je pense.

— *Portrait de l'artiste en astronaute* ! finit par dire le Finlandais, en se cachant la bouche pour glousser d'un rire silencieux.

— Je ne l'ai pas lu, mais… dit l'auteur tatoué tout en remuant sans cesse les mains dans les poches. Les autres attendent la fin de la phrase, mais rien ne vient. Derrière eux, Mineur reconnaît Fosters Lancett qui déambule dans la salle ; il est très petit, et sa tête lourde semble autant imbibée de malheur qu'un pudding l'est de rhum. Et peut-être est-il lui-même imbibé de rhum, d'ailleurs.

— Je ne crois pas avoir la moindre chance de gagner.

C'est tout ce que peut dire Mineur.

Le prix représente une belle somme en euros, plus un costume réalisé sur mesure à Turin même.

Luisa agite une main en l'air :

— Ah, mais qui sait ? Ce sont ces étudiants qui vont décider ! Qui sait ce qu'ils apprécient ? Les histoires sentimentales ? Les histoires de meurtres ? Si ce sont les meurtres, Alessandro nous bat tous, sur ce terrain.

Le méchant lève un sourcil, puis l'autre :

— Quand j'étais jeune, tout ce que je voulais lire, c'étaient de petits livres prétentieux. Camus, Tournier, Calvino. Dès qu'il y avait une intrigue, je détestais.

— Tu es resté le même, lui reproche Luisa.

Il hausse les épaules. Mineur devine une ancienne histoire d'amour. Les deux passent ensuite à l'italien, et commence alors ce qui ressemble à une sorte de prise de bec ; mais cela pourrait parfaitement être tout autre chose.

— Est-ce que par hasard l'un d'entre vous parle anglais, ou aurait une cigarette ?

C'est Lancett, qui lance des regards noirs sous ses sourcils.

Le jeune écrivain sort immédiatement un paquet de son jean, et lui en présente une, légèrement aplatie. Lancett la fixe avec appréhension, puis s'en saisit.

— Vous êtes les finalistes ? demande-t-il.

— Oui, répond Mineur, et Lancett tourne la tête, alerté par son accent américain.

Ses paupières se ferment, dégoûtées.

— Ces machins littéraires ne sont vraiment *pas cools*.

— Je suppose que vous avez dû participer à beaucoup d'entre eux.

Mineur s'entend dire cette ineptie.

— Pas tellement. Et je n'ai jamais gagné. C'est un pauvre petit combat de coqs qu'ils organisent, parce qu'eux-mêmes sont dénués de talent.

— Si, vous avez gagné. Vous avez déjà remporté le premier prix.

Fosters Lancett fixe Mineur pendant un moment, puis roule des yeux, et sort avec raideur pour fumer.

Pendant les deux jours suivants, circulent de nombreux groupes de gens : adolescents, finalistes, membres âgés du comité des prix, se souriant depuis les auditoriums et les restaurants, se croisant tranquillement devant les buffets, mais ne s'asseyant jamais ensemble, et n'échangeant rien, en fait. Il n'y a que Fosters Lancett qui se déplace librement, comme un loup solitaire rôdant parmi eux. Maintenant, Mineur ressent une honte nouvelle à l'idée que les jeunes l'ont vu pratiquement nu, et il évite la piscine quand ils sont là. Il se représente l'horreur de son corps mûr, et ne peut supporter l'idée d'un quelconque jugement (alors qu'en fait, cette anxiété l'a poussé à rester presque aussi mince que durant ses années à l'université). Il évite aussi le spa. Et donc, ses vieilles bandes élastiques refont leur apparition : chaque matin, Mineur pratique de son mieux ses séances typiquement mineures composées de « trophées » et d'« actes héroïques » du manuel depuis longtemps perdu (qui est en fait une médiocre traduction de l'italien). Mais il en fait chaque jour de moins en moins, s'approchant dangereusement du zéro mais sans jamais l'atteindre.

Bien entendu, les journées sont bien remplies. Il prend son déjeuner en terrasse sur la place du village ensoleillée, où plusieurs Italiens lui conseillent, non pas une fois, pas deux fois, mais jusqu'à *dix fois*, d'appliquer de la crème solaire sur son visage qui rosit (*évidemment* qu'il en applique, de la crème solaire, et puis, qu'en savent-ils, bon sang, tous ces gens à la superbe peau d'ébène ?). Il y a le discours de Fosters Lancett sur Ezra Pound, au milieu duquel le vieil homme amer sort une cigarette électronique, et se met à en tirer des bouffées : la petite lueur verte, à cette époque inconnue des Piémontais, fait supposer à certains journalistes qu'il fume leur *marijuana* locale. Il y a de nombreuses interviews déconcertantes – « Je suis désolée, j'ai besoin de l'*interprète* : je ne comprends pas votre accent américain » – pendant lesquelles des matrones mal fagotées, en lin lavande, posent des questions hautement intellectuelles sur Homère, Joyce et la physique quantique. Mineur, complètement en dehors des radars journalistiques en Amérique, et peu habitué aux questions substantielles, s'en tient en toute occasion à un personnage farouchement réjoui, se refusant à philosopher sur des sujets qu'il a choisi de traiter dans ses écrits, précisément *parce qu'*il ne les comprend pas. Les dames repartent amusées, mais sans suffisamment de matière pour rédiger un article. Depuis l'autre côté du hall, Mineur entend les journalistes rire à ce que dit Alessandro : à l'évidence, il sait comment s'y prendre. Et puis il y a la virée de deux heures en bus, en pleine montagne, pendant laquelle Mineur se tourne à un moment vers Luisa pour lui poser une question : elle lui explique que les rosiers qui se trouvent au bout de chaque rangée de vignobles sont là pour détecter une éventuelle maladie. Elle tend le doigt et ajoute :

— Ce sont les roses qui sont les premières à être attaquées. Comme l'oiseau… quel oiseau, déjà ?

— Un canari dans une mine de charbon.

— *Sì. Esatto.*

— Ou comme un poète dans un pays d'Amérique latine, suggère Mineur. Le nouveau régime les exécute toujours en premier. L'expression complexe de Luisa prend alors trois aspects : d'abord de l'étonnement, ensuite une malicieuse complicité, et enfin de la honte pour les poètes morts, et pour eux-mêmes, ou pour les deux.

Et puis arrive la cérémonie des prix proprement dite.

*

Mineur se trouvait dans l'appartement quand Robert avait reçu ce coup de fil, en 1992. « Ah ça, merde alors ! » L'exclamation avait retenti depuis la chambre, et Mineur s'était précipité, pensant que Robert s'était blessé (il entretenait des rapports dangereux avec le monde physique, et les chaises, les tables, les chaussures, tout se mettait sur son chemin, comme attiré par un aimant). Mais il trouva Robert, une expression de basset sur le visage, le téléphone sur les genoux, l'œil fixé droit sur la peinture de Mineur par Woodhouse. En tee-shirt, ses lunettes en écaille de tortue sur le front, le journal étalé autour de lui, une cigarette dangereusement proche risquant de l'enflammer, Robert se retourna pour regarder Mineur.

— C'était le comité du Pulitzer, dit-il d'une voix égale. Il s'avère que j'ai mal prononcé ce nom toutes ces années.

— Tu l'as eu ?

— « Pulitzer » ne se prononce pas Piou-litzer. C'est Pou-litzer.

Robert jeta un autre regard circulaire sur toute la pièce :

— Merde alors, Arthur, j'ai eu le prix.

Bien sûr, une fête s'imposait, et la bande de toujours fit son retour comme un seul homme : Leonard Ross, Otto Handler, Franklin Woodhouse, Stella Barry – tous s'entassèrent dans la cabane des Vulcan Steps et donnèrent de grandes tapes dans le dos de Robert ; Mineur ne l'avait jamais vu si intimidé devant ses copains ni, de toute évidence, si ravi et si fier. Ross alla droit vers lui, et Robert pencha la tête, en se courbant devant l'écrivain, grand comme Lincoln, qui lui frotta le crâne comme si c'était un signe de bonne chance ou bien, plus vraisemblablement, comme ils le faisaient quand ils étaient jeunes. Ils riaient et n'arrêtaient pas de parler, évoquant ce à quoi ils ressemblaient quand ils étaient jeunes, ce qui dérouta Mineur, parce qu'ils semblaient avoir exactement le même âge que lorsqu'il les avait rencontrés. Un grand nombre d'entre eux avait renoncé à boire, y compris Robert à ce moment-là, si bien qu'ils se servaient en café dans une espèce de bouilloire de métal cabossé, et certains d'entre eux se passaient un joint. Mineur reprit son ancien rôle, et se tenait à part, à les admirer. À un moment, Stella l'aperçut depuis l'autre côté de la pièce, et vint vers lui de son pas de cigogne. Elle était osseuse et anguleuse, trop grande, pas très jolie, et montait en épingle ses imperfections avec confiance et grâce, si bien que, pour Mineur, elles en devenaient belles. « J'ai appris que tu t'es mis à écrire toi aussi, Arthur », dit-elle de sa voix rocailleuse. Elle s'empara de son verre de vin, en but de petites gorgées, et le lui rendit avec un regard comme empreint de magie noire : « Voici le seul conseil que je peux te donner : ne gagne aucun de ces prix. » Elle en avait gagné plusieurs elle-même, bien sûr ; elle figurait dans l'*Anthologie de poésie de Wharton*, ce qui signifiait qu'elle était immortelle. Comme Athéna descendant des cieux pour conseiller le jeune Télémaque, elle reprit : « On gagne un prix, et c'est terminé. On donne des conférences pour le reste de sa vie. Mais on ne se remet plus jamais à écrire. » Elle tapota d'un ongle la poitrine de Mineur : « N'en gagne aucun. » Puis elle l'embrassa sur la joue.

Ce fut la toute dernière fois qu'ils se réunirent, ceux de la Russian River School.

Cela se passe non pas dans l'ancien monastère lui-même, où l'on peut acheter du miel d'abeilles protégées, mais dans une grande salle municipale construite dans le rocher sous le monastère. C'est un lieu de culte, auquel il manquait un donjon, si bien que la région du Piémont en a construit un. Dans l'auditorium (dont la porte d'accès à l'arrière est ouverte sur une température différente : un orage soudain se prépare), les adolescents sont en rang, exactement comme Mineur imagine que devaient l'être les moines : avec une expression dévote et ayant fait vœu de silence. Les présidents, âgés, sont assis à une table majestueuse ; eux non plus ne parlent pas. La seule personne à prendre la parole est un bel Italien (qui s'avère être le maire), dont l'apparition sur le podium est annoncée par un coup de tonnerre ; le bruit vient s'éteindre dans son micro et les lumières s'éteignent elles aussi. L'assistance pousse un grand : « Oooh ! » Mineur entend le jeune écrivain, assis à ses côtés dans l'obscurité, lui adresser enfin la parole en se penchant vers lui : « C'est ce qui se passe quand quelqu'un est assassiné. Mais qui ? » Mineur murmure : « Fosters Lancett », avant de se rendre compte que le célèbre Britannique est assis juste derrière eux.

Les lumières se rallument et viennent réveiller la salle, et personne n'a été assassiné. Un écran commence à descendre depuis le plafond et se déroule en grinçant, tel un parent fou qui erre au rez-de-chaussée et qu'on doit renvoyer se cacher. La cérémonie reprend et, alors que le maire commence son discours en italien, cette langue mélodieuse aux mots de miel et aux notes de clavecin, balancés et incompréhensibles, Mineur se sent partir à la dérive, comme un astronaute hors de son sas va pénétrer la ceinture d'astéroïdes de ses propres préoccupations. Car ici, il ne se sent pas chez lui. Il lui avait semblé absurde d'être invité, mais il avait considéré la chose de manière si abstraite, et à une telle distance dans le temps et l'espace, qu'il l'avait acceptée comme faisant partie de la fuite qu'il projetait. Ici, pourtant, en costume, tandis que de la sueur pointe déjà sur le devant de sa chemise blanche et perle à la naissance de ses cheveux qui se raréfient, sa présence lui apparaît comme une parfaite erreur. Il n'a pas choisi la mauvaise voiture : c'est la mauvaise voiture qui l'a choisi. Car il en est venu à comprendre qu'il ne s'agit pas d'un prix italien étrange et drôle, une bonne blague à raconter à ses amis : tout cela est très sérieux. Les juges chenus avec leurs breloques, les adolescents sur le banc des jurés, les finalistes tout tremblants d'impatience et angoissés par l'attente ; même Fosters Lancett qui est venu de loin, qui a écrit un long discours, qui a chargé sa cigarette électronique et la batterie presque vide de ses conversations banales sur la pluie et le beau temps : tout est à prendre très au sérieux, et de la plus haute importance pour eux. Ça ne peut pas être écarté comme de la rigolade. Il s'agit bien plutôt d'une vaste méprise.

Mineur se met à imaginer (tandis que le maire marmonne toujours son discours en italien) qu'on l'a mal traduit, ou – comment dire ? – qu'on a comme *supertraduit* son roman, confié à un poète de génie méconnu (elle s'appelle Giuliana Monti), qui a réussi à faire de son pauvre anglais un italien stupéfiant. Son livre a été ignoré en Amérique, on en a à peine rendu compte, sans qu'un seul journaliste ait demandé à l'interviewer (son attaché de presse lui a dit : « L'automne est une mauvaise période »). Mais ici, en Italie, il se rend compte qu'on le prend au sérieux. Et en automne, de surcroît. Pas plus tard que ce matin, on lui a montré des articles de *La Repubblica*, du *Corriere della Sera*, de journaux locaux et de revues catholiques, avec des photos de lui dans son costume bleu, fixant l'appareil du même regard bleu saphir, naturel et inquiet, qu'il avait lancé à Robert sur cette plage. Mais la photo devrait être celle de Giuliana Monti : c'est *elle*, en fait, qui a écrit ce livre. Réécrit, « sur-écrit », dépassant Mineur lui-même. Car il a connu ce qu'est un génie. Il a été réveillé par un génie au milieu de la nuit, par les bruits de pas d'un génie déambulant dans les couloirs ; il a, pour un génie, préparé le café, et le petit-déjeuner, et son sandwich au jambon et son thé ; il s'est trouvé nu avec un génie, a réconforté un génie lors de ses accès de panique ; rapporté le pantalon d'un génie de chez le tailleur, et repassé ses chemises pour une lecture. Il a senti chaque centimètre de peau d'un génie ; il a connu l'odeur d'un génie, et senti un génie le caresser. Fosters Lancett, placé derrière lui comme un cavalier derrière une autre pièce sur un échiquier, et pour qui une conférence d'une heure sur Ezra Pound est une formalité – lui, c'est un génie. Alessandro, avec sa moustache digne du personnage d'Oil Can Harry*, l'élégante Luisa, Finn le pervers, Riccardo le tatoué : de potentiels génies. Comment s'est-il retrouvé là ? Quel dieu a donc assez de temps libre pour mettre au point cette humiliation toute particulière : pour envoyer en avion un romancier mineur au bout du monde, afin qu'il ressente, avec une sorte de septième sens, la minusculitude de sa

* Personnage de dessin animé très connu aux États-Unis.

propre valeur ? Et de plus déterminée par des *lycéens*. Y a-t-il un seau rempli de sang suspendu tout là-haut, au plafond de l'auditorium, qui va se répandre sur son costume bleu ? Cet endroit deviendra-t-il finalement un véritable donjon ? C'est une méprise, ou un traquenard, ou les deux. Mais il n'y a désormais plus aucun moyen de s'échapper.

Arthur Mineur a quitté la salle, tout en y restant. Il est maintenant seul dans la chambre de la cabane, devant la glace, en train de nouer son nœud papillon. C'est la journée du prix Wilde and Stein, et il est en train de réfléchir quelques instants à ce qu'il dira quand il aura gagné ; son visage s'illumine de joie, quelques instants seulement. Trois coups frappés à la porte d'entrée, et le bruit d'une clé dans la serrure. « Arthur ! » Mineur rajuste son nœud papillon en même temps que ses espoirs. « Arthur ! » Freddy apparaît dans l'angle de la pièce, et sort de la poche de son costume venant de Paris (si neuf que certaines poches sont encore en partie cousues) une petite boîte plate. C'est un cadeau : un nœud papillon à pois. Si bien que maintenant il lui faut défaire le sien, et nouer le nouveau. Freddy le regarde dans le miroir : « Qu'est-ce que tu vas dire quand tu auras gagné ? »

Et, plus loin dans le temps : « Tu crois que c'est de l'amour, Arthur ? Ce n'est pas de l'amour. » Robert fulmine dans leur chambre d'hôtel, avant l'heure du déjeuner organisé par le comité du prix Pulitzer à New York. Grand et mince, comme au jour de leur rencontre ; grisonnant, bien sûr, le visage marqué par le temps (« Je suis écorné comme les pages d'un livre »), mais toujours cette même silhouette élégante et cette rage intellectuelle.

Les cheveux argentés, il se tient debout devant la fenêtre d'où jaillit la lumière : « Les prix, ce n'est pas de l'amour. Parce que des gens que vous n'avez jamais rencontrés ne peuvent pas vous aimer. Les places pour les gagnants sont déjà réservées, d'ici au Jugement dernier. Ils savent quel genre de poète va gagner, et si par hasard vous correspondez à cette catégorie, alors bravo à vous ! C'est comme lorsqu'un costume de seconde main vous va parfaitement. C'est de la chance, pas de l'amour. Non pas d'ailleurs que ce ne soit pas agréable d'avoir de la chance. Peut-être que la seule façon de considérer ça, c'est de penser qu'on est au cœur de toute beauté. Tout simplement, par hasard, nous nous retrouvons aujourd'hui au cœur de toute beauté. Ça ne veut pas dire que je ne le veuille pas ; c'est une façon désespérée de prendre son pied, mais je le veux. Je suis narcissique ; et c'est bien de façon pitoyable que nous agissons. Quant à prendre notre pied, c'est bien ce que nous faisons. Tu es beau dans ton costume. Je me demande pourquoi tu vis avec un homme qui a la cinquantaine. Ah, je sais, tu apprécies un produit fini. Tu ne veux rien y ajouter, pas même une perle. Buvons une coupe de champagne avant d'y aller. Je sais qu'il est midi. J'ai besoin de toi pour nouer mon nœud papillon. J'oublie comment on fait, parce que je sais que toi, tu n'oublieras jamais. Les prix, ce n'est pas de l'amour, mais ça, c'est de l'amour. C'est ce que Frank a écrit : “C'est une journée d'été, et je veux qu'on me désire plus que tout au monde.” »

De nouveaux coups de tonnerre distraient Mineur de ses pensées. Mais ce n'est pas le tonnerre : ce sont des applaudissements, et le jeune écrivain est en train de tirer sur la manche de la veste de Mineur. Car c'est Arthur Mineur qui a gagné.

ALLEMAND EN MINEUR

Un coup de fil, traduit de l'allemand :

— Bonjour, éditions Pegasus. Je suis Petra.

— Bonjour. Ici M. Arthur Mineur. Il y a un obstacle dans mon livre.

— Monsieur Mineur ?

— Il y a un obstacle dans mon livre. Il faut corriger, s'il vous plaît.

— Ah, monsieur Arthur Mineur, notre écrivain ? L'auteur de *Kalipso* ? C'est merveilleux de pouvoir enfin vous parler. Donc, comment puis-je vous aider ?

(Bruit de touches sur un clavier.)

— Oui, bonjour. C'est bien de parler. Je vous appelle pour un obstacle. Non, pas un *obstacle* à proprement parler.

(Encore des bruits de clavier.)

— Une *erreur*.

— Une erreur dans le livre ?

— Oui, je téléphone pour une erreur dans mon livre.

— Je vous présente mes excuses. Quelle est la nature de cette erreur ?

— Ma date de naissance est écrite : un neuf sexe quatre.

— Vous dites ?

— Ma date de naissance est sexe cinq.

— Voulez-vous dire que vous êtes né en 1965 ?

— Exactement. Les journalistes écrivent que j'ai cinquante ans. Mais j'ai quarante-neuf ans !

— Oh, nous avons commis une erreur à propos de votre date de naissance dans la biographie qui apparaît en quatrième de couverture, et donc les journalistes ont indiqué que vous aviez cinquante ans. Alors que vous n'en avez que quarante-neuf. Je suis tellement désolée ! Ça doit être tellement frustrant !

(Longue pause.)

— Exactement, exactement, exactement. (Rire.) Je ne suis pas un vieil homme !

— Bien sûr que non. Je vais faire une note pour le prochain tirage. Et puis-je vous dire que sur votre photo vous en paraissez moins de quarante ? Toutes les filles au bureau sont amoureuses de vous.

(Longue pause.)

— Je ne comprends pas.

— Je disais que toutes les filles au bureau sont amoureuses de vous.

(Rire.)

— Merci, merci, c'est très, très gentil. (Une autre pause.) J'aime bien l'amour.

— Oui… Eh bien, appelez-moi si vous avez d'autres soucis.

— Merci et au revoir !

— Bonne journée, monsieur Mineur.

Quel régal, pour Arthur Mineur, de se trouver dans un pays dont il parle enfin la langue ! Après le miraculeux revirement de fortune qu'il a connu en Italie – ce moment où il s'est levé, abasourdi, pour recevoir une lourde statuette dorée (qui devait désormais être comprise dans le poids total maximum autorisé de ses bagages), les journalistes l'acclamant avec l'intensité d'un finale d'opéra –, il va maintenant arriver en Allemagne sur les ailes du succès. Ajoutons à cela sa maîtrise de l'allemand, et son poste prestigieux de professeur, comme il oublie vite les soucis de *Gestern !* Il bavarde avec les stewards, babille sans problème au contrôle des passeports, et on dirait presque qu'il a oublié que le mariage de Freddy n'est désormais plus qu'une question de semaines. Comme il est réjouissant de le voir ainsi parler ; comme il est déconcertant, toutefois, de l'entendre !

Mineur a étudié l'allemand depuis son enfance. Quand il avait neuf ans, son premier professeur, *Frau* Fernhoff, qui enseigna le piano jusqu'à sa retraite, leur demandait à tous trois (à lui, à Anne Garret, grande perche futée venue de l'État de Géorgie, et à Giancarlo Taylor, gentil mais qui avait une drôle d'odeur), au début de chaque cours de l'après-midi, de se lever en s'écriant : « *Guten Morgen, Frau Fernhoff!* » Ils apprirent le nom des fruits et des légumes (les beaux *Birne* et *Kirsche*, le faux ami *Ananas*, le *Zwiebel*, plus sonore que le mot « oignon ») et à décrire leur propre corps de préadolescents, depuis leurs *Augenbrauen* jusqu'à leurs *grosser Zehen.* Le lycée leur a ensuite permis d'avoir des conversations plus sophistiquées *(« Mein Auto wurde gestohlen! »)*, menées par la plantureuse *Fraülein* Church, enseignante enthousiaste aux robes portefeuilles et qui s'enveloppait d'écharpes ; elle venait d'un quartier allemand de New York où elle avait grandi, et parlait souvent de son rêve le plus cher : celui de se rendre sur les traces des Von Trapp en Autriche. « La clé pour parler une nouvelle langue, leur disait-elle, c'est d'être audacieux plutôt que parfait. » Ce que Mineur ne savait pas, c'est que la charmante *Fräulein* n'était jamais allée en Allemagne, et n'avait jamais parlé allemand avec des Allemands en dehors de Yorkville. Elle était soi-disant germanophone, tout comme Mineur était, à dix-sept ans, soi-disant homosexuel. Tous deux avaient un fantasme. Ni l'un ni l'autre ne l'avait réalisé.

Audacieuse à défaut d'être parfaite, la langue de Mineur est comme entachée d'erreurs. Les amis garçons ont tendance à devenir des amies filles, quand Mineur utilise le pluriel : il dit *Freundin* au lieu de *Freund* ; utilise *auf den Strich* au lieu de *unterm Strich*, il peut conduire des auditeurs perplexes à croire qu'il va se lancer dans la prostitution. Mais vraiment, même s'il a quarante-neuf ans, on est quand même bien obligé de mettre Mineur en face de ses approximations linguistiques. Peut-être la faute en incombe-t-elle à Ludwig, l'Allemand chanteur de folk venu vivre dans sa famille lors d'un échange scolaire, qui ne lui a pas ôté ses illusions et ne l'a jamais corrigé : parce que, qui corrige ce qu'on se dit au lit ? Peut-être étaient-ce les Berlinois de l'Est, *dankbaren*, reconnaissants, que Mineur a croisés lors d'un voyage en France avec Robert : des poètes exilés qui vivaient à Paris, et qui ont été étonnés d'entendre ce jeune et svelte Américain réussir à parler leur langue maternelle. Peut-être enfin a-t-il trop regardé *Papa Schultz*. Toujours est-il que Mineur arrive à Berlin et se rend en taxi jusqu'à son appartement provisoire à Wilmersdorf en se jurant de ne pas parler un seul mot d'anglais durant son séjour. Bien sûr, le vrai défi est de parler un mot d'allemand.

À nouveau, traduit de l'allemand :

— Six salutations, la classe. Je suis Arthur Mineur.

Il s'agit de la classe à qui il va faire cours à l'Université Libérée. De plus, on attend de lui qu'il fasse une lecture, ouverte au public, dans cinq semaines. Ravi qu'il parle couramment l'allemand, le département a offert à Mineur la chance de faire cours sur un sujet de son choix. « Avec un professeur invité, lui a écrit l'aimable Dr Balk, on peut souvent n'avoir pas plus de trois étudiants, ce qui offre un climat d'intimité agréable. » Mineur a dépoussiéré un vieux cours d'écriture créative qu'il avait donné à une université jésuite de Californie, a utilisé un logiciel de traduction pour l'ensemble du programme, et s'est estimé prêt. Il a intitulé son cours *Lire comme un vampire, écrire comme Frankenstein*, basé sur sa propre conviction que les écrivains lisent d'autres œuvres afin d'en prendre les meilleurs passages. Ce titre, surtout traduit en allemand, était pour le moins inhabituel. Quand Hans, son assistant pédagogique, l'accompagne dans sa classe pour le tout premier cours, Mineur est stupéfait d'y trouver non pas trois, non pas quinze, mais cent trente étudiants impatients de suivre son cours extraordinaire.

— Je suis votre M. Professeur.

Mais ce n'est pas le cas. Ne connaissant pas l'énorme différence entre *Professor* et *Dozent* en allemand, le premier étant un grade qu'on n'obtient qu'après des décennies d'internement dans la prison universitaire, et le deuxième un simple prisonnier sur parole, Mineur a donc brûlé les étapes.

— Et maintenant, je suis désolé, je dois tuer la plupart d'entre vous.

Après cette annonce saisissante, il se met en demeure d'éliminer tout étudiant ne s'étant pas inscrit au département de linguistique et de littérature générales. À son grand soulagement, cela lui permet de n'en garder que trente. Et le cours débute donc.

— Commençons par une phrase de Proust : *Longtemps, je me suis couché de bonne heure.*

Mais Arthur Mineur ne s'est pas couché de bonne heure ; en fait, c'est un miracle qu'il soit même arrivé jusqu'à la salle de classe. Le problème : une invitation-surprise, un combat contre la technologie allemande et, bien entendu, Freddy Pelu.

Revenons la veille, au moment de son arrivée à l'aéroport de Tegel :

Une série déconcertante de salles vitrées, s'ouvrant et se refermant hermétiquement comme des sas automatiques, où il est rejoint par l'assistant pédagogique qui va aussi l'accompagner pendant son séjour : Hans, un homme élancé, à l'air sérieux. Bien que sur le point de soutenir une thèse de doctorat sur Derrida et, de ce fait, se dit Mineur, étant intellectuellement supérieur à lui, ce Hans aux cheveux bouclés prend volontiers tous les bagages de Mineur, et l'accompagne, dans sa Twingo déglinguée, vers l'appartement mis à disposition par l'université, qu'il considérera comme son foyer durant les cinq prochaines semaines. Cet appartement se trouve à un étage élevé, dans un immeuble des années 1980 : à l'extérieur, les escaliers et les paliers sont exposés à la fraîcheur de l'air berlinois ; le verre et le jaune paille rappellent l'austérité de l'aéroport. Par ailleurs, il n'y a pas de clé pour l'appartement, mais une carte électronique ronde munie d'un bouton : comme un oiseau à la saison des amours, la porte répond par un gazouillis, et puis s'ouvre. Hans en fait une rapide démonstration ; la porte gazouille ; ça paraît tout simple. « Vous prenez l'escalier pour arriver au palier, puis vous utilisez la carte électronique. Vous comprenez ? » Mineur opine, et Hans le laisse avec ses bagages, en lui expliquant qu'il reviendra à dix-neuf heures pour l'emmener dîner, et à treize heures le lendemain pour l'accompagner à l'université. Il fait au revoir d'un hochement de sa tête bouclée, et disparaît dans l'escalier. Mineur se rend compte que l'étudiant de troisième cycle n'a jamais croisé son regard. Et qu'il devrait par ailleurs se mettre au système horaire européen. Dix-neuf heures. Treize heures. Et non sept heures ou une heure, comme disent les Américains.

Comment pourrait-il s'imaginer que le lendemain matin, avant le cours, il se retrouvera dehors, suspendu au rebord du balcon de son appartement, à douze mètres du sol de la cour, pour tenter de gagner péniblement, centimètre après centimètre, la seule fenêtre ouverte ?

Hans arrive précisément à dix-neuf heures (Mineur ne cesse de se répéter : *7 pm, 7 pm, 7 pm*). Incapable de trouver un fer à repasser dans l'appartement, Mineur a suspendu ses chemises dans la salle de bains et a actionné le robinet d'eau chaude de la douche pour les défroisser à la vapeur. Mais les tourbillons de vapeur ont, il ne sait pourquoi, déclenché l'alarme incendie, ce qui, évidemment, fait arriver un type costaud à l'air réjoui, venu des profondeurs et ne parlant pas un mot d'anglais, qui le taquine à plusieurs reprises : *Sie wollen wohl das Haus mit Wasser abfackeln !* Et qui revient avec un robuste fer à repasser allemand. On ouvre les fenêtres. Mineur est en train de repasser quand il entend le carillon de la porte d'entrée (du Bach). Hans fait de nouveau un bref salut de la tête. Il a troqué son sweat à capuche pour un blazer en jean. En Twingo (qui de toute évidence sent la cigarette, même s'il n'y en a nulle trace à l'intérieur), le jeune homme le conduit vers un autre quartier mystérieux, trouve une place sous une gare en béton où un Turc triste, assis dans un kiosque, vend des hot-dogs au curry. Le restaurant s'appelle L'Autriche, et il est entièrement décoré de chopes et de ramures. Comme on le vérifie partout ailleurs : ça ne plaisante pas.

On les conduit vers un box tapissé de cuir, où les attendent deux hommes et une jeune femme. Ce sont des amis de Hans, et même si Mineur soupçonne l'étudiant de puiser prudemment dans le compte bancaire du département pour ses dépenses personnelles, c'est un soulagement pour lui d'avoir quelqu'un d'autre qu'un spécialiste de Derrida à qui parler. Il y a là un compositeur nommé Ulrich, aux yeux marron et à la barbe hirsute qui lui donnent l'apparence alerte d'un schnauzer ; sa petite amie, Katarina, semblablement canine, avec ses cheveux en touffes poméraniennes ; et puis Bastian, un étudiant en commerce, dont la sombre beauté et les cheveux volumineux et frisés font supposer à Mineur qu'il est africain. Il est bavarois. Mineur estime qu'ils ont environ trente ans. Bastian ne cesse de chercher à énerver Ulrich à propos de sport, et c'est une conversation difficile à suivre pour Mineur, non pas à cause du vocabulaire spécifique (*Verteidiger*, *Stürmer*, *Schienbeinschützer*) ni d'obscures personnalités sportives, mais simplement parce qu'il s'en moque. Bastian semble soutenir que le danger est un aspect essentiel du sport : le frisson de la mort ! *Der Nervenkitzel des Todes!* Mineur contemple son *Schnitzel* : une carte croustillante de l'Autriche. Il n'est d'ailleurs plus là, à Berlin, dans le Schnitzelhaus. Il est à Sonoma, dans une chambre d'hôpital : sans fenêtre, jaunâtre, munie de rideaux pour ne pas être vu, comme une strip-teaseuse avant son entrée en scène. Dans le lit d'hôpital : Robert. Il a un tuyau dans le bras, un tuyau dans le nez, et ses cheveux sont ceux d'un fou. « Ce ne sont pas les cigarettes, dit Robert, les yeux cerclés par les mêmes vieilles lunettes épaisses. C'est la faute de la poésie. Aujourd'hui, elle vous tue. Mais plus tard…, dit-il en secouant un doigt, c'est l'immortalité ! » Un rire rauque, et Mineur lui prend la main. Ça se passe il y a seulement un an. Et Mineur est dans le Delaware, aux obsèques de sa mère ; il sent une main appuyer doucement sur son dos pour l'empêcher de défaillir. Il lui en est si reconnaissant, à cette main. Et puis Mineur est à San Francisco, sur la plage, durant l'automne de cette année terrible.

— Vous, les jeunes gens, vous ne savez rien de la mort.

Quelqu'un a dit cela ; Mineur se rend compte que c'est lui. Cette seule fois, son allemand est parfait. Toute la tablée est assise, silencieuse, et Ulrich et Hans regardent ailleurs. Bastian fixe simplement Mineur, bouche bée.

— Je suis désolé, dit Mineur en posant sa bière. Je suis désolé, je ne sais pas pourquoi j'ai dit cela.

Bastian reste silencieux. Les appliques, derrière lui, éclairent chaque boucle de ses cheveux.

L'addition arrive, et Hans la règle avec une carte bancaire du département, et on ne peut pas convaincre Mineur qu'un pourboire n'est pas nécessaire. Et puis ils sont dans la rue, où les lampadaires brillent au-dessus des arbres laqués de noir. Il n'a jamais eu si froid de sa vie. Ulrich est debout, les mains dans les poches, et se balance sur le rythme d'une symphonie qu'il est seul à entendre ; Katarina s'agrippe à lui, et Hans, tout en regardant les toits, dit qu'il va raccompagner Mineur chez lui. Mais Bastian refuse : c'est la première soirée de l'Américain, et on devrait l'inviter à boire un verre. La conversation se déroule comme si Mineur n'était pas présent. On dirait qu'ils se disputent à propos d'autre chose. Finalement, il est décidé que Bastian va emmener Mineur dans son bar favori, tout près de là. Hans ajoute : « Monsieur Mineur, vous pourrez retrouver votre chemin jusqu'à l'appartement ? » et Bastian répond qu'il pourra facilement trouver un taxi. Tout ça se passe très vite. Les autres disparaissent dans la Twingo ; Mineur se retourne et voit que Bastian le regarde avec un froncement de sourcils indéchiffrable. « Venez avec moi », dit le jeune homme. Mais il ne l'emmène pas dans un bar. Il le conduit à son propre appartement, à Neukölln, où Mineur – à sa grande surprise – va passer la nuit.

Le problème se pose le lendemain matin. Mineur n'a pas dormi à cause de sa soirée avec Bastian, a transpiré tout l'alcool qu'on lui a servi pendant les douze dernières heures, et porte toujours la même chemise noire et le jean taché de gras pendant le dîner de la veille. Mais il peut encore grimper les marches qui mènent à la passerelle extérieure de son immeuble. Seulement, il est incapable de faire fonctionner l'ouverture de la porte de son appartement. Il appuie sur le bouton de sa carte électronique, plusieurs fois, et il écoute, attendant longuement le gazouillis de la porte. Mais elle est muette. Elle ne veut pas se déclencher. Désespérément, il regarde dans la cour, et aperçoit des oiseaux qui se regroupent sur le balcon d'un duplex, là-haut. C'est sûr, voilà l'addition pour ses écarts de la nuit dernière. Voilà la honte qui va avec sa vie. Comment a-t-il imaginé qu'il y échapperait ? Il se voit en train de dormir devant la porte de son appartement, lorsque Hans viendra le chercher pour le conduire à l'université. Il s'imagine donnant son premier cours en empestant la vodka et la fumée de cigarette. Et puis ses yeux se posent sur une fenêtre ouverte.

À dix ans, on grimpe aux arbres, plus haut encore que ce que craignent nos mères. À vingt ans, on escalade la résidence universitaire pour surprendre dans son lit un amant endormi. À trente ans, on plonge dans l'océan vert sirène. À quarante, on observe et on sourit. Et à quarante-neuf ?

Par-dessus la rampe du palier, il appuie l'extrémité de sa chaussure éraflée sur le rebord de béton décoratif. Elle n'est qu'à un mètre cinquante, cette fenêtre étroite. Il s'agit de lancer loin le bras pour attraper le volet. Et puis : un tout petit saut pour atteindre le rebord voisin. Collé contre le mur, la peinture jaune s'écaillant sur sa chemise, il entend déjà le public des oiseaux qui roucoulent avec admiration. Un lever de soleil fait briller les toits de Berlin, et apporte avec lui une odeur de pain et de pots d'échappement. « Arthur Mineur, auteur américain mineur, surtout connu pour ses liens avec les artistes de la Russian River School, et en particulier avec le poète Robert Brownburn, a mis fin à ses jours ce matin à Berlin, dira le communiqué de presse de Pegasus. Il était âgé de cinquante ans. »

Quel témoin y a-t-il pour voir votre M. le professeur suspendu du haut du quatrième étage de son immeuble ? Voir qu'il lance un pied, puis une main, pour s'approcher de la fenêtre de la cuisine, qu'il utilise toute la force de son torse afin de passer au-dessus de la rampe protectrice et de retomber, dans un nuage de poussière, dans la pénombre au-delà ? Seulement une nouvelle jeune maman, qui berce de bon matin son bébé en déambulant dans son appartement. Et qui voit une scène qui semble tirée d'une comédie étrangère. Elle comprend que ce n'est pas un voleur : à l'évidence, c'est simplement un Américain.

Mineur n'est pas vraiment connu en tant que professeur, de même que Melville ne l'était pas vraiment en tant qu'inspecteur des douanes. Et pourtant, les deux hommes occupaient respectivement ces fonctions. Même si, jadis, il avait eu une chaire subventionnée à l'université de Robert, Mineur n'avait reçu aucune formation digne de ce nom, excepté les soirées de beuveries et de tabagies pendant sa jeunesse, quand les amis de Robert se réunissaient, persiflaient et jouaient avec les mots.

De ce fait, Mineur ne se sent pas à l'aise pour donner des cours. En revanche, il recrée avec ses étudiants cette époque révolue. Se souvenant de ces hommes mûrs assis avec une bouteille de whisky, un livre de poésie de Norton et des ciseaux à la main, il découpe un paragraphe de *Lolita*, et demande aux jeunes doctorants de reconstituer le texte à leur gré. Dans ces collages, Humbert Humbert devient un vieil homme aux idées confuses plutôt qu'un homme diabolique, mélangeant les ingrédients d'un cocktail et qui, au lieu d'affronter Charlotte Haze, trahie, va à nouveau chercher des glaçons. Il leur donne une page de Joyce et un flacon de correcteur liquide blanc – et on en arrive à ce que Molly Bloom dise seulement : « Oui. » Ils jouent à écrire une première phrase convaincante pour un livre qu'ils n'ont jamais lu (ce qui se révèle difficile, car ces étudiants appliqués ont absolument *tout* lu !), et cela devient, pour *Les Vagues* de Woolf, ce début angoissant : « Je m'étais avancée trop loin dans l'océan pour pouvoir entendre le maître-nageur crier : Des requins ! Des requins ! »

Même si le cours ne parle, curieusement, ni de vampires ni de monstres comme Frankenstein, les étudiants l'adorent. Personne ne leur a jamais donné de ciseaux ni de bâtons de colle depuis la maternelle. Personne ne leur a jamais demandé de traduire en allemand une phrase de Carson McCullers (« Dans la ville, il y avait deux muets, et ils étaient toujours ensemble », « *In der Stadt gab es zwei Stumme, und sie waren immer zusammen* »), puis de la faire passer dans la salle, chacun la retraduisant au fur et à mesure, jusqu'à en arriver au charabia d'une cour de récréation : « Dans le bar il y avait deux pommes de terre ensemble, et elles posaient problème. » Quel soulagement dans leur vie de bûcheurs ! Apprennent-ils quelque chose en littérature ? On peut en douter. Mais ils apprennent à aimer de nouveau le langage ; quelque chose qui s'était estompé, comme le sexe après un long mariage. Grâce à ça, ils apprennent à aimer leur professeur.

C'est à Berlin que Mineur a commencé à se laisser pousser la barbe. On pourrait incriminer la proximité d'une certaine date de mariage. On pourrait aussi tenir pour responsable Bastian, son nouvel amant allemand.

On ne se serait pas attendu à ce qu'ils deviennent amants. En tout cas, certainement pas Mineur. Après tout, ils ne sont pas vraiment assortis. Bastian est jeune, vain, arrogant, et peu curieux – même méprisant – en ce qui concerne la littérature et l'art. En revanche, il suit avidement le sport, et les défaites de l'Allemagne le laissent dans un état de dépression qu'on n'a pas vu depuis l'époque de Weimar. Et cela, en dépit du fait qu'il ne se considère pas comme allemand : il est bavarois. Cela ne veut rien dire pour Mineur, qui associe davantage cette nation aux fêtes de la bière à Munich et aux *Lederhosen* qu'au paradis des graffitis qu'est Berlin. Mais ça signifie beaucoup pour Bastian. Il porte fréquemment des tee-shirts proclamant d'où il vient, avec des jeans clairs et un gros blouson de coton. C'est sa tenue habituelle. Il n'est pas intellectuellement attiré par les mots, il ne s'y intéresse pas, il n'est pas tendre avec eux. En revanche, Mineur va le découvrir : il est étonnamment tendre avec lui.

Il se trouve que Bastian vient voir Mineur tous les deux ou trois soirs. Il attend devant l'appartement de Mineur, portant ses habituels jeans, tee-shirts fluos et gros blouson. Que peut-il bien attendre de votre M. le professeur ? Il ne le dit pas. Il plaque simplement Mineur contre le mur dès qu'ils sont à l'intérieur, paraphrasant dans un murmure le panneau de Checkpoint Charlie : *Vous entrez en zone américaine*… Parfois, ils ne quittent même pas l'appartement, et Mineur est obligé de composer un dîner à partir du peu de choses qu'il a dans son frigo : du bacon, des œufs et des noix. Une nuit, deux semaines après le début de la *Wintersitzung*, ils regardent à la télévision l'un des programmes favoris de Bastian, quelque chose qui s'appelle *Schwiegertochter gesucht*, sur des gens de la campagne qui veulent jouer les entremetteurs pour leurs enfants, jusqu'au moment où le jeune homme s'endort, le corps en boule tout contre celui de Mineur, le nez enfoui dans son oreille.

Vers minuit, la fièvre se déclare.

C'est une expérience déroutante, d'avoir affaire à la maladie de quelqu'un qui vous est étranger. Bastian, le jeune homme si sûr de lui, se transforme en enfant malade, appelant Mineur pour qu'il repousse ses couvertures, puis pour qu'il les lui remonte, à mesure que la fièvre monte en flèche ou chute (il y a un thermomètre dans l'appartement, mais hélas, il est gradué en degrés Celsius, et non en Fahrenheit comme il en a l'habitude !). Bastian lui demande des aliments dont Mineur n'a jamais entendu parler, et d'anciens remèdes bavarois (que sa fièvre a probablement inventés) : à base de plâtre en poudre et du *Rosenkohl-Saft*, du jus de choux de Bruxelles chaud. Et Mineur, qui n'est pas connu pour sa présence au chevet d'autrui (Robert l'a accusé d'abandonner les plus faibles), découvre que le pauvre Bavarois lui fait de la peine. Pas de *Mami*, pas de *Papi*. Mineur essaie de ne pas penser à un autre homme, malade, dans un autre lit européen. C'était il y a combien de temps ? Il enfourche sa bicyclette et parcourt les rues de Wilmersdorf à la recherche de n'importe quoi pouvant s'avérer utile. Il revient avec ce que d'habitude on vous prescrit en Europe : de la poudre dans un sachet replié. Il met ça dans de l'eau ; ça sent atrocement mauvais, et Bastian ne veut pas le boire. Alors, Mineur met l'émission *Schwiegertochter gesucht*, et dit à Bastian qu'il devra boire chaque fois que les tourtereaux enlèveront leurs lunettes pour s'embrasser. Et quand Bastian boit, il fixe son regard sur celui de Mineur : chacun de ses iris est du brun clair d'un gland de chêne. Le lendemain, Bastian est guéri.

— Tu sais comment t'appellent mes amis ? demande Bastian, entortillé dans les draps de Mineur imprimés de dessins de lierre.

La lumière du matin le montre tel qu'il est d'habitude : les joues rouges, alerte, avec un petit sourire aux lèvres. Ses cheveux fous sont la seule partie de lui qui semble encore endormie, comme un chat sur un oreiller.

— Monsieur Professeur ? dit Mineur qui se sèche en sortant de la douche.

— Ça, c'est moi qui t'appelle comme ça. Non, ils t'appellent Peter Pan.

Mineur rit, de son rire caractéristique, qui sonne en decrescendo : « HA Ha ha ! »

Bastian tend le bras pour prendre son café sur la table de chevet. Les fenêtres sont ouvertes et font s'envoler les rideaux blancs bon marché ; le ciel est tavelé et gris au-dessus des tilleuls.

« Comment va Peter Pan ? », me demandent-ils.

Mineur fronce les sourcils et se dirige vers le placard, tout en jetant un coup d'œil à son reflet dans le miroir : son visage rougi, son corps blanc. Comme une statue qu'on a reconstituée avec une tête qui ne convient pas.

— Dis-moi pourquoi on m'appelle comme ça.

— Tu sais, ton allemand est plutôt mauvais, lui dit Bastian.

— Faux. Il n'est pas parfait, peut-être, lui répond Mineur, mais il est *excité*.

Le jeune homme rit franchement, et se redresse dans le lit. Une peau brune, rougie aux épaules et aux joues à cause de ses séances d'UV :

— Tu vois, je ne comprends pas ce que tu dis. « Excité » ?

— Excité, explique Mineur en enfilant son caleçon. Enthousiaste.

— Voilà, tu parles comme un enfant. Tu as l'apparence de quelqu'un de très jeune et tu agis comme tel.

Il tend une main pour attraper le bras de Mineur et l'attire vers le lit.

— Peut-être que tu n'as jamais grandi.

Et peut-être est-ce le cas. Mineur connaît si bien les plaisirs de la jeunesse : le danger, l'excitation, se perdre dans un club sombre avec une pilule, un shot, la bouche d'un inconnu ; et, avec Robert et ses amis, les plaisirs de l'âge : le confort et l'apaisement, la beauté et le bon goût, les vieux amis et les vieilles histoires, le vin, le whisky, les couchers de soleil au-dessus de la mer. Toute sa vie, il a alterné entre les deux. Dans sa lointaine jeunesse, cette humiliation quotidienne de devoir laver sa seule chemise présentable, et d'arborer son seul sourire présentable, qui correspondait à la recherche quotidienne de nouveauté : nouveaux plaisirs, nouvelles personnes, nouvelles perceptions de soi. Et puis l'époque où Robert avançait en âge, choisissant ses vices aussi soigneusement que des cravates dans une boutique de Paris, faisant la sieste un après-midi au soleil, se levant d'une chaise et entendant le grincement de la mort. La ville de la jeunesse, la campagne de la vieillesse. Mais entre les deux, où Mineur mène-t-il sa vie – cette existence en grande banlieue ? Comment n'a-t-il jamais pu apprendre à la vivre ?

— Je pense que tu devrais te laisser pousser la barbe, murmure le jeune homme plus tard. À mon avis tu serais très beau.

Alors il le fait.

Il y a une vérité qu'il faut à présent dire : au lit, Arthur n'a jamais été un champion.

N'importe qui penserait, à observer Bastian fixer la fenêtre de Mineur chaque nuit, et attendre qu'il lui ouvre, que c'est le sexe qui le pousse à revenir. Mais ce n'est pas exactement cela. Il faut faire confiance au narrateur, quand il affirme que, techniquement, Arthur Mineur n'est pas un amant très doué.

Pour commencer, il n'en possède aucun des attributs physiques : il est dans la moyenne à tout point de vue. C'est simplement l'Américain type, souriant et clignant des yeux. Il a les cils clairs ; un beau visage, mais quelconque, somme toute. Il souffre aussi, depuis sa prime jeunesse, d'une angoisse qui le rend parfois trop ardent durant l'acte sexuel, ou alors parfois pas assez. Techniquement : un mauvais coup. Et pourtant, exactement comme un oiseau incapable de voler élaborera d'autres tactiques de survie, Arthur Mineur a développé d'autres caractéristiques. Et, comme l'oiseau, il n'en est pas conscient.

Il embrasse – comment pourrais-je dire ? – comme quelqu'un qui est vraiment amoureux. Comme s'il n'avait rien à perdre. Comme quelqu'un qui vient d'apprendre une langue étrangère, et ne sait utiliser que le présent et la deuxième personne. Seulement l'instant présent ; seulement toi. Il y a des hommes qui n'ont jamais été embrassés de cette façon. Et il y a des hommes qui découvrent, après Arthur Mineur, qu'ils ne le seront jamais plus ainsi.

Et même, quelque chose de plus mystérieux : sa façon de toucher ses amants, étrangement, les envoûte. Il n'y a pas d'autre mot. Peut-être est-ce la conséquence du fait qu'il n'a « pas de carapace » : Mineur peut parfois toucher quelqu'un et lui transmettre l'influx de son propre système nerveux. C'est ce que Robert a tout de suite remarqué ; il lui a dit : « Tu es un sorcier, Arthur Mineur. » D'autres, moins sensibles, n'y ont pas prêté attention plus que ça, trop absorbés par leurs propres besoins spécifiques (« Plus haut ; mais non, *plus haut* ! Non, plus haut, je te dis ! »). Mais Freddy aussi l'a ressenti. Un choc minime, un manque d'air, un bref trou noir, peut-être, et à nouveau le visage innocent de Mineur au-dessus de lui, couvert de sueur. C'est peut-être quelque chose qui rayonne, l'émanation de cette innocence, de cette candeur chauffée à blanc ? Bastian n'y est pas insensible non plus. Une nuit, après avoir tâtonné comme des adolescents dans le couloir, ils essaient de se déshabiller l'un l'autre mais, dépassés par des systèmes de boutons et de fermetures étrangers, ils finissent par se déshabiller tout seuls. Arthur retourne vers le lit, où Bastian l'attend, nu et bronzé, et y grimpe. Et ce faisant, il pose une main sur le torse de Bastian. Celui-ci halète. Il se tord ; sa respiration s'accélère et, après un moment, il murmure : *« Was machst Du mi? »* (« Qu'est-ce que tu es en train de me faire ? ») Mineur n'en a aucune idée.

Durant la quatrième semaine, Mineur suppose que son assistant a un chagrin d'amour. Déjà sérieux dans son comportement, Hans est indéniablement morose, et reste assis durant tout le cours, avec, entre les mains, sa tête qui semble aussi lourde que du bronze. C'est sûrement un problème avec une fille, l'une de ces belles Allemandes spirituelles, grosses fumeuses, bisexuelles, portant des vêtements vintage venus des États-Unis, et aux cheveux blonds lissés ; ou alors une étrangère, une belle Italienne aux bracelets de cuivre qui retourne en avion à Rome pour vivre avec ses parents et tenir une galerie d'art moderne. Pauvre Hans, qui semble tout meurtri. Et Mineur ne découvre la vérité que lorsqu'il se retourne, après avoir inscrit au tableau le schéma de la structure de Ford Madox Ford : il s'aperçoit alors que Hans s'est évanoui sur son bureau. Mineur reconnaît chez Hans, à sa façon de respirer et à son teint livide, les symptômes de la fièvre qui a frappé Bastian.

Il demande aux étudiants d'emmener le pauvre garçon au *Gesundheitszentrum*, et va voir le Dr Balk dans son bureau moderne aux lignes pures. Il faut qu'il s'y reprenne à trois fois pour que le Dr Balk, qui patauge face à l'allemand que bredouille Mineur, soupire alors : « Ah ! », et comprenne ce qu'il veut dire. Mineur a besoin d'un nouvel assistant.

Le lendemain, Mineur apprend que le Dr Balk est victime d'une mystérieuse maladie. En classe, deux jeunes femmes s'évanouissent en silence sur leur bureau ; au moment où elles s'écroulent, leurs deux queues de cheval se relèvent comme la queue d'une biche effrayée. Mineur commence à repérer une constante.

— Je crois que je suis un peu *propageant*, dit-il à Bastian au dîner qu'ils prennent dans son *Kiez* habituel.

Au début, Mineur a constaté que les menus étaient si déconcertants – divisés en « Amis mineurs, Amis accompagnés de pain, et Amis majeurs » – que tous les soirs il a commandé le *Schnitzel*, accompagné d'une salade de pommes de terre au vinaigre, avec une chope de bière aux reflets chatoyants.

— Arthur, tu dis n'importe quoi, lui dit Bastian en se découpant un morceau d'escalope dans l'assiette de Mineur. *« Propageant »* ?

— Je pense que je suis *propageant* une petite maladie.

Bastian, la bouche pleine, secoue la tête :

— Je ne crois pas. Tu n'as pas été malade.

— Mais tout le monde autour de moi est malade !

La serveuse arrive avec plus de pain et du *Schmalz*.

— Tu sais, c'est une drôle de maladie, dit Bastian. Je me sentais bien. Et ensuite tu m'as parlé, j'ai ressenti un vertige, et j'ai commencé à être brûlant. C'était terrible. Mais un jour seulement. Je pense que le jus de choux de Bruxelles m'a aidé à guérir.

Mineur beurre une tranche de pain noir :

— Je ne t'ai pas apporté de jus de choux de Bruxelles.

— Non, mais j'ai rêvé que tu le faisais. Le rêve m'a aidé.

Regard perplexe de notre auteur. Il change de sujet :

— La semaine prochaine je participe à un événement.

— Oui, tu me l'as dit, rétorque Bastian en tendant la main vers la pinte de Mineur pour avaler une gorgée de bière. (Il a fini la sienne.) Tu vas faire une lecture. Je ne suis pas sûr de pouvoir venir. Les lectures sont en général ennuyeuses.

— Non, non, non, je ne suis *pas* jamais ennuyeux. Et la semaine prochaine, un de mes amis va se marier.

Les yeux de l'Allemand errent vers un poste de télévision, où passe un match de football. D'un air absent, il demande :

— Une amie proche ? Elle est vexée que tu n'y ailles pas ?

— Oui, proche. Mais c'est un homme – je ne connais pas le mot allemand. Plus qu'un ami, mais dans le passé.

Un Ami Accompagné de Pain ?

Apparemment interloqué, le regard de Bastian revient sur Mineur. Puis il se penche, saisit la main de Mineur, en souriant d'un air amusé :

— Arthur, tu essaies de me rendre jaloux ?

— Non, non. C'est du passé. C'était il y a longtemps.

Mineur presse la main de Bastian, la relâche, puis se place de telle façon que la lampe éclaire son visage :

— Qu'est-ce que tu penses de ma barbe ?

— Je pense qu'il faut encore attendre, dit Bastian après l'avoir observée un moment.

Il prend un autre morceau dans l'assiette de Mineur, et le regarde à nouveau. Il hoche la tête et dit, très sérieux, avant de diriger à nouveau son regard vers l'écran :

— Tu sais, Arthur, tu as raison. Tu n'es jamais ennuyeux.

Un coup de fil, traduit de l'allemand :

— Bonjour, les éditions Pegasus. Ici Petra.

— Bonjour. Ici M. Arthur Mineur. Quelque chose me chiffonne pour ce soir.

— Ah, *hello*, monsieur Mineur ! Oui, nous en avons parlé tout à l'heure. Je vous assure que tout est en ordre.

— Mais pour revérifier, et revérifier encore, à propos de l'heure…

— Oui, c'est toujours à vingt-trois heures.

— OK. Vingt-trois heures. Pour être exact, c'est onze heures la nuit.

— Oui, c'est ça. C'est un événement en soirée. Ça va bien se passer !

— Mais c'est une maladie mentale ! Qui va venir m'écouter à onze heures la nuit ?

— Oh, faites-moi confiance, monsieur Mineur. Ici, ce n'est pas les États-Unis. C'est Berlin.

Organisé par Pegasus Verlag, en association avec l'Université Libérée et l'Institut américain de littérature, ainsi que par l'ambassade des États-Unis, la lecture prévue n'a pas lieu dans une bibliothèque, comme s'y attendait Mineur, ou dans une salle de spectacle, comme il l'avait espéré, mais dans une boîte de nuit. Pour Mineur, ça aussi semble être une « maladie mentale ». L'entrée se trouve sous les voies de la U-Bahn, à Kreuzberg, et a dû être une sorte de conduit technique ou une issue utilisée pour fuir l'Allemagne de l'Est, car une fois que Mineur est passé devant le videur (« Je suis *ici* l'auteur », dit-il, certain que tout cela n'est qu'une méprise), il se retrouve sous un grand tunnel voûté recouvert de carreaux blancs qui étincellent sous les reflets de la lumière. Sinon, la salle est sombre et emplie de fumée de cigarettes. À une extrémité, un bar surmonté de miroirs brille de verres et de bouteilles ; derrière, travaillent deux hommes en cravate. L'un d'eux porte à l'épaule ce qui ressemble bien à une arme glissée dans un holster. À l'autre extrémité, le DJ, en grosse toque de fourrure. La techno minimale tambourine, son battement résonne dans l'air, et les gens sur la piste remuent d'avant en arrière sous les lumières roses et blanches. En cravate, en trench-coat, en feutre mou. L'un tient un porte-documents menotté à son poignet. *Berlin, c'est Berlin*, se dit Mineur. Une femme en robe chinoise, les cheveux rouges maintenus par des baguettes, s'approche de lui avec un sourire. Elle a le visage pâle, poudré et pointu, sur lequel est peint un grain de beauté, et des lèvres d'un rouge mat. Elle s'adresse à lui en anglais :

— Eh bien, vous devez être Arthur Mineur ! Bienvenue au Spy Club ! Je suis Frieda.

Mineur l'embrasse sur les deux joues, mais elle se penche pour un troisième baiser. Deux en Italie. Quatre dans le Nord de la France. Trois en Allemagne ? Il n'arrivera jamais à s'y retrouver. Il dit en allemand :

— Je suis surpris et peut-être ravi !

Un air interrogatif, et un rire :

— Vous parlez allemand ! Comme c'est charmant !

— Ami dit que je parle comme un enfant.

Elle rit de nouveau :

— Entrez donc. Vous connaissez le principe du Spy Club ? Nous organisons cette soirée une fois par mois, dans tel ou tel endroit secret. Et les gens viennent habillés ! Soit en version CIA, soit en version KGB. Et puis nous avons des soirées musicales à thème, et des événements à thème, comme c'est le cas pour le vôtre.

Il regarde à nouveau les danseurs, les gens rassemblés près du bar. En casquette de fourrure et portant des badges avec la faucille et le marteau ; en feutre et trench-coat ; certains, pense-t-il, semblent porter une arme.

— Je vois, oui, dit-il. Et vous êtes habillée pour être qui ?

— Oh, je suis un agent double.

Elle recule pour qu'il admire sa tenue (Mme Tchang Kai-chek ? Une séductrice birmane ? Une adepte des camps nazis ?). Puis elle sourit d'un air charmeur :

— Et j'ai apporté ça pour vous. Notre Américain. Ce nœud papillon à pois est parfait.

De son sac à main, elle sort un badge qu'elle épingle à son revers :

— Venez avec moi. Je vais vous offrir un verre et vous présenter à votre homologue soviétique.

Mineur tire sur son revers pour lire ce qui y est écrit :

VOUS ENTREZ
EN ZONE AMÉRICAINE

On dit à Mineur qu'à minuit, la musique s'arrêtera, et qu'un projecteur éclairera la scène, où lui et son « homologue soviétique » (véritable immigré russe, barbe et *otchki*, portant allégrement un tee-shirt orné d'un portrait de Staline, sous son costume cintré) se tiendront pour présenter leur travail à la foule du Spy Club. Ils liront chacun quatre extraits d'un quart d'heure, alternant ainsi les nations. Il semble impossible à Mineur que des gens qui vont dans une boîte puissent se tenir immobiles pour de la littérature. Il lui semble impossible qu'ils puissent écouter une heure durant. Il lui semble impossible qu'il soit là, à Berlin, en ce moment, à attendre dans l'obscurité, tandis que la sueur commence à assombrir sa poitrine comme une blessure par balle. Ils sont en train de lui tendre un piège pour lui faire subir l'une de ces humiliations. Ces humiliations réservées aux écrivains et planifiées par l'univers pour régler leur compte à des artistes mineurs comme lui. Une autre « Soirée en compagnie d'Arthur Mineur ».

C'est ce soir, après tout, que, de l'autre côté du monde, son vieux *Freund* se marie. La cérémonie où Freddy Pelu épouse Tom Dennis a lieu l'après-midi, quelque part au nord de San Francisco. Mineur ne sait pas où exactement ; l'invitation indiquait seulement 11402, Shoreline Highway, ce qui pouvait aussi bien signifier une demeure sur la falaise qu'un bastringue au bord de la route. Mais les invités doivent se réunir pour la cérémonie à 14 h 30 et, compte tenu du décalage horaire, il imagine que ce devrait être environ, eh bien… justement en ce moment même.

Ici, au milieu de la nuit, la plus froide jusqu'à présent dans la vieille ville de Berlin – avec les hurlements de ce vent qui descend de Pologne, ces kiosques installés sur les places pour vendre des toques de fourrure, des gants de fourrure, des guêtres en laine à enfiler au-dessus des bottes, et puis avec cette montagne de neige bâtie sur la Potsdamer Platz, où les enfants peuvent faire de la luge passé minuit pendant que leurs parents boivent du *Glühwein* près du grand feu de joie – au milieu de cette nuit sombre et glacée donc, Mineur imagine que Freddy est en train de s'avancer dans l'allée, en ce moment même. Pendant que la neige scintille sur le palais de Charlottenburg, Freddy se tient aux côtés de Tom Dennis sous le soleil californien : car c'est sûrement l'un de ces mariages en costume de lin blanc, sous une tonnelle de roses blanches, des pélicans volant alentour, tandis que l'ex-petite amie de quelqu'un, pas rancunière, joue du Joni Mitchell à la guitare. Freddy écoute, et sourit légèrement en regardant Tom dans les yeux. Et ce, pendant que des Turcs frissonnent et font les cent pas à l'arrêt du bus, se déplaçant comme les aiguilles, en forme de petits personnages, de l'horloge de la mairie, prête à sonner minuit. Car il est presque minuit. Pendant que l'ex-petite amie termine sa chanson et qu'un ami célèbre récite un poème célèbre, la neige s'épaissit. Pendant que Freddy prend la main du jeune homme et lit sur un carton les vœux qu'il a écrits, les stalactites s'allongent de plus en plus. Et tout cela se passe sûrement – alors que Freddy recule et laisse la parole au pasteur, que le premier rang se met à sourire et que Freddy se penche pour embrasser le marié – et alors que la lune luit et se penche en révérence glacée sur Berlin –, tout cela se passe sûrement en ce moment même.

La musique s'arrête. Le projecteur s'allume ; Mineur plisse les yeux (douloureux battements d'ailes rétiniens dus à la surprenante lumière crue). Dans l'assistance, quelqu'un tousse.

— « *Kalipso*, commence Mineur. Je n'ai nul droit de raconter son histoire… »

Et la foule écoute. Il ne peut pas voir les gens mais, pendant l'heure entière ou presque, l'obscurité n'est que silence. De temps à autre, des cigarettes allumées apparaissent : vers luisants de la boîte de nuit prêts pour l'amour. Les gens ne font aucun bruit. Il lit un extrait de la traduction en allemand de son roman, et le Russe fait de même pour la sienne. On dirait qu'il parle d'un voyage en Afghanistan, mais Mineur trouve difficile d'écouter. Il est trop perturbé par l'environnement étranger dans lequel il se trouve : un monde où les écrivains sont vraiment *importants*. Il est trop perturbé à la pensée que Freddy se tient devant l'autel. C'est à la moitié de sa seconde lecture qu'il entend un halètement et une agitation dans la foule. Il cesse de lire quand il se rend compte que quelqu'un s'est évanoui.

Et puis un autre.

Trois personnes tombent avant que les lumières reviennent. Mineur voit la foule, tantôt un personnage de *Nostalgie* de la guerre froide, tantôt une James Bond girl, tantôt un Dr Folamour chic, pris dans les lumières crues comme dans un vieux raid de la Stasi. Des hommes arrivent en courant, munis de lampes torches. Soudain, l'atmosphère se remplit de bavardages inquiets, et la pièce paraît nue auréolée de ses carreaux blancs, semblable à des bains municipaux ou à un souterrain, ce qu'elle est en réalité.

— Que devons-nous faire ?

Mineur entend derrière lui un accent slave. Le romancier russe fronce ses sourcils fournis et les fait se joindre comme on imbrique entre elles les pièces d'un meuble modulable. Mineur regarde vers l'endroit d'où Frieda s'approche, dans un claquement de petits pas secs.

— Tout va bien, dit-elle en posant sa main sur la manche de Mineur tandis qu'elle regarde le Russe. Ça doit être dû à une déshydratation ; nous en avons beaucoup, mais généralement plus tard dans la soirée. Mais c'est quand *vous* avez commencé à lire, que soudain…

Frieda parle toujours, mais il n'écoute pas. Ce « vous », c'est Mineur. La foule a perdu sa consistance, ce sont maintenant des petits groupes politiquement improbables qui se forment près du bar. Les lumières sur les carreaux créent le sentiment étrange d'une fin de nuit, même s'il n'est même pas une heure du matin. Mineur commence à ressentir des picotements. *Et puis vous avez commencé à lire…*

Il ennuie donc les gens à mourir.

D'abord Bastian, puis Hans, le Dr Balk, ses étudiants, la foule qui assiste à la lecture. Ceux qui écoutent sa conversation ennuyeuse, ses lectures, ses mots écrits. Qui écoutent son « allemand plutôt mauvais ». Ses confusions entre *dann* et *denn*, *für* et *vor*, *wollen* et *werden*. Comme ils ont tous été aimables de sourire et d'acquiescer de la tête pendant ses phrases, les yeux écarquillés, comme s'ils écoutaient un enquêteur annoncer le nom du tueur avant qu'enfin Arthur atterrisse… sur le mauvais verbe. Combien ces gens sont patients et généreux. Et pourtant, c'est bien *lui*, le tueur. Un par un, il commet de petits meurtres, en confondant *blau sein* avec *traurig sein* (« je suis ivre » pour « je suis cafardeux »), *das Gift* avec *das Geschenk* (« poison » pour « cadeau »). Ses mots, ses banalités, son rire en decrescendo. Il se sent ivre et cafardeux à la fois. Oui, le cadeau qu'il leur fait est un *Gift*. Comme Claudius avec le père d'Hamlet, il empoisonne par l'oreille les Berlinois.

C'est seulement quand il entend l'écho de sa voix sur le plafond carrelé de la salle, et qu'il voit les visages se tourner vers lui, que Mineur se rend compte qu'il a soupiré dans le micro de façon audible. Il recule d'un pas.

Et là, au fond de la boîte, seul, avec son sourire particulier : se pourrait-il que ce soit Freddy ? Enfui de ses noces ?

Non, non, non. C'est simplement Bastian.

Après que la techno minimale a recommencé – ces sons qui rappellent à Mineur les vieux appartements new-yorkais, le martèlement des canalisations et le battement de son propre cœur brisé – ou peut-être bien après le deuxième Long Island offert par l'organisatrice, Bastian s'approche de lui, une pilule dans le creux de la main, en lui disant : « Avale ça. » Et c'est alors une masse confuse de corps. Il se souvient d'avoir dansé avec l'écrivain russe et Frieda (deux pommes de terre ensemble, et elles posent en effet problème), tandis que les barmen agitaient dans l'air leurs pistolets en plastique ; et puis il se souvient qu'on lui a tendu une enveloppe avec un chèque, à la manière dont on remet une mallette au cours d'un rendez-vous mystérieux donné sur le pont de Potsdam ; mais ensuite il se retrouve, sans savoir comment, dans un taxi, puis dans une sorte de naufrage, où bavardent des danseurs et des jeunes Berlinois de différents milieux, à différents niveaux, assis dans des nuages de fumée. À l'extérieur, sur les planches d'un pont, d'autres laissent pendre leurs pieds au-dessus de l'infecte Spree. Et tout autour d'eux : Berlin ; la Fernsehturm s'élevant haut dans le ciel à l'est, comme à Times Square le ballon du Nouvel An ; les lumières du palais de Charlottenburg brillant faiblement à l'ouest, et puis, tout autour du magnifique dépôt de ferraille qu'est la ville : des entrepôts abandonnés, et, très chics, des lofts récents et des embarcations, tout de lumières féeriques ; des immeubles résidentiels en béton de l'époque Honecker, imitant les vieux bâtiments du XIXe siècle ; des parcs plongés dans l'obscurité cachant les monuments aux morts soviétiques ; et puis les petites bougies que quelqu'un allume chaque soir devant les portes des maisons d'où les Juifs ont été emmenés. Il y a ces vieux dancings, où des couples âgés, portant toujours le beige de leur costume communiste, confient encore des secrets en chuchotant, comme on le leur a appris durant une longue période d'écoutes téléphoniques, et dansent des polkas au son des orchestres, dans des salles décorées de rideaux de Mylar argent. Et les sous-sols, où des drag-queens américaines vendent des tickets aux expatriés britanniques pour écouter des DJ français, dans des salles où de l'eau ruisselle librement sur les parois, et où de vieux bidons d'essence sont suspendus au plafond, éclairés de l'intérieur. Et puis les stands de *Currywurst*, où des Turcs saupoudrent des hot-dogs frits d'une épice à vous en faire éternuer ; les boulangeries souterraines où les mêmes hot-dogs sont cuits et transformés en croissants ; les stands de raclette, où des Tyroliens font couler du fromage fondant sur du pain et du jambon, et un cornichon pour la touche finale. Et les marchés, qui s'installent déjà sur de petites places de quartier pour vendre des chaussettes bon marché, des bicyclettes volées et des lampes en plastique. Il y a les lieux de débauche sexuelle, avec leurs lumières rouges indiquant quels vêtements on doit enlever ; les donjons pour des hommes vêtus de costumes de super-héros en vinyle noir sur lesquels leur nom est brodé ; les salles obscures et les ruelles où absolument tout peut se produire. Et puis les boîtes, partout, qui viennent à peine d'ouvrir, où des gens mariés d'un certain âge sniffent des lignes de kétamine à même le sol dans de sombres toilettes carrelées de noir, et où des adolescents se préparent leurs boissons en les dosant eux-mêmes les uns les autres. Dans la boîte de nuit – et c'est plus tard qu'il s'en souviendra – une femme rejoint la piste de danse, et se laisse totalement aller sur une chanson de Madonna ; elle s'approprie complètement la piste, et les gens applaudissent, hurlent. Elle perd vraiment la tête, et ses amis crient son nom : « Peter Pan ! Peter Pan ! » En fait, ce n'est pas une femme : c'est Arthur Mineur. Oui, même les vieux écrivains américains dansent comme si on était encore dans les années 1980 à San Francisco, comme si la révolution sexuelle venait d'être remportée, comme si la guerre venait de se terminer et que Berlin venait d'être libérée, que soi-même on venait d'être libéré ; et alors, ce que murmure le Bavarois qui le serre dans ses bras est vrai : tout le monde, vraiment tout le monde – même Arthur Mineur – est aimé.

Il y a près de soixante ans, juste après minuit, à quelques mètres du fleuve où ils dansaient, eut lieu une merveille de l'ingénierie moderne : en l'espace d'une nuit s'éleva le Mur de Berlin. C'était dans la nuit du 15 août 1961. Les Berlinois se réveillèrent le 16, et cette merveille était là : tenant davantage de la clôture, au début, avec des postes de garde en béton bloquant les rues et décorés de guirlandes de barbelés. On savait que des problèmes se produiraient, mais on s'attendait à ce qu'ils surviennent progressivement. Pourtant, les événements de la vie arrivent si souvent tout d'un coup. Et qui sait de quel côté on va alors se retrouver ?

De façon toute semblable, Mineur se réveille à la fin de son séjour, pour découvrir un mur érigé entre ses cinq semaines à Berlin et la réalité.

— Tu pars aujourd'hui, dit le jeune homme, les yeux encore fermés tandis qu'il se repose, à moitié endormi, sur l'oreiller. Les joues rouges d'une longue nuit d'adieux, une trace de rouge à lèvres, toujours visible, d'un baiser donné par quelqu'un mais, à part ça, sans autre marque des excès de la veille, comme seuls les jeunes gens peuvent s'en remettre. Le torse brun comme un kiwi, il se relève doucement, et retombe.

— Nous nous disons au revoir, ajoute-t-il.

— Oui, dit Mineur, en se ressaisissant. (Son crâne lui donne l'impression d'être sur un ferry-boat.) Dans deux heures. Je dois que je mettre les vêtements dans le bagage.

— Ton allemand est de plus en plus mauvais, dit Bastian en roulant dans le lit pour s'éloigner de Mineur.

Il est tôt ce matin-là, et le soleil brille sur les draps. De la musique parvient de la rue : le rythme de Berlin toujours bouillonnant.

— Tu dormir encore.

Un grognement de Bastian. Mineur se penche pour lui embrasser l'épaule, mais le jeune homme s'est déjà rendormi.

Quand il se lève pour affronter de nouveau les bagages à faire, Mineur ressent douloureusement en lui le tumulte du ferry-boat. Il lui est seulement possible de rassembler toutes ses chemises, de les étaler soigneusement en plusieurs couches comme une pâte à tarte, et de plier pardessus le reste de ses vêtements comme il a appris à le faire à Paris. Il lui est seulement possible de rassembler tout ce qui est dans la salle de bains et la cuisine, ainsi que le fouillis de sa table de nuit d'homme mûr. Il lui est seulement possible de traquer toutes les choses égarées, de mettre la main sur son passeport et son portefeuille et son téléphone. Il va sûrement oublier quelque chose, en espérant que ce ne soit qu'une aiguille à repriser, et pas un billet d'avion. Mais ça se pourrait.

Pourquoi n'a-t-il pas dit oui ? La voix de Freddy, venue du passé : *Tu veux que je reste ici, avec toi, pour toujours ?* Pourquoi n'a-t-il pas dit oui ?

Il se retourne, et voit Bastian qui dort sur le ventre, les bras étendus comme ceux des *Ampelmännchen* qui indiquaient aux Berlinois de l'Est : « Passez », ou « Ne passez pas ». La courbe de son dos, l'éclat de sa peau, les petits boutons entre ses épaules. Dans le grand lit de fer forgé de ces dernières heures. Mineur se rend dans la cuisine et se met à faire bouillir de l'eau pour le café.

Parce que cela aurait été impossible.

Il rassemble les devoirs de ses étudiants pour les noter dans l'avion. Il prend bien soin de les glisser dans une poche spéciale de son sac à dos noir. Il rassemble les vestes de costume, les chemises ; il en fait un petit ballot qu'un voyageur, en d'autres temps, aurait suspendu à une baguette par-dessus son épaule. Dans un autre endroit à part, il met ses pilules (le directeur avait raison ; elles marchent vraiment). Passeport, portefeuille, téléphone. Enrouler les ceintures autour du ballot. Enrouler les cravates autour des ceintures. Fourrer les chaussettes dans les chaussures. Ranger ses fameuses bandes élastiques « mineuresques ». Les affaires non utilisées à ce jour : crème solaire, pince à ongles, nécessaire de couture. Les affaires non portées : le pantalon de coton marron, le tee-shirt bleu, les chaussettes de couleurs vives. Tout ça dans la valise rouge sang, bien fermée. Ces choses feront toutes le tour du globe en pure perte sans avoir jamais servi, comme c'est le cas pour bien des voyageurs.

De retour à la cuisine, il remplit la cafetière française avec le reste de café (il y en a trop), et y verse l'eau bouillante. Avec une baguette, il remue le mélange, place le piston par-dessus. Il attend que ça infuse, et en profite pour se toucher le visage : il est tout étonné de sentir sa barbe, comme quelqu'un qui a oublié qu'il porte un masque.

Parce que jusqu'à présent il avait peur.

Et maintenant, c'est fini. Freddy Pelu est marié.

Mineur appuie sur le piston, comme pour du TNT dans un dessin animé – et le café d'exploser sur tout Berlin.

*

Un coup de fil, traduit de l'allemand :

— Allô ?

— Bonjour, monsieur Mineur. Ici Petra, de Pegasus !

— Bonjour, Petra.

— Je voulais simplement m'assurer que tout s'était bien passé pour votre départ.

— Je suis à l'aéroport.

— Merveilleux ! Je voulais vous dire que la soirée d'hier a été un véritable succès, et vous signifier combien vos étudiants étaient reconnaissants de ce petit cours.

— Mais chacun d'eux en est littéralement devenu malade.

— Ils se sont tous remis, de même que votre assistant. Il a dit que vous étiez tout à fait brillant.

— Ils sont extrêmement gentils.

— Et si vous vous rendez compte que vous avez oublié quelque chose dont vous avez besoin, faites-le-nous savoir, et nous vous l'enverrons !

— Non, je n'ai pas de regrets. Pas de regrets.

— Des regrets ?

On entend l'annonce d'un vol.

— Je ne laisse rien derrière moi.

— Au revoir ! Au plaisir de lire votre prochain merveilleux roman, monsieur Mineur !

— Ça, on ne sait pas. Au revoir. Je pars maintenant pour le Maroc.

Mais il ne part pas maintenant pour le Maroc.

FRANÇAIS EN MINEUR

Et le voici, ce voyage qu'il redoute tant : celui pendant lequel il aura cinquante ans. Tous les autres voyages de sa vie semblent l'avoir conduit, sur un chemin emprunté à l'aveuglette, vers celui-ci. L'hôtel en Italie, avec Robert. Le tour de la France, avec Freddy. Le périple totalement ubuesque à travers le pays, après l'université, jusqu'à San Francisco, pour aller rejoindre un certain Lewis. Et tous ces voyages lorsqu'il était enfant, les nombreux séjours en camping avec son père, en particulier sur les champs de bataille de la guerre civile. Comme il se souvient précisément de ces moments où il cherchait des balles de fusil dans leurs campements, et du jour où il avait trouvé – merveille des merveilles ! – une pointe de flèche. (Avec le temps, il s'avéra fort possible que son père ait discrètement préparé le terrain.) Il se souvient aussi des parties de plante-couteau*, où l'on confiait au jeune Arthur, pourtant maladroit, un couteau à cran d'arrêt qu'il enfonçait craintivement dans la terre, comme

* Jeu américain au cours duquel un joueur doit planter un couteau le plus en profondeur dans la terre. Le joueur concurrent doit ensuite essayer de retirer le couteau planté avec la bouche ou entre ses dents.

s'il y avait un serpent venimeux, et avec lequel il réussit d'ailleurs un jour à transpercer un serpent, *un vrai* (non venimeux et déjà mort certes). Il se souvient des pommes de terre enveloppées dans du papier alu, qu'on faisait cuire sous les braises. D'une histoire de fantôme au bras d'or. Du plaisir de son père dont les yeux brillaient à la lueur des flammes vacillantes. Comme Mineur chérissait ses souvenirs ! (Il devait découvrir plus tard, dans la bibliothèque de son père, un livre intitulé *Grandir en hétérosexuel*, qui conseillait aux pères de créer des liens avec leurs fils efféminés, et dont les activités préconisées – champs de bataille, jeux de plante-couteau, feux de camp, histoires de fantômes – avaient toutes été soulignées au Bic bleu ; mais malgré tout, cette découverte tardive ne parvint pas à entacher l'empreinte indélébile des souvenirs heureux de son enfance.) À cette époque-là, toutes ces aventures semblaient aussi fortuites que la position des étoiles dans le ciel. Ce n'est qu'à présent qu'il peut voir la course du zodiaque qui marque sa vie. Et c'est ici qu'apparaît le signe du Scorpion.

Mineur croit qu'il part maintenant de Berlin vers le Maroc, après une courte escale à Paris. Il n'a aucun regret. Il n'a rien laissé derrière lui. Les derniers grains s'écoulant de son sablier seront sahariens.

Mais ce n'est pas maintenant qu'il va aller au Maroc.

À Paris : un problème. Toute sa vie, Arthur Mineur a dû se battre pour décrypter le système de la TVA. En tant que citoyen américain, il est en droit de se voir rembourser les taxes payées sur certains achats réglés à l'étranger et, dans les magasins, quand on vous tend l'enveloppe adéquate et les formulaires entièrement préremplis, cela paraît si simple : vous trouvez le guichet des douanes à l'aéroport pour qu'on les tamponne, et vous récupérez votre argent. Mais Mineur connaît l'arnaque. Bureau des douanes fermé, guichets en réfection, employés entêtés qui insistent pour qu'il montre les marchandises rangées dans ses valises déjà enregistrées : il serait plus facile d'obtenir un visa pour la Birmanie. Voilà combien d'années déjà que, à l'aéroport Charles-de-Gaulle, l'employée du bureau d'informations n'avait pas voulu lui indiquer où il pouvait trouver le bureau des détaxes ? Et quand donc était-ce, cette fois où, après avoir obtenu le tampon, il avait posté son enveloppe dans une poubelle de recyclage étiquetée de façon trompeuse ? Il s'est fait si souvent avoir ! Mais cette fois-ci, pas question. Cette fois, Mineur s'est donné pour mission de récupérer cette satanée taxe. Après avoir remporté son prix à Turin, il a fait une folie et s'est acheté une chemise en chambray bleu clair, garnie d'une large bande horizontale blanche, un peu comme le bord inférieur d'un Polaroid. Et pendant son escale à l'aéroport de Milan pour se rendre à Berlin, il s'est accordé une heure en plus, a trouvé le bon bureau, chemise à la main, uniquement pour se voir informé d'un air désolé par l'agent des douanes qu'il lui fallait attendre d'avoir quitté l'Union européenne : ce qui se produirait seulement à la fin de son escale parisienne, et une fois qu'il serait en direction du continent africain. Mais Mineur ne s'est pas laissé démonter. À Berlin, il a tenté la même tactique, avec le même résultat (devant une dame aux cheveux rouges hérissés et au mauvais accent berlinois). Mineur ne se laisse toujours pas démonter. Mais à Paris, durant son escale, il trouve à qui parler : une Allemande, ce qui est pour le moins inattendu, aux cheveux rouges hérissés, et portant des lunettes aux verres en cul-de-bouteille : soit la jumelle de la Berlinoise, soit sa remplaçante du week-end.

— Nous n'acceptons pas l'Irlande, l'informe-t-elle dans un anglais glacial.

Car son enveloppe pour la TVA, par on ne sait quel revirement de situation, vient d'Irlande ; les reçus, toutefois, viennent d'Italie.

— C'est italien ! lui affirme-t-il alors qu'elle secoue la tête. Italien ! Italien !

Il a raison, mais en élevant la voix, il a perdu : il ressent sa vieille angoisse qui bouillonne en lui. À coup sûr, elle perçoit cela.

— Dans ce cas, il faut que vous postiez votre enveloppe depuis l'Europe, dit-elle.

Il tente de se calmer, et lui demande où se trouve la poste, dans l'aéroport. Ses yeux, grossis par ses lunettes qui font loupe, se lèvent à peine vers lui et, sans aucun sourire sur son visage, elle lui dit ces mots savoureux :

— Il n'y a pas de bureau de poste dans l'aéroport.

Mineur s'éloigne du guichet, titubant, complètement vaincu, et trouve son chemin vers la porte d'embarquement, envahi d'une panique qui le paralyse. Comme il regarde avec envie ces occupants du salon fumeurs, qui sont en train de rire dans leur zoo de verre ! Cette injustice l'écrase de tout son poids. Quelle chose horrible quand la série des iniquités qu'il a subies ressurgit dans son esprit ! Le chapelet inutile de tous ces souvenirs, que ses doigts égrènent une nouvelle fois : le téléphone, ce jouet qu'on a offert à sa sœur alors que lui n'a rien eu ; le B en chimie parce que son écriture n'a pas été assez lisible à l'examen ; le gamin idiot et riche, admis à Yale à sa place ; tous ceux qui ont choisi des arrivistes et des imbéciles à la place de l'innocent Mineur ; jusqu'au refus poli de son éditeur de publier son dernier roman, et son exclusion de toute liste des meilleurs écrivains : de moins de trente ans, de moins de quarante ans, de moins de cinquante ans (après, il n'y a plus de liste). Le regret, lorsqu'il pense à Robert. Le supplice, lorsqu'il pense à Freddy. Son cerveau s'installe de nouveau devant sa caisse enregistreuse, et lui facture toutes ces vieilles hontes, comme s'il n'avait pas déjà payé. Il essaie, mais ne parvient pas à laisser courir. Ce n'est pas pour l'argent, se dit-il, mais pour le principe. Il a tout fait comme il fallait, mais on l'a berné, de nouveau. Ce n'est pas une question d'argent. Et puis, après être passé devant Vuitton, Prada, et les produits de *merchandising* de marques d'alcools et de cigarettes, il finit par l'admettre : en fait si, c'est bien une question d'argent. Bien sûr que c'est pour l'argent. Et son cerveau décide soudain qu'après tout, il n'est pas prêt pour la cinquantaine. Si bien que lorsqu'il parvient, tout agité, trempé de sueur, las de vivre, à la porte d'embarquement où il y a foule, et qu'il entend d'une oreille distraite l'annonce suivante : « À tous les passagers pour Marrakech, ce vol est surbooké. Nous cherchons des volontaires pour accepter un vol plus tard cette nuit, avec une compensation financière », il lance :

— Je suis votre homme !

Le Destin, ce *glockenspiel*, va effectuer, dans l'heure, un revirement complet. Il y a peu, Mineur était perdu dans la salle d'attente d'un aéroport : brisé, volé, vaincu – et le voilà maintenant, en train de se promener dans la rue des Rosiers, une poche pleine d'argent liquide ! Ses bagages sont bien au chaud dans une consigne à l'aéroport, et il a devant lui des heures de totale liberté. Il a même déjà téléphoné à un vieil ami.

— Arthur ! Le jeune Arthur Mineur !

Au téléphone, c'est Alexander Leighton, de la Russian River School. Poète, dramaturge, érudit, et homosexuel noir, il a quitté le racisme manifeste de l'Amérique pour le racisme soigné de la France. Mineur se souvient d'Alex, lorsqu'il était dans sa période impétueuse, à l'époque où il portait une coupe afro luxuriante et déclamait avec force sa poésie à la table du dîner ; la dernière fois qu'ils se sont rencontrés, Alex était chauve comme un œuf.

— J'ai entendu dire que tu voyageais ! Tu aurais dû m'appeler plus tôt !

— Eh bien, je ne suis même pas censé être ici, explique Mineur, pris dans la joie délicieuse de cette liberté conditionnelle qu'on lui a offerte pour son anniversaire, tout en sachant que ce qu'il a dit a peu de sens. (Il est sorti du métro quelque part, près du Marais, et n'arrive pas à se repérer.) J'ai enseigné en Allemagne et, avant ça, j'étais en Italie ; et là, je me suis porté volontaire pour un vol plus tard dans la soirée.

— Quelle chance pour moi !

— J'ai pensé que peut-être on pourrait manger un morceau, ou boire un coup.

— Tu as eu Carlos ?

— Qui ? Carlos ? Quoi ?

Apparemment, il ne se repère pas non plus dans cette conversation.

— Eh bien, il va te faire signe. Il voulait m'acheter mes vieilles lettres, mes notes, ma correspondance. Je ne sais pas ce qu'il manigance.

— Carlos ?

— Les miennes sont déjà vendues à la Sorbonne. Il va te contacter…

Mineur imagine ses propres « papiers » à la Sorbonne. *Les Lettres choisies d'Arthur Mineur*. Ça attirerait la même foule que « Une soirée en compagnie de… »

Alexander est toujours en train de parler :

— … m'a en effet affirmé que tu allais en Inde !

Mineur est effaré de la vitesse à laquelle les informations circulent dans le monde :

— Oui, dit-il. Oui, c'était une idée à lui. Écoute…

— À propos, bon anniversaire !

— Non, non, c'est pas avant…

— Écoute, là, je suis pressé, mais ce soir, je vais à un dîner. Ce sont des aristocrates. Ils adorent les Américains, ils adorent les artistes, et ils adoreraient que tu viennes. Moi aussi, j'adorerais que tu viennes. Tu viendras ?

— Un dîner ? Je ne sais pas si…

Et se présente alors le genre de raisonnement qui a toujours mis Mineur en échec : *Si un romancier mineur doit prendre un avion à minuit, mais veut aller à un dîner à Paris à huit heures…*

— C'est le Paris bobo – ils adorent quand il y a une petite surprise. Et on pourra papoter sur le mariage : vraiment beau. Et sur ce petit *scandale*, si on peut dire !

Mineur, perdu, se contente de bredouiller :

— Oh, ça, c'est… c'est…

— Alors tu en as entendu parler. Il y en a, des choses à dire. À plus tard !

Il donne à Mineur une adresse incompréhensible, rue du Bac, avec deux codes différents à composer, et lui dit au revoir rapidement. Mineur se retrouve, le souffle coupé, au pied d'une vieille demeure recouverte de vigne. Un groupe d'écolières le dépasse, en deux rangs bien alignés.

Il sait désormais qu'il va aller à cette soirée, ne serait-ce que parce qu'il ne peut pas s'en empêcher. Un mariage vraiment beau. Brillante promesse de quelque chose : comme la carte qu'un magicien vous montre avant de la faire disparaître ; tôt ou tard, elle réapparaîtra derrière votre oreille. Donc, Mineur va poster son enveloppe pour la TVA, aller à la soirée, y entendre le pire, prendre son vol à minuit pour le Maroc. Et dans l'intervalle, il va flâner dans Paris.

Autour de lui, la cité étend ses ailes de pigeon. Il a traversé la place des Vosges, où les rangées d'arbres bien taillés l'abritent à la fois du léger bruit de la pluie qui tambourine et des succès soft rock des années 1980, interprétés par des membres du Utah Youth Choir, tous en tee-shirts jaunes. Sur un banc, peut-être inspirées par la musique de leur jeunesse, deux personnes plus très jeunes s'embrassent passionnément, sans prêter attention aux regards, dans leurs trench-coats éclaboussés de gouttelettes ; Mineur les regarde tandis que, sur l'air de *All Out of Love*, l'homme glisse sa main dans le chemisier de sa maîtresse. Sous la colonnade alentour, des jeunes en ponchos de plastique bon marché sont rassemblés près la maison de Victor Hugo, et observent la pluie ; des sacs de petites babioles révèlent qu'ils ont rendu visite à Quasimodo. Dans une pâtisserie, même le français incompréhensible de Mineur ne peut l'empêcher de parvenir à ses fins : il a bientôt dans les mains un croissant aux amandes, qui le couvre de confettis beurrés. Il va au musée Carnavalet, y admire le décor des palais qui s'effritent, et qu'on restaure, pièce après pièce ; il examine un étrange *groupe en biscuit*** représentant Benjamin Franklin signant un accord avec la France ; il s'émerveille devant les lits à hauteur d'épaules de jadis, et puis tombe en arrêt, subjugué devant la chambre à coucher de Proust, noir et or. Les murs de liège tiennent davantage du boudoir que de l'asile d'aliénés, et Mineur est touché de voir le portrait de M. Proust père accroché au mur. Il se trouve sous les arcades de la Boutique Fouquet lorsque, à treize heures, il entend retentir un carillon dans tout le bâtiment : contrairement à ce qui se passait dans un certain hall d'hôtel à New York, les anciennes horloges ont toutes été remontées par un employé diligent. Mais, alors qu'il reste là, à compter tranquillement les coups, il se rend compte qu'il en manque un : c'est l'heure napoléonienne.

Il a encore des heures et des heures avant de retrouver Alexander à l'adresse qu'il lui a indiquée. Il descend la rue des Archives, emprunte la petite rue qui mène au vieux quartier juif. Les jeunes touristes font la queue pour des falafels, les plus âgés sont assis aux terrasses,

* Les mots et expressions en italique suivis d'un astérisque sont en français dans le texte.

avec d'énormes menus et une expression de désarroi. D'élégantes Parisiennes en noir et gris sirotent des cocktails américains aux couleurs criardes que même une jeune universitaire américaine membre d'une sororité ne commanderait pas. Il se souvient d'un autre voyage, quand Freddy l'avait retrouvé à Paris dans sa chambre d'hôtel, et qu'ils avaient passé là une longue semaine, où ils s'étaient tout permis : les musées, les somptueux restaurants et les flâneries dans le Marais la nuit, bras dessus bras dessous et éméchés, sans oublier les journées passées dans la chambre d'hôtel, à la fois pour s'amuser et récupérer ; un séjour pendant lequel l'un d'eux avait attrapé une saloperie locale. Son ami Lewis lui avait parlé d'une boutique de luxe pour hommes, à deux pas de là. Freddy en veste noire, se regardant dans le miroir, le garçon studieux devenu un jeune homme somptueux : « Je ressemble vraiment à ça ? » Cet espoir sur le visage de Freddy ! Mineur dut lui acheter cette veste, même si elle coûtait autant que le voyage lui-même. Plus tard, avouant cette extravagance à Lewis, il s'entendit rétorquer :

— C'est ce que tu veux qu'on inscrive sur ta tombe ? « Il alla à Paris et se refusa à faire quelque chose de déraisonnable » ?

Par la suite, il se demanda si ce qui était déraisonnable, c'était la veste, ou bien sa relation avec Freddy.

Il retrouve la façade noire du magasin qui ne porte aucun signe distinctif, avec son unique sonnerie dorée, dont il touche le téton avant de sonner. On le laisse entrer.

Deux heures plus tard : Arthur Mineur est debout, devant le miroir. À sa gauche, sur le divan de cuir blanc, une tasse de café vide et un verre de champagne. À sa droite : Enrico, le petit sorcier barbu qui l'a accueilli, et lui a offert un siège, tout en apportant « des choses spéciales ». Comme il est différent du tailleur piémontais, à la moustache de loutre ! Celui qui, sans dire un mot, prit ses mesures pour la seconde partie de son prix italien – un costume sur mesure – et qui, lorsqu'Arthur découvrit avec ravissement un tissu dans la teinte exacte du bleu qu'il aimait, lui répondit : « Trop jeune. Trop brillant. Il vous faut du gris. » Quand Mineur insista, l'homme haussa les épaules : *« Il faudra voir. »* Mineur donna l'adresse d'un hôtel de Kyôto où il séjournerait dans quatre mois, et partit pour Berlin, en se sentant floué de son prix.

Mais ici, c'est Paris, un dressing rempli de trésors. Et dans la glace : un nouveau Mineur. Enrico bégaye :

— Je n'ai… je n'ai pas de mots…

C'est une idée fausse chez les voyageurs, cette obligation qu'il faille acheter des vêtements à l'étranger : ces tuniques de lin blanc, si élégantes en Grèce, ressortent de la valise avec l'aspect de simples haillons de hippies ; les belles chemises rayées achetées à Rome sont enfermées dans l'armoire ; quant aux délicats batiks de Bali faits main, on les porte d'abord en croisière, ensuite on les transforme en rideaux, avant qu'ils ne deviennent plus, enfin, que les signes d'une folie qui nous avait gagnés. Et puis, il y a Paris.

Mineur est chaussé d'une paire de souliers à bouts golf en cuir naturel, ornés d'une touche de vert à chaque extrémité ; il porte un pantalon de lin noir bien ajusté, aux coutures en spirale, un tee-shirt gris porté à l'envers, et un blouson à capuche, au cuir délicatement fourré, doux comme le bout usé d'une vieille gomme. Mineur ressemble à un rappeur hyper méchant de Fire Island. Bientôt cinquante ans, il a bientôt cinquante ans. Mais dans ce pays, dans cette ville, dans ce quartier, dans ce salon rempli de fourrures et de cuirs scandaleusement exquis, de ces coutures et de ces boutons subtilement dissimulés, de ces infimes nuances que seuls offrent les classiques du film noir, sous la lumière du ciel piqueté de pluie et sur le parquet de pin véritable, quelques ampoules tombant comme des anges depuis le plafond, et devant Enrico à l'évidence un peu amoureux de ce charmant Américain, Mineur semble transformé. Plus séduisant, plus confiant. La beauté de sa jeunesse, depuis l'hiver où elle était reléguée, lui est en quelque sorte rendue dans sa maturité. *Je ressemble vraiment à ça ?*

*

La soirée a lieu rue du Bac, dans d'anciennes chambres de bonne réunies, dont les plafonds bas et les couloirs tout en longueur paraissent davantage adaptés au décor d'un meurtre mystérieux qu'à celui d'une réception. Et alors qu'on le présente à tel ou tel visage aristocratique qui lui sourit, Mineur constate qu'il se les imagine en personnages de romans de gare : *Ah, la fille artiste et bohème*, se dit-il tout bas quand une jeune blonde négligée, en combinaison verte et les yeux brillants de cocaïne, lui serre la main. Ou bien, lorsqu'une dame d'un certain âge, en tunique de soie, s'avance en le saluant d'un signe de tête : *Voilà la mère qui a perdu tous ses bijoux au casino*, pense-t-il. Le cousin d'Amsterdam, un bon à rien en costume de coton à rayures. Le fils homo, habillé *à l'Américain** d'un blazer bleu marine et d'un treillis, encore chancelant après les excès d'ecstasy du week-end. Le vieil Italien insipide, en veste framboise, un whisky à la main : un ancien *collaborateur** des services secrets. Le bel Espagnol, dans un coin, en chemise blanche impeccable : il les fait tous chanter. L'hôtesse, avec sa coiffure rococo et son menton cubiste : elle a dépensé ses derniers sous pour sa mousse coiffante. Et qui sera assassiné ? Eh bien, ce sera Mineur ! Arthur Mineur, cet invité de dernière minute, qui n'est personne, et qui est la cible parfaite ! Il scrute son verre de champagne empoisonné (c'est sa deuxième flûte, au moins) et sourit. De nouveau, il jette un regard circulaire pour apercevoir Alexander Leighton, mais celui-ci doit se cacher quelque part, ou alors il est en retard. Et puis, près de la bibliothèque, Mineur remarque un petit homme mince aux lunettes teintées. Un vent de panique s'empare de lui alors qu'il cherche une échappatoire, mais la vie n'en offre pas. Si bien qu'il avale une nouvelle gorgée et s'approche.

— Arthur, dit Finley Dwyer avec un sourire. De nouveau à Paris !

Pourquoi donc n'oublie-t-on jamais les vieilles connaissances ?

*

En fait, Arthur Mineur et Finley Dwyer se sont rencontrés à l'époque des prix littéraires Wilde et Stein. C'était en France, avant que Freddy ne rejoigne Mineur, quand celui-ci était invité aux frais du gouvernement français. L'idée, c'était que des auteurs américains se rendent dans les bibliothèques de petites villes françaises pendant un mois, et fassent connaître leur culture dans tout le pays ; l'invitation provenait du ministère de la Culture. Pour les Américains invités, toutefois, il paraissait impossible qu'un pays veuille importer des auteurs étrangers ; et plus impossible encore que ce soit l'idée d'un ministère de la Culture. À son arrivée à Paris, complètement en proie au décalage horaire (Freddy ne lui avait pas encore fait part de la combine des somnifères), Mineur avait jeté un regard vaseux sur la liste de ses collègues invités et poussé un soupir. Là, dans cette liste : un nom familier.

— Bonjour, je suis Finley Dwyer, avait dit Finley Dwyer. Nous ne nous sommes jamais rencontrés, mais j'ai lu vos livres. Bienvenue dans ma ville ; j'habite ici, vous savez.

Mineur lui avait dit qu'il attendait avec impatience qu'ils voyagent tous ensemble, et c'est alors que Finley lui avait appris qu'il avait mal compris. Ils n'allaient pas voyager tous ensemble, mais par paires.

— Comme des mormons, avait ajouté l'homme avec un sourire.

Et Mineur n'avait été soulagé que lorsqu'il sut que non, il ne ferait pas équipe avec Finley Dwyer. En fait, il ne serait avec personne : une écrivaine âgée, trop malade, n'avait pas pu prendre l'avion. Cela ne minora pas la joie de Mineur ; au contraire, cela lui sembla un petit miracle de se retrouver du coup seul, en France, pendant un mois. Du temps pour écrire, prendre des notes, et profiter du pays. La femme vêtue d'or se tenait au bout de la table, et avait annoncé où ils allaient tous être dirigés : vers Marseille, la Corse, Paris, Nice. Et Arthur Mineur… Elle jeta un regard sur ses notes… Mulhouse.

— Pardon ?

— Mulhouse.

Il s'avéra que c'était à la frontière allemande, non loin de Strasbourg. Mulhouse organisait une merveilleuse fête des moissons, déjà terminée, et un marché de Noël spectaculaire, que Mineur manquerait. Novembre se trouvait dans l'entre-saison : telle la petite fille sans charme au milieu d'une fratrie. Il arriva la nuit, en train, et la ville lui parut sombre et ramassée sur elle-même ; on le conduisit à son hôtel, situé à l'intérieur même de la gare. Pratique ! Sa chambre et les meubles qui s'y trouvaient dataient des années 1970, et Mineur se disputa avec une commode en plastique jaune, avant d'admettre sa défaite. Quant aux robinets d'eau froide et d'eau chaude, un plombier aveugle avait dû les confondre. La vue, depuis la fenêtre, donnait sur une place circulaire, en briques, ressemblant un peu à une pizza *pepperoni*, que le vent qui sifflait assaisonnait sans cesse de feuilles mortes. Au moins, se consola-t-il, Freddy le rejoindrait à la fin de son voyage pour passer une semaine supplémentaire à Paris.

Son accompagnatrice, Amélie, une jolie fille mince, d'origine algérienne, ne parlait que très peu anglais. Elle le retrouvait cependant tous les matins à son hôtel, souriante, vêtue de lainages superbes, le déposait chez le bibliothécaire local, Mineur installé sur le siège arrière de la voiture pour le trajet, et le raccompagnait le soir. L'endroit où elle vivait elle-même demeurait un mystère. Sa fonction tout autant. Était-il censé coucher avec elle ? Si c'était le cas, on avait dû mal traduire ses livres. Le bibliothécaire local parlait mieux anglais, mais paraissait chargé d'une tristesse indéchiffrable ; dans cette petite pluie fine propre à une fin d'automne, son crâne chauve et pâle semblait s'éroder. Il était responsable de l'emploi du temps quotidien de Mineur, qui consistait généralement à visiter une école le jour, et une bibliothèque le soir, avec parfois, entre les deux, la visite d'un monastère. Mineur ne s'était jamais demandé ce qu'on servait dans une cantine de lycée française ; aurait-il dû être surpris d'y trouver des entrées en gelée et des légumes marinés ? De séduisantes élèves posaient des questions merveilleuses dans un anglais horrible, sans aspirer les *h*, telles des Cockneys ; Mineur y répondait gentiment – et les filles de glousser. Elles lui demandaient des autographes comme à une célébrité. Le dîner se prenait généralement dans la bibliothèque, qui était souvent le seul endroit où il y avait des tables et des chaises : dans l'espace destiné aux enfants. Imaginez le grand Arthur Mineur coincé dans une chaise minuscule, devant une table minuscule, en train de regarder un bibliothécaire ôter la cellophane de sa tranche de pâté. Dans un lieu qu'ils visitèrent, on lui prépara des desserts « américains », qui s'avérèrent être des muffins au son. Plus tard, il lut à voix haute un texte à des mineurs de fond, qui l'écoutèrent pensivement. Mais, bon sang, qu'avait-il bien pu leur passer par la tête, à tous ? Faire venir un écrivain homosexuel pas vraiment connu pour faire une lecture à des mineurs français ? Il imagina Finley Dwyer, qui prenait du bon temps sur la Riviera, dans un théâtre drapé de velours. Ici, ce n'était que ciel gris, et grises destinées. Pas étonnant qu'Arthur Mineur se mette à déprimer. Les journées devinrent plus grises, les mineurs plus sinistres, son humeur plus sombre. Même la découverte d'un bar gay à Mulhouse – le Jet Sept – ne fit qu'approfondir son chagrin ; c'était une salle sombre et triste, où quelques personnages semblaient sortir des *Buveurs d'absinthe*, et du reste, c'était un mauvais jeu de mots, ce « Jet Sept ». Quand la tournée de Mineur fut terminée, et qu'il eut enrichi la vie de chaque mineur de France, il prit le train pour retourner à Paris, et y trouver Freddy endormi, tout habillé, sur le lit de l'hôtel ; il venait d'arriver de New York. Mineur l'embrassa et se mit à verser des larmes ridicules.

— Ah, salut ! dit le jeune homme endormi. Qu'est-ce qui t'est arrivé ?

Finley porte un costume prune et une cravate noire.

— Ça fait combien de temps ? Depuis notre voyage ensemble ?

— Eh bien, vous vous souvenez, nous n'avons pas pu le faire.

— Il y a deux ans, au moins ! Et il y avait… un très beau jeune homme, je crois.

— Ah, eh bien, je…

Un garçon passe avec un plateau de champagne, et Mineur tout comme Finley prennent une coupe. Finley tient la sienne d'une main mal assurée, puis sourit au garçon ; Mineur se dit que l'homme est ivre.

— Nous l'avons à peine aperçu. Je me souviens… Et là, la voix de Finley prend le ton fleuri d'un vieux film : Des lunettes rouges ! Des cheveux bouclés ! Il est avec vous ?

— Non. Et, à l'époque, nous n'étions pas vraiment ensemble non plus, d'ailleurs. Seulement, il avait toujours voulu aller à Paris.

Finley ne dit rien, mais garde un petit sourire en coin. Puis il regarde les vêtements de Mineur, et se met à froncer les sourcils :

— Où avez-vous…

— Où est-ce qu'ils vous ont envoyé ? Je ne m'en souviens pas, dit Mineur. C'était à Marseille ?

— Non, en Corse ! Il faisait si bon, il y avait tellement de soleil ! Les gens étaient accueillants, et bien sûr ça m'a aidé de parler français. Je n'ai mangé que des fruits de mer. Et vous, on vous a envoyé où ?

— Moi, j'ai tenu la ligne Maginot.

Finley avale une gorgée, et demande :

— Et qu'est-ce qui vous amène à Paris aujourd'hui ?

Pourquoi tout le monde est-il si curieux du petit Arthur Mineur ? Quand l'un d'eux a-t-il jamais pensé à lui auparavant ? Il s'est toujours senti insignifiant pour ces hommes, aussi inutile que le *a* en trop de Quaalude.

— Je voyage, simplement. Je parcours le monde.

— *Le Tour du Monde en quatre-vingts jours**, murmure Finley en levant les yeux pour regarder vers le plafond. Et vous êtes aussi accompagné d'un Passepartout, comme dans le roman ?

Mineur répond :

— Non. Je suis seul. Je voyage seul.

Il regarde son verre et s'aperçoit qu'il est vide. Il lui vient à l'idée que lui aussi pourrait bien être ivre.

Mais pour ce qui est de Finley Dwyer, pas de doute, il l'est. En se tenant contre la bibliothèque, il regarde Mineur droit dans les yeux et lui dit :

— J'ai lu votre dernier livre.

— Ah, bien.

Il baisse la tête, et Mineur voit maintenant ses yeux, par-dessus les verres.

— Quelle chance de tomber sur vous ici ! Arthur, je voudrais vous dire quelque chose. Est-ce que je peux dire quelque chose ?

Mineur se raidit comme on le fait devant une vague traîtresse.

— Vous êtes-vous jamais demandé pourquoi vous n'avez pas gagné de prix ? demande Finley.

— Question d'époque, de hasard ?

— Pourquoi la presse gay ne chronique-t-elle pas vos livres ?

— Ah bon, elle ne les chronique pas ?

— Non, Arthur, jamais. Ne faites pas semblant de ne pas l'avoir remarqué. Vous n'écrivez pas selon le canon.

Mineur s'apprête à dire qu'il a le sentiment d'être tout à fait en phase avec le canon, quand il décrit à ses lecteurs les tirs de boulets que s'infligent les humains (et ce, avant qu'il ne disparaisse des radars, lui, romancier mineur sur le point de devenir cinquantenaire) ; et puis il comprend que l'homme a voulu parler du canon esthétique qu'il devrait respecter : c'est en ce sens qu'il n'écrit pas selon le *canon*.

— Quel canon ?

C'est tout ce qu'il réussit à balbutier.

— Le canon homosexuel. Le canon qu'on enseigne à l'université. Arthur (Finley est clairement exaspéré) : Wilde et Stein et, à vrai dire, eh bien, moi aussi.

— À quoi ça ressemble, d'écrire selon le canon ? (Mineur pense toujours aux boulets de canon. Il décide de pousser Finley dans ses retranchements :) Peut-être que je suis un mauvais écrivain.

Finley repousse cette idée – ou peut-être est-ce seulement les croquettes au saumon que propose un serveur.

— Non. Vous êtes un très bon écrivain. *Kalipso* était un chef-d'œuvre. Tellement beau, Arthur. Je l'ai beaucoup admiré.

Là, Mineur est perplexe. Il sonde ses propres faiblesses. Trop grandiloquent ? Trop folle ?

— Trop vieillot ? avance-t-il.

— Nous avons tous plus de cinquante ans, Arthur. Ce n'est pas que vous soyez…

— Attendez : je n'ai pas encore dépassé…

— … un mauvais écrivain. (Finley s'arrête, pour produire son effet.) C'est que vous êtes un mauvais homosexuel.

Mineur en reste coi ; il ne sait quoi penser ; cette attaque le prend au dépourvu.

— Il est de notre devoir de montrer ce que notre monde a de beau. Le monde des homosexuels. Mais dans vos livres, vous faites souffrir vos personnages sans jamais les récompenser. Si j'avais moins de bon sens, je penserais que vous êtes républicain. *Kalipso* était magnifique. Tellement chargé de douleur. Mais aussi d'une incroyable haine de soi… Un homme échoue sur une île, et puis il a une liaison avec un homme pendant des années. Mais ensuite, il quitte tout pour aller retrouver sa femme ! Vous devez faire mieux. Pour nous. Inspirez-nous, Arthur. Visez plus haut. Je suis désolé de parler de cette façon, mais il fallait crever l'abcès.

Arthur réussit enfin à articuler :

— Un mauvais *homosexuel* ?

Finley effleure un livre dans la bibliothèque :

— Je ne suis pas le seul à ressentir ça. C'est vraiment un sujet de discussion.

— Mais… mais… mais c'est Ulysse, dit Mineur. Qui retourne vers Pénélope. C'est comme ça que l'histoire se déroule.

— N'oubliez pas d'où vous venez, Arthur.

— De Camden, dans le Delaware.

Finley touche le bras de Mineur, et c'est comme un choc électrique.

— On écrit ce qu'on est contraint d'écrire. C'est ce que nous faisons tous.

— Est-ce que je suis boycotté par les homosexuels ?

— Je vous ai vu, là, et je me devais de saisir cette opportunité pour vous le faire savoir, parce que personne d'autre n'a été assez aimable pour le faire.

Il sourit et répète :

— Pas assez aimable pour vous dire les choses, comme je le fais à présent.

Et Mineur la sent enfler en lui, cette formule qu'il ne veut pas dire, et que pourtant, à cause de la logique de cette conversation qui l'a cruellement mis échec et mat, il est en quelque sorte forcé de dire :

— Je vous remercie.

Finley retire le livre de la bibliothèque et rejoint la foule des invités, tout en feuilletant les premières pages. Peut-être ce livre lui est-il dédicacé. Un lustre de céramique composé de chérubins bleus, suspendu au-dessus de leurs têtes, projette davantage d'ombres que de lumière. Mineur se retrouve dessous, et perçoit cette sensation, digne du Pays des merveilles, d'avoir été rétréci par Finley Dwyer, jusqu'à devenir une version minuscule de lui-même ; il pourrait désormais passer par la plus petite des portes ; mais pour arriver dans quel jardin ? Le Jardin des Mauvais Homosexuels. Qui pouvait donc savoir qu'une telle chose existait ? Jusque-là, tout ce temps, Mineur pensait seulement qu'il était un mauvais écrivain. Un mauvais amant, un mauvais ami, un mauvais fils. Apparemment, la situation est pire : il est mauvais quand il est lui-même. *Au moins*, pense-t-il, en regardant Finley qui, de l'autre côté de la pièce, amuse l'hôtesse, *moi, je ne suis pas petit.*

Quand on y repense, il y eut des problèmes pendant la période qui suivit le séjour à Mulhouse. Il est difficile de savoir comment voyage quelqu'un d'autre, et au début, Freddy et Mineur ne parvenaient pas à s'accorder. Presque aussi à l'aise qu'un poisson dans l'eau durant nos aventures autour du monde, avant cela pendant ses voyages Mineur s'était toujours senti comme un bernard-l'ermite coincé dans sa carapace d'emprunt : il aimait parvenir à connaître une rue, et un café, et un restaurant, et aimait que les serveurs l'appellent par son nom, ainsi que les patrons, et la fille du vestiaire, si bien qu'en les quittant, il pouvait y penser avec tendresse comme à un nouveau foyer. Freddy était l'opposé. Il voulait tout voir. Le lendemain matin de leurs retrouvailles – alors que le malaise ressenti par Mineur après Mulhouse et le décalage horaire de Freddy avaient donné des rapports sexuels ensommeillés, mais satisfaisants – Freddy suggéra de prendre un bus pour voir tout ce qu'il fallait voir à Paris ! Mineur frémit d'angoisse. Freddy était assis sur le lit, vêtu d'un sweat-shirt ; il avait l'air désespérément américain :

— Non, ça va être super, on va voir Notre-Dame, la tour Eiffel, le Louvre, le centre Pompidou, cet arc sur les Champs-Ély… Ély…

Mineur mit son veto ; une crainte irrationnelle lui soufflait qu'il serait repéré par des amis, au milieu des foules de touristes qui suivent un immense drapeau doré.

— Et alors ? Quelle importance ? demanda Freddy.

Mais Mineur ne voulut même pas l'envisager. Il leur fit tout visiter en prenant le métro ou en marchant ; ils durent acheter à manger sur des stands et non aller au restaurant – sa mère lui aurait dit qu'il tenait ça de son père. À la fin de chaque journée, ils étaient irritables et épuisés, et leurs poches pleines de *billets** de métro utilisés ; ils durent se forcer à sortir de leurs rôles respectifs de général et de simple soldat pour pouvoir même continuer à envisager de dormir ensemble. Mais Freddy eut de la chance : Mineur attrapa la grippe.

À Berlin, en s'occupant de Bastian, le malade dont il se souvenait, eh bien c'était lui-même.

Tout, bien entendu, est embrumé… De longues journées proustiennes, à fixer la ligne dorée du soleil sur le plancher, la seule à franchir les rideaux clos. De longues nuits hugoliennes, à écouter l'écho des rires qui résonnaient dans le clocher de son crâne. Tout cela mêlé au visage inquiet de Freddy, à sa main inquiète sur son front, sur sa joue ; et puis, tel ou tel médecin tentant de communiquer en français, et Freddy n'y parvenant pas, puisque le seul traducteur disponible était là, à gémir sur son lit de mort ; Freddy, apportant du thé et des toasts ; Freddy, en foulard et blazer, soudain parisien, faisant un triste signe en guise d'au revoir au moment où il sortait ; Freddy puant le vin, inconscient, à ses côtés. Et Mineur, quant à lui, fixant le ventilateur au plafond, se demandant si c'était la chambre qui tournait autour d'un ventilateur fixe, ou si c'était le contraire, tout comme un homme du Moyen Âge aurait pu se demander si le ciel bougeait, ou bien si c'était la Terre. Et fixant aussi ce papier mural, avec ses perroquets sournois cachés dans un arbre. Cet arbre, Mineur l'identifiait, tout heureux, à l'énorme arbre à soie persan de son enfance. Petit garçon, assis dans cet arbre du Delaware, il observait la cour, et le foulard orange que portait sa mère. Il se laissait enlacer par ses branches, par le parfum de ses fleurs roses, qui semblaient dessinées par T. Seuss*. Il était monté très haut dans l'arbre, pour un garçon de trois ou quatre ans, et sa mère criait son nom. Il ne venait jamais à l'esprit de celle-ci qu'il puisse se trouver si haut, et il était donc seul, très fier de lui, et un peu effrayé. Les feuilles en forme de croissant tombaient de tout là-haut. Elles se posaient sur ses petits bras pâles tandis que sa mère

* Theodor Seuss était un auteur américain de livres pour enfants. Il était également dessinateur politique, poète, animateur, scénariste, réalisateur et artiste.

criait son nom, encore et encore. Arthur Mineur avançait, centimètre après centimètre, le long de la branche, sentant sous ses doigts l'écorce glissante…

— Arthur ! Tu es réveillé ! Tu as bien meilleure mine ! (C'était Freddy, penché sur lui, en peignoir de bain.) Comment tu te sens ? Contrit, surtout. D'avoir d'abord été un général, et ensuite un soldat blessé. À sa grande satisfaction, trois jours seulement s'étaient passés. Il restait encore du temps…

— J'ai vu la plupart des choses que je voulais voir.

— Ah bon ?

— Je serai heureux de retourner au Louvre, si tu veux.

— Non, non, c'est parfait. Je veux aller voir une boutique dont m'a parlé Lewis. Je crois que tu mérites bien un cadeau…

Cette soirée, rue du Bac, se passe aussi mal que possible. Après avoir été apostrophé par Finley Dwyer et informé de ses crimes littéraires, il ne parvient toujours pas à savoir où se trouve Alexander ; et, soit la mousse était trop lourde, soit c'est son estomac qui lui pèse. C'est à l'évidence le moment de partir. Son estomac semble vraiment trop faible pour pouvoir entendre parler du mariage. Son avion est dans cinq heures, de toute façon. Mineur commence par chercher des yeux son hôtesse dans la pièce – difficile de la reconnaître dans cette mer de robes noires – et il remarque quelqu'un à côté de lui. Un visage d'Espagnol, tout sourire, avec un bronzage très prononcé. Le maître chanteur.

— Vous êtes un ami d'Alexander ? Je suis Javier, dit l'homme. Il tient à la main une assiette de saumon et de couscous. Il a des yeux d'un vert doré. Des cheveux noirs, raides, la raie au milieu, suffisamment longs pour les rejeter derrière les oreilles.

Mineur ne dit rien ; il a soudain très chaud, et sait qu'il est devenu rubicond. Peut-être est-ce l'alcool.

— Et vous êtes américain ! ajoute l'homme.

Déconcerté, Mineur rougit encore davantage.

— Comment… comment avez-vous deviné ?

L'homme le regarde rapidement des pieds à la tête :

— Vous êtes habillé comme un Américain.

Mineur baisse les yeux sur son pantalon de lin, sur son blouson de cuir fourré. Il comprend qu'il a été ensorcelé par un vendeur, comme plus d'un Américain avant lui ; il a dépensé une petite fortune pour s'habiller comme pourraient le faire des Parisiens, mais pas comme ils le font en réalité. Il aurait dû porter son costume bleu.

— Je m'appelle Arthur, dit-il. Arthur Mineur. Un ami d'Alexander ; il m'a invité. Mais il ne semble pas avoir prévu de venir finalement.

L'homme se penche vers lui, mais doit lever le regard ; il est bien plus petit que Mineur.

— Il invite toujours, Arthur. Il ne vient jamais.

— En fait, j'allais partir. Je ne connais personne ici.

— Non, ne partez pas !

Javier semble se rendre compte qu'il a parlé trop fort.

— J'ai un avion à prendre cette nuit.

— Arthur, restez un petit moment. Moi non plus, je ne connais personne ici. Vous voyez ces deux, là-bas ?

Il fait un signe de la tête vers une femme en robe noire à dos nu, dont le chignon blond est éclairé par une lampe toute proche, et un homme entièrement vêtu de gris, avec une grosse tête à la Humphrey Bogart. Ils sont debout côte à côte, et examinent un dessin. Javier a un rictus de conspirateur ; une de ses mèches s'est échappée et lui tombe sur le front.

— J'étais en train de leur parler. Nous venions de nous rencontrer, mais j'ai pu, très vite… sentir… que j'étais de trop. C'est pourquoi je suis venu de ce côté. (Javier remet en place sa mèche folle.) Ils vont coucher ensemble.

Mineur se met à rire, et déclare qu'ils n'ont sûrement pas dit ça.

— Non, mais… Regardez leurs corps. Leurs bras se touchent. Et il se penche pour lui parler. Il n'y a pas tant de bruit, ici. Il se penche simplement pour être tout près d'elle. J'étais vraiment de trop.

À ce moment-là, Humphrey Bogart met la main sur l'épaule de la femme, et pointe du doigt le dessin tout en parlant. Ses lèvres sont si près de l'oreille de la femme que son souffle fait voleter les mèches libres de ses cheveux. À présent, plus de doute : ils vont coucher ensemble.

Il se retourne vers Javier, qui hausse les épaules : *Qu'est-ce qu'on peut y faire ?*

Mineur hasarde :

— Et c'est la raison pour laquelle vous êtes venu par ici.

Les yeux de Javier ne quittent pas Mineur :

— C'est en partie pour ça, que je suis venu de ce côté.

Mineur laisse volontiers la chaleur de ce compliment l'envahir. L'expression de Javier ne change pas. Pendant un moment, ils demeurent silencieux ; le temps ralentit doucement, comme un souffle profond. Mineur comprend que c'est à lui de faire un geste. Il se souvient de ces fois où, quand il était gamin, un ami le mettait au défi de toucher quelque chose de brûlant. Le silence n'est rompu que par le bruit d'un verre, lui aussi rompu, que Finley Dwyer a laissé échapper sur les carreaux du sol en ardoise.

— Et donc, vous prenez l'avion pour rentrer en Amérique ? demande Javier.

— Non. Pour aller au Maroc.

— Oh ! Ma mère était marocaine. Vous allez à Marrakech, au Sahara, et ensuite à Fez, non ? C'est la visite classique.

Est-ce que Javier vient de lui adresser un clin d'œil ?

— Oui. Je suppose que je suis un voyageur classique. Ce n'est pas juste, il me semble : vous m'avez percé à jour alors que vous, vous restez un mystère.

Un autre clin d'œil :

— Non, pas du tout.

— Je sais seulement que votre mère était marocaine.

Encore des clins d'œil, sexy.

— Je suis désolé, fait Javier en fronçant les sourcils.

— C'est bien, d'être un mystère.

Mineur essaie de dire cela aussi sensuellement que possible.

— Je suis désolé ; j'ai quelque chose dans l'œil.

Javier cligne maintenant rapidement de l'œil droit, tel un oiseau paniqué. Un petit ruisseau de larmes commence à s'écouler du bord externe de son œil.

— Est-ce que ça va ?

Javier serre les dents, cligne des yeux, se frotte la paupière :

— C'est tellement embarrassant. Ce sont de nouvelles lentilles, et elles m'irritent. Elles sont françaises.

Mineur ne relève pas le dernier mot. Il regarde Javier et s'inquiète pour lui. Il a lu une fois, dans un roman, quelque chose à propos d'une technique pour ôter une poussière dans l'œil de quelqu'un : on se sert du bout de la langue. Mais cela paraît si intime, plus intime qu'un baiser, qu'il n'ose même pas y faire allusion. Et, comme il a lu ça dans un roman, c'est peut-être bien une invention.

— Elle est partie ! s'exclame Javier après d'ultimes battements de cils frénétiques. Je suis libre !

— Ou alors vous vous êtes habitué aux Français.

Le visage de Javier est marbré de rouge, des larmes brillent sur sa joue droite, et ses cils sont emmêlés et collés. Il sourit triomphalement. Il est un peu à court de souffle. *Il a l'air*, se dit Mineur, *de quelqu'un qui a couru longtemps pour arriver à bon port.*

— Et c'est là que s'évanouit le mystère ! dit Javier, posant sa main sur une table et feignant de rire.

Mineur a envie de l'embrasser ; il veut le prendre dans ses bras et le protéger. Au lieu de cela, sans réfléchir, il pose sa main sur celle de Javier. Elle est encore humide de larmes.

Javier lève son regard sur lui, ses yeux sont d'un vert doré. Il est si proche que Mineur peut sentir le parfum d'orange de son gel. Ils restent là un moment, parfaitement immobiles, tels *un groupe en biscuit.* Sa main sur celle de Javier, ses yeux dans les siens. Il semble possible que le souvenir de ce moment ne s'efface jamais. Et puis, ils s'écartent l'un de l'autre. Arthur Mineur a rougi : il est aussi rose qu'un œillet pour un bal de promotion. Javier respire profondément, puis rompt leurs regards.

— Je me demande, commence Mineur, en luttant pour dire quelque chose, même n'importe quoi, si vous avez des tuyaux à propos de la TVA…

La pièce, qu'ils ne voient même plus, est tapissée d'un tissu aux rayures vertes, sur lequel sont accrochés des dessins préliminaires, des esquisses en vue de peintures plus abouties : ici une main, là une autre tenant une plume pour écrire, là encore un visage renversé de femme. Au-dessus de la cheminée, le tableau lui-même : une femme perdue dans ses pensées, ayant interrompu l'écriture d'une lettre. Les étagères de livres atteignent le plafond, et s'il y regardait de plus près, Mineur trouverait, à côté de l'un des romans de la série des Peabody de H. H. H. Mandern, une collection de romans américains, parmi lesquels – ô surprise ! – figure l'un des siens. L'hôtesse ne l'a pas lu ; elle l'a gardé parce qu'elle a eu une liaison, il y a longtemps, avec un autre auteur présent dans sa bibliothèque. Elle a lu les deux recueils de poésie qui se trouvent deux étagères plus haut, ceux de Robert, mais elle ne sait pas qu'il existe un lien avec l'un de ses invités. Et pourtant, c'est bien là que les deux amants se retrouvent. À ce moment-là, le soleil s'est couché, et Mineur a trouvé un moyen de dépasser la conversation sur le système des taxes européennes.

Le rire attachant de Mineur, decrescendo, retentit : « HA Ha ha ! »

— Avant de venir ici, dit-il à présent, tandis qu'il sent les effets du champagne sur son élocution, je suis allé au musée d'Orsay.

— C'est un musée merveilleux.

— J'ai été très ému par les sculptures de Gauguin. Mais ensuite, sorti d'on ne sait où : Van Gogh. Trois autoportraits. Je me suis dirigé vers l'un d'eux ; il était protégé par une vitre. J'y ai vu mon reflet. Et j'ai pensé : *Oh mon Dieu !* Mineur secoue la tête, et ses yeux s'élargissent quand il revit ce moment. *Je ressemble exactement à Van Gogh.*

Javier rit, la main devant son sourire :

— Avant l'affaire de l'oreille, je pense.

— J'ai pensé : *Je suis devenu fou*, poursuit Mineur. Mais… j'ai déjà vécu plus de dix années de plus que lui !

Javier penche la tête, comme un cocker :

— Arthur, quel âge avez-vous ?

Profonde respiration.

— J'ai quarante-neuf ans.

Javier vient plus près de lui, et le regarde attentivement ; il sent la cigarette et la vanille, comme la grand-mère de Mineur.

— Comme c'est drôle ; j'ai quarante-neuf ans moi aussi.

— Non ! dit Mineur, vraiment stupéfait. (Il n'y a pas une ride sur le visage de Javier.) Je pensais que vous aviez plus ou moins trente-cinq ans.

— Ça, c'est un mensonge. Mais c'est un mensonge charmant. Et vous, vous ne paraissez pas du tout approcher de la cinquantaine.

Mineur sourit :

— Mon anniversaire est dans une semaine.

— C'est étrange, non, d'avoir presque cinquante ans ? Il me semble que je viens seulement de comprendre comment être jeune.

— Exactement ! C'est comme la dernière journée dans un pays étranger. On sait enfin où prendre un café, boire un verre, manger un bon steak… Et puis on doit partir. Et on ne reviendra jamais.

— Vous en parlez très bien.

— Je suis écrivain. Je parle très bien des choses. Mais on m'a dit que j'étais « folle ».

— Pardon ?

— Ridicule. Au cœur tendre.

Javier semble ravi :

— C'est une jolie expression, *au cœur tendre*. Au cœur tendre… (Il prend une profonde inspiration, comme s'il voulait se donner du courage :) Moi aussi, je pense, je suis comme vous.

En disant cela, Javier a une expression de tristesse sur le visage. Puis il fixe son regard sur son verre. Par la fenêtre, on voit le ciel baisser ses derniers voiles vaporeux, et révéler la nudité éclatante de Vénus. Mineur observe les mèches grises dans la chevelure noire de Javier, l'arête rose et saillante de son nez, sa tête penchée sur sa chemise blanche, dont deux boutons sont ouverts et révèlent sa peau couleur de datte, parsemée de poils et menant vers des zones plus sombres. Beaucoup de ces poils sont blancs. Mineur imagine Javier nu. Les yeux vert doré qui le regardent attentivement, depuis la blancheur d'un lit. Il s'imagine en train de toucher cette peau tiède. Cette soirée est inattendue. Cet homme est inattendu. Mineur pense au jour où, dans une brocante, il a acheté un portefeuille et y a trouvé cent dollars.

— J'ai envie d'une cigarette, dit Javier, avec la mine confuse d'un enfant.

— Je vous accompagne, dit Mineur.

Et ils franchissent ensemble la porte-fenêtre ouverte, pour se retrouver sur un balcon étroit, où d'autres fumeurs, européens, jettent un regard sur cet Américain, comme s'il était membre de la police secrète. À l'angle de l'immeuble, le balcon tourne pour offrir une vue sur des toits de zinc inclinés et des conduits de cheminées. Là, ils sont seuls, et Javier sort un paquet sur lequel il exerce une pression pour en faire sortir deux petites défenses. Mineur secoue la tête :

— En fait, je ne fume pas.

Ils se mettent à rire.

Javier dit :

— Je crois que je suis un peu ivre, Arthur.

— Moi aussi, je crois bien.

Mineur arbore désormais son plus large sourire, seul ici avec Javier. Est-ce le champagne qui lui fait pousser un soupir perceptible ? Ils se trouvent côte à côte contre la balustrade. Les cheminées ressemblent toutes à des pots de fleurs.

Javier regarde la vue et dit :

— Il y a quelque chose d'étrange dans le fait de vieillir.

— Et quoi donc ?

— Je retrouve des amis, et ils sont chauves, ou bien grisonnants. Et je ne sais pas de quelle couleur étaient leurs cheveux.

— Je n'ai jamais réfléchi à ça.

Maintenant, Javier se tourne vers Mineur ; il est probablement du genre à se retourner pour vous regarder tout en conduisant :

— J'ai un ami, que je connais depuis cinq ans ; il approche peut-être de la soixantaine. Et je lui ai un jour posé la question. J'ai été tellement étonné de découvrir qu'il était roux !

Mineur acquiesce de la tête :

— J'étais dans la rue, l'autre jour. À New York. Un vieil homme est venu vers moi et m'a pris dans ses bras. Je n'avais aucune idée de qui c'était… et c'était l'un de mes anciens amants.

— *Dios mío*, dit Javier en avalant une gorgée de champagne.

Mineur sent son bras contre celui de Javier et, même à travers les couches de tissu, sa peau semble revivre. Il meurt d'envie de toucher cet homme.

Javier ajoute :

— J'étais à un dîner, l'autre jour, et un vieil homme était à côté de moi. Tellement barbant ! Il parlait immobilier. Je me suis dit : *Mon Dieu, s'il vous plaît, faites que je ne devienne pas comme ça en vieillissant.* J'ai découvert plus tard qu'il avait un an de moins que moi.

Mineur pose son verre et, s'armant de courage, remet sa main sur celle de Javier. Javier se tourne pour lui faire face.

— Et aussi, ajoute Mineur sur un ton qui en dit long, qu'il était le seul célibataire de votre âge.

Javier ne dit rien, mais se contente de sourire tristement.

Mineur cligne des yeux, ôte sa main et s'éloigne d'un pas de la balustrade. Maintenant, dans le nouvel espace entre lui et l'Espagnol, on distingue la miraculeuse construction en Meccano de la tour Eiffel. Il demande :

— Vous n'êtes pas célibataire, n'est-ce pas ?

De la fumée sort de la bouche de Javier, en même temps qu'il secoue la tête doucement :

— Nous sommes ensemble depuis dix-huit ans. Il est à Madrid, je suis ici.

— Mariés.

Javier attend un long moment avant de répondre :

— Oui, mariés.

— Donc, vous voyez, j'avais raison.

— De dire que vous êtes le seul célibataire ?

Mineur ferme les yeux :

— Que je suis ridicule.

À l'intérieur, un piano se fait entendre ; le fils s'est mis à jouer, et quelle que soit sa gueule de bois, cela ne s'entend pas dans la brillante guirlande de notes qui sortent par la fenêtre sur le balcon. Tous les autres fumeurs se retournent, et vont voir et écouter celui qui joue. Le ciel n'est plus maintenant que nuit profonde.

— Non, non, vous n'êtes pas ridicule. (Javier pose la main sur la manche du blouson grotesque de Mineur.) J'aimerais être célibataire.

Mineur sourit amèrement à ce conditionnel, mais ne déplace pas son bras.

— Je suis sûr que non. Sinon, ce serait le cas.

— Ce n'est pas si simple, Arthur.

Mineur marque une pause.

— Mais c'est bien dommage.

Javier remonte sa main jusqu'au coude de Mineur :

— Oui, c'est vraiment dommage. Quand partez-vous ?

Il consulte sa montre :

— Je pars pour l'aéroport dans une heure.

— Ah… (Une soudaine lueur de peine dans ces yeux vert doré.) Je ne vais sûrement pas vous revoir, n'est-ce pas ?

Il a dû être mince dans sa jeunesse, avec de longs cheveux noirs aux reflets bleus selon la lumière, comme dans les vieilles bandes dessinées. Il a dû nager en mer, en slip de bain orange, et tomber amoureux de l'homme qui lui souriait depuis le rivage. Il a dû aller d'une histoire ratée à une autre, jusqu'à ce qu'il rencontre, dans un musée, un homme fiable, de cinq ans plus âgé seulement, commençant déjà à se dégarnir, avec un peu de ventre, mais d'un caractère accommodant, qui garantissait d'échapper à une peine de cœur, là-bas à Madrid, cette ville-palais qui miroite dans la chaleur. Il s'est sûrement passé une dizaine d'années ou plus avant qu'ils se marient. Combien de dîners tardifs faits de jambon et d'anchois au vinaigre ? Combien de querelles au-dessus du tiroir à chaussettes – les bleues mêlées aux noires – avant de se décider enfin à avoir des tiroirs séparés ? Des couettes séparées aussi, comme en Allemagne ? Des marques de café et de thé différentes ? Des vacances chacun de son côté : son mari en Grèce (complètement chauve, mais surveillant son ventre), et lui à Mexico ? Seul sur une plage, de nouveau, en slip de bain orange, mais plus aussi mince. Des ordures s'accumulant le long du rivage, provenant des bateaux de croisière, et la vue donnant sur les lumières dansantes de Cuba. Il doit se sentir seul depuis un long moment pour se tenir là, devant Arthur Mineur, et poser une telle question. Sur un toit de Paris, en complet noir et chemise blanche. N'importe quel narrateur serait jaloux de cet amour possible, de cette nuit possible.

Mineur se tient là, dans son blouson de cuir fourré, devant la ville plongée dans la nuit. Avec son expression triste, aux trois quarts tourné vers Javier, avec son tee-shirt gris, son écharpe rayée, ses yeux bleus et sa barbe couleur cuivre, il ne se ressemble pas. Il ressemble à Van Gogh.

Un vol d'étourneaux passe dans le ciel derrière lui, en direction de l'église.

— Nous sommes trop vieux pour penser que nous allons nous rencontrer de nouveau, dit Mineur.

Javier pose sa main sur la taille de Mineur et s'avance vers lui.

Cigarettes et vanille.

« Les passagers pour Marrakech… »

Arthur est assis comme d'habitude, à la Mineur – jambes croisées, un pied libre qui remue – et, comme d'habitude, ses longues jambes se trouvent sur le trajet des passagers, l'un après l'autre, avec leurs valises roulantes si énormes que Mineur a du mal à imaginer ce qu'ils emportent au Maroc. Il y a tellement de monde qu'il doit décroiser les jambes et se redresser. Il porte toujours ses vêtements parisiens neufs, son pantalon de lin, informe d'avoir été porté toute une journée, et son blouson chaud à en suffoquer. Il est fatigué et encore un peu ivre après sa soirée, et son visage est embrasé par l'alcool, le doute et l'excitation. Cependant, il a réussi à envoyer son formulaire de détaxe, et il arbore de ce fait – étant passé près de son ennemie jurée : la Dame des Taxes – le sourire satisfait d'un criminel qui a réussi son dernier braquage. Javier a en effet promis de le poster dans la matinée ; il se trouve pour le moment dans la poche intérieure de sa veste noire serrée, contre sa poitrine ferme d'Espagnol. Si bien que tout ça, ce n'était pas inutile. N'est-ce pas ?

Il ferme les yeux. Dans sa « lointaine jeunesse », il a souvent calmé son esprit anxieux avec des images de couvertures de livres, de photographies d'auteurs, de coupures de journaux. Ces choses-là, il peut, à cet instant, se les remettre à l'esprit ; elles ne le réconfortent nullement. Au lieu de cela, son cerveau déclenche une planche contact de clichés photographiques identiques : Javier qui le pousse vers le mur de pierre et qui l'embrasse.

« Ce vol est surbooké. Nous cherchons des volontaires… »

Encore un surbooking. Mais Arthur Mineur n'entend pas la voix, ou alors il ne peut envisager un second sursis à l'exécution, une seconde journée de possibles avant de devenir cinquantenaire. Peut-être est-ce vraiment trop. Ou bien plutôt à peine suffisant.

Le morceau au piano se termine, et les invités se mettent à applaudir. De l'autre côté des toits parvient l'écho des applaudissements, ou bien celui d'une autre soirée. Un triangle de lumière ambrée s'empare de l'un des yeux de Javier et le fait briller comme du verre. Et tout ce qui traverse l'esprit de Mineur, c'est cette simple pensée : *Demande-le-moi.* L'homme marié sourit, caresse la barbe rousse de Mineur – *Demande-le-moi* – et l'embrasse pendant une demi-heure peut-être : voilà encore un homme qui a succombé au charme magique du baiser de Mineur ; il le pousse contre le mur, ouvre la fermeture éclair de son blouson, le caresse passionnément, lui murmure des choses merveilleuses, mais pas les mots qui changeraient tout – car il est encore possible de tout changer. Jusqu'à ce que Mineur lui dise enfin qu'il est temps qu'il y aille. Javier acquiesce de la tête, retourne avec lui dans la pièce aux rayures vertes, se tient près de lui pendant qu'il dit, dans son horrible français, au revoir à l'hôtesse et aux autres suspects de meurtres – *Demande-le-moi* –, le conduit jusqu'à la porte d'entrée, descend avec lui l'escalier jusque dans la rue, toute d'aquarelles bleues rendues floues par la bruine, avec les porches de pierre sculptée et les rues de satin mouillé – *Demande-le-moi* – ; et le pauvre Espagnol lui offre son propre parapluie (qu'il refuse), avant de sourire tristement : « Je suis désolé de te voir partir », et de lui faire un signe d'adieu.

Demande-le-moi, et je resterai.

Mineur reçoit un appel sur son téléphone, mais il n'a pas la tête à ça. Déjà monté dans l'avion, il fait un signe de tête au steward blond au nez aquilin, qui le salue, comme toujours, non pas dans la langue du passager, du steward, ou de l'aéroport, mais dans celle de la compagnie aérienne : *Buona Sera*, car c'est un vol italien ; se heurtant partout, il se fraie un chemin maladroit dans l'allée ; il aide une toute petite femme à hisser son énorme bagage, et puis trouve sa place favorite : dans l'angle le plus à l'arrière, le plus à droite. Pas d'enfants pour vous donner des coups de pied par-derrière. Oreiller de prison, couverture de prison. Il ôte ses souliers français trop serrés et les glisse sous le siège. Par le hublot : Charles-de-Gaulle la nuit, des feux follets et des hommes agitant des bâtons lumineux. Il baisse le store, puis ferme les yeux. Il entend son voisin s'asseoir brutalement et parler italien, et il le comprend presque. Bref souvenir d'une piscine où il a nagé dans un hôtel avec golf. Bref souvenir factice du Dr Eur. Bref souvenir réel de toits et de vanille.

« … la bienvenue sur notre vol de Paris à Marrakech… »

Les cheminées ressemblaient toutes à des pots de fleurs.

Il y a un second appel, cette fois d'un numéro inconnu, mais nous ne saurons jamais de quoi il retourne, car on ne laisse pas de message, et puis le destinataire est déjà plongé dans le sommeil paisible du décollage, audessus du continent européen, à sept jours seulement de ses cinquante ans ; c'est enfin maintenant qu'il se rend au Maroc.

MAROCAIN EN MINEUR

Qu'est-ce qu'une chamelle peut bien apprécier ? Eh bien, je dirais volontiers : absolument rien. Ni le sable qui l'écorche, ni le soleil qui la brûle, ni l'eau qu'elle boit comme un abstinent qui a dû renoncer à l'alcool. Ni s'accroupir en battant des cils comme une starlette, ni se relever en râlant, furieuse et indignée, maîtrisant tant bien que mal ses membres d'adolescente. Elle n'aime ni les chameaux, ses semblables, à qui elle témoigne le dédain d'une héritière forcée de voyager en classe économique, ni les humains, qui ont fait d'elle une esclave. Ni la monotonie de l'océan des dunes. Ni l'herbe insipide qu'elle mâchonne, mâchonne, encore et encore, dans une lutte renfrognée pour la digérer. Ni le jour infernal. Ni la nuit paradisiaque. Ni le coucher du soleil, ni son lever. Ni le soleil, ni la lune, ni les étoiles. Et sûrement pas ce lourd Américain, en surpoids de quelques petits kilos mais pas mal pour son âge, plus grand que la moyenne et au torse développé, qui tangue d'un côté à l'autre, tandis que notre animal le transporte, cet humain, cet Arthur Mineur, sans but aucun, à travers le Sahara.

Devant elle : Mohammed, un homme vêtu d'une longue djellaba blanche et coiffé d'un chèche bleu noué autour du crâne, qui la guide au moyen d'une corde. Derrière elle : les huit autres chameaux de sa caravane ; neuf personnes se sont en effet engagées à voyager jusqu'à ce campement, même s'il n'y a que quatre bêtes chargées de passagers. On a perdu cinq personnes depuis Marrakech. Et bientôt on va en perdre une autre.

Et sur notre chamelle, là-haut : Arthur Mineur, coiffé de son propre chèche bleu, qui admire les dunes, les diablotins de vent qui dansent sur chaque crête, la couleur turquoise et or du soleil couchant, et qui se dit qu'au moins il ne sera pas seul pour son anniversaire.

Quelques jours plus tôt, à son réveil après le vol en provenance de Paris, Arthur Mineur, les yeux à moitié fermés, s'est retrouvé sur le continent africain. Le corps encore frissonnant des effets du champagne, des caresses de Javier, mais aussi d'un siège côté hublot plutôt inconfortable, il titube le long du tarmac sous un ciel nocturne indigo, pour se placer dans la longue file d'attente, à peine imaginable, du contrôle des passeports. Les Français, si fiers de se sentir chez eux en posant le pied sur le sol de leur ancienne colonie, ont semble-t-il instantanément perdu l'esprit ; un peu comme cette folie qui nous reprend quand on revoit un ancien amour qu'on a blessé : faisant fi de la queue, ils retirent les cordons des piquets soigneusement placés et se transforment en foules chargeant sur Marrakech. Les fonctionnaires marocains, en rouge et vert, comme des olives de cocktail, restent calmes ; on examine les passeports, puis on les tamponne ; Mineur se dit que cela doit se passer ainsi toute la journée, et tous les jours. Il se retrouve à crier

« Madame ! Madame ! » à une Française qui joue des coudes afin de se frayer un chemin dans la foule. Elle fait la moue en haussant les épaules : *« C'est la vie* ! »* et continue son chemin.

Y a-t-il une invasion dont il n'a pas entendu parler ? Est-ce le dernier avion à quitter la France ? Et si c'est le cas, où est Ingrid Bergman ?

Dans ces conditions, il a largement assez de temps, alors qu'il piétine dans cette foule (où il domine toujours par la taille, même dans cette file d'Européens), pour être saisi d'angoisse.

Il aurait pu rester à Paris, ou du moins accepter un nouveau délai (et six cents euros) ; il aurait pu laisser tomber cette aventure absurde pour une autre, plus absurde encore. *Arthur Mineur était censé aller au Maroc, mais il a rencontré un Espagnol à Paris, et depuis, personne n'en a plus entendu parler !* Rumeur dont Freddy aurait eu vent. Mais, quoi que l'on puisse dire de lui, Arthur Mineur est homme à poursuivre son projet. Et donc, c'est ici qu'il se trouve. Et au moins ne sera-t-il pas seul.

— Arthur ! Tu t'es laissé pousser la barbe !

Son vieil ami Lewis est là, à la sortie de la douane, joyeux comme toujours. Les cheveux vieil argent, longs sur les oreilles, et le menton hérissé de poils blancs, le visage rond, une tenue soignée de lin et de coton gris, de la couperose qui s'étend en delta fertile sur le nez : autant de signes qui montrent que, à près de soixante ans, Lewis Delacroix se trouve à quelques foulées devant Arthur Mineur.

Mineur sourit d'un air circonspect, et se tâte la barbe :

— J'ai… j'ai pensé que j'avais besoin d'un changement.

Lewis s'écarte un peu de lui pour l'examiner :

— C'est sexy. Viens, je t'emmène dans un endroit climatisé. Il y a en ce moment une vague de chaleur, et ces dernières nuits à Marrakech ont elles-mêmes été un enfer. Désolé que ton vol ait été retardé ; quel cauchemar d'attendre toute une journée ! En quatorze heures passées à Paris, es-tu parvenu à tomber amoureux ?

Mineur, interloqué, dit qu'il a fait signe à Alexander. Il parle de la soirée parisienne, et du fait qu'Alex ne s'y est pas montré. Il ne mentionne pas Javier.

Lewis se tourne vers lui et lui demande :

— Tu veux qu'on parle de Freddy ? Ou bien tu ne veux pas en parler ?

— Ne pas en parler.

Son ami hoche la tête. Lewis : il l'a rencontré pour la première fois après la fac quand ils ont entrepris ensemble ce long voyage sur les routes ; il lui a proposé son modeste appartement sur Valencia Street, au-dessus de la librairie communiste, et l'a initié à l'acide et à la musique électronique. Ce beau Lewis Delacroix, qui semblait si adulte, si sûr de lui ; il avait alors trente ans. À l'époque : une génération d'écart ; aujourd'hui, ils sont pratiquement contemporains. Mais Lewis a toujours paru tellement plus stable ; avec le même homme depuis vingt ans, c'est le modèle même de la réussite en amour. Et fascinant, avec ça : ce voyage, par exemple, est exactement le genre de luxe qui fournissait l'occasion à Lewis de vivre puis de raconter des histoires passionnantes. C'est un voyage d'anniversaire – mais pas en l'honneur d'Arthur Mineur. En l'honneur d'une certaine Zohra, qui va également avoir cinquante ans, et que Mineur n'a jamais rencontrée.

— Je proposerais bien d'aller dormir un peu, dit Lewis au moment où ils trouvent un taxi. Mais à l'hôtel, tout le monde est réveillé. Ils n'arrêtent pas de boire depuis midi. Et qui sait ce qu'ils font d'autre ? C'est la faute de Zohra ; bon, tu vas la rencontrer.

L'actrice est la première à quitter l'aventure. Peut-être à cause du vin marocain, si clair, qu'on verse verre après verre au dîner (sur le toit d'une maison louée, un riad avec vue sur cette main d'écolier levée qu'est le minaret de la mosquée de la Koutoubia) ; ou peut-être à cause du gin tonic qu'elle demande après le repas, quand elle enlève ses vêtements (les deux employés du riad, qui s'appellent tous deux Mustapha, ne pipent mot) et qu'elle se glisse dans le bassin du patio, où les tortues fixent sa chair pâle en regrettant de ne plus être des dinosaures, l'eau ondulant sous l'effet de son dos crawlé, tandis que les autres continuent à se présenter les uns aux autres (Mineur est là, quelque part, luttant avec une bouteille de vin coincée entre ses cuisses) ; ou peut-être à cause de la tequila, qu'elle découvre plus tard, une fois que le gin vient à manquer, quand quelqu'un a trouvé une guitare, et quelqu'un d'autre une flûte locale stridente et qu'elle se met à improviser une danse avec une lanterne sur la tête, avant que quelqu'un vienne la sortir du bassin. Ou peut-être à cause du whisky qu'on a fait passer plus tard à tout le monde ; ou à cause du haschich, ou bien des cigarettes ; ou encore des trois coups sourds de la voisine du riad, une princesse, qui leur fait comprendre qu'on ne fait pas tant de bruit si tard à Marrakech – mais qu'en saurons-nous jamais ? Tout ce qu'on sait, c'est que le matin suivant, elle est incapable de quitter son lit. Nue, elle demande à boire, et quand on lui apporte de l'eau, elle jette le verre et lance : « C'est de la vodka que je veux ! » Et parce qu'elle ne veut pas bouger, que leur randonnée au Sahara démarre à midi, que ses deux derniers films étaient d'un goût douteux, et parce que personne ne la connaît, sauf la fille dont c'est l'anniversaire, c'est aux soins des deux Mustapha qu'on l'abandonne.

— Est-ce que ça ira pour elle ? demande Mineur à Lewis.

— Je suis très étonné qu'elle ne supporte pas l'alcool. Je croyais que les acteurs étaient faits d'acier, dit Lewis en se tournant vers lui, ses énormes lunettes de soleil sur le nez – qui lui donnent l'air d'un primate nocturne. Ils sont assis tous deux dans un petit bus ; une énorme vague de chaleur fait luire le monde extérieur comme un wok. Les passagers restants s'appuient, avec lassitude, contre les vitres.

— S'il vous plaît, vous tous ! leur dit le guide au micro ; c'est Mohammed, leur guide marocain, en jean et polo rouge. Nous traversons maintenant les monts de l'Atlas. Ils ressemblent, comme nous disons, à des serpents. Ce soir, nous arriverons à… (un nom brouillé par le micro), où nous passerons la nuit. Demain, c'est la vallée des palmiers.

— Je croyais que demain, c'était le désert, fait entendre un accent britannique que Mineur reconnaît : la veille, ce génie de la technologie a raconté qu'il avait pris sa retraite à quarante ans, et qu'il tenait maintenant une boîte de nuit à Shanghai.

— Ah oui, je promets le désert ! (Mohammed est petit, il a de longs cheveux bouclés, et probablement la quarantaine. Son sourire est vif, mais son anglais est lent.) Je suis désolé pour la surprise désagréable de la chaleur.

De l'arrière du bus monte une voix de femme, une Coréenne – c'est la violoniste :

— On peut augmenter la ventilation ?

Quelques mots en arabe, et les ventilateurs se mettent à envoyer de l'air chaud à l'intérieur du bus.

— Mon ami disait que c'était maximum, sourit Mohammed. Mais maintenant nous savons que ce n'était pas maximum.

L'air ne les rafraîchit pas du tout. En quittant Marrakech, ils voient sur le bord de la route des groupes d'écoliers qui rentrent chez eux pour déjeuner ; ils se servent de leurs chemises ou de leurs livres comme boucliers pour se protéger du soleil impitoyable. Des kilomètres de murs en briques d'adobe et, de temps à autre, l'oasis d'un café, d'où les hommes observent le bus qui passe. Là, voici une pizzeria. Et là, une station-service toujours en construction : AFRIQUA. Quelqu'un a attaché un âne à un poteau téléphonique au milieu de nulle part, et l'a laissé ici. Le chauffeur met de la musique : bourdonnement quasi envoûtant des Gnaouas. Lewis semble s'être endormi mais avec les lunettes qu'il porte, Mineur ne peut en être sûr.

Tahiti.

« J'ai toujours voulu aller à Tahiti », lui a dit un jour Freddy, lors d'un après-midi avec ses jeunes amis sur un toit-terrasse. Quelques autres, des hommes plus âgés, pimentaient l'assemblée en s'épiant mutuellement comme des prédateurs rivaux ; Mineur ne savait comment leur signaler que, dans cette foule de gazelles, il était végétarien. *Mon dernier compagnon*, aurait-il voulu leur dire, *a maintenant la soixantaine*. Est-ce qu'il y avait quelqu'un, parmi eux, qui comme lui préférait les hommes d'âge mûr ? Il ne devait jamais le savoir ; ils l'évitaient, comme repoussés par une force magnétique. En fait, à ces réunions, Freddy flottait, en quelque sorte, avec une expression lasse, et ils passaient les dernières heures à bavarder seuls tous les deux. Et cette fois-là, peut-être était-ce la tequila, ou le coucher de soleil, Freddy avait mis Tahiti sur le tapis.

— Ça semble sympa, avait dit Mineur. Mais à mon avis ça ressemble trop à un séjour dans un *resort*, où l'on ne rencontrerait jamais les gens du pays. C'est en Inde que je veux aller.

Freddy avait haussé les épaules.

— Ah, ça, c'est sûr, tu en rencontrerais des indigènes, en Inde. J'ai entendu dire que c'est tout ce qu'il y a. Mais tu te souviens, quand nous étions à Paris ? Le musée d'Orsay ? Ah non, c'est vrai, tu étais malade. Bref. Il y avait une salle consacrée aux sculptures de Gauguin. Et l'une était intitulée : *Soyez mystérieux*. Et l'autre : *Soyez amoureux, vous serez heureux*. En français, bien sûr. Ces sculptures m'ont ému, vraiment, davantage que les peintures. Et pour sa maison à Tahiti, il a fait les mêmes sculptures. Je sais que je suis un peu bizarre : je devrais vouloir y aller pour les plages. Mais je veux voir sa maison.

Mineur était sur le point de dire quelque chose ; mais juste à ce moment-là, le soleil, caché derrière Buena Vista, sublimait un banc de brouillard, et Freddy se dirigea droit vers la balustrade pour l'admirer. Ils n'avaient plus jamais reparlé de Tahiti, si bien que Mineur n'y avait plus repensé. Mais Freddy, à l'évidence, si.

Parce que c'est là-bas qu'il doit se trouver, maintenant. Pour son voyage de noces avec Tom.

Soyez amoureux, vous serez heureux.

Tahiti.

Il ne se passe pas longtemps avant qu'on perde encore d'autres participants au voyage. Le bus poursuit sa route vers Aït Ben Haddou (avec un arrêt repas à un relais routier au carrelage hallucinogène) : et là, on les fait sortir du bus. Devant Mineur, un couple, tous deux reporters de guerre ; la veille au soir, ils l'avaient régalé avec des histoires sur Beyrouth dans les années 1980, comme celle du bar où un cacatoès savait imiter le bruit des bombes sur le point de tomber. Parmi les voyageurs, se trouve une Française, chic, cheveux blancs au carré, pantalon de coton éclatant, et avec elle un grand Allemand moustachu en veste de photojournaliste ; ils sont arrivés d'Afghanistan pour s'amuser, fumer sans arrêt, et apprendre un nouveau dialecte arabe. Le monde semble leur appartenir ; rien ne peut les décontenancer. Zohra, la fille dont c'est l'anniversaire, vient marcher à ses côtés :

— Arthur, je suis si heureuse que vous soyez venu.

Pas très grande, mais incontestablement charmante, elle porte une robe à manches longues, jaune, qui découvre ses jambes ; et elle possède une beauté unique : le nez allongé et les yeux brillants vraiment immenses d'une madone byzantine. Chacun de ses mouvements – toucher le dos d'un siège, dégager les mèches de son visage, sourire à l'un de ses amis – est plein de détermination, et son regard direct et perspicace. Il serait impossible de situer son accent : britannique ? mauricien ? basque ? hongrois ? Si ce n'est que Mineur sait déjà, grâce à Lewis, qu'elle est née ici même, au Maroc, pays qu'elle a quitté enfant pour l'Angleterre. C'est la première fois qu'elle revient sur sa terre natale depuis dix ans. Mineur l'a observée avec ses amis : elle est toujours en train de rire, toujours souriante ; mais il perçoit, quand elle s'éloigne, l'ombre d'une profonde tristesse. Flamboyante, intelligente, combative, d'une franchise revigorante, et encline aux grossièretés, Zohra semble être le genre de femme à tenir un réseau d'espionnage international. Pour ce qu'en sait Mineur, c'est exactement ce qu'elle fait.

Et, plus que tout cela, elle n'a en aucun cas l'apparence d'une femme de cinquante ans, ni même de quarante. On ne croirait jamais qu'elle boit comme un matelot, qu'elle jure tout autant, ni qu'elle fume une cigarette mentholée après l'autre. À coup sûr, elle paraît plus jeune que notre Arthur Mineur, ridé et las, vieux et fauché, et en manque d'amour.

Zohra le fixe de ses yeux éclatants :

— Vous savez, je suis très fan de vos livres.

— Oh ! dit-il.

Ils marchent le long d'un muret de vieilles briques et, plus bas, se dressent une série de maisons blanchies à la chaux, au bord d'une rivière.

— J'ai vraiment adoré *Kalipso*. Vraiment, mais vraiment adoré. Espèce de salaud, vous m'avez fait pleurer à la fin.

— Je crois que je suis content d'entendre ça.

— C'était si triste, Arthur. Si triste, putain. Et votre prochain porte sur quoi ?

Elle rejette par-dessus son épaule ses cheveux qui retombent en une longue ligne fluide.

Il s'aperçoit qu'il serre les dents. Plus bas, deux garçons à cheval avancent lentement vers les hauts-fonds de la rivière.

Zohra fronce les sourcils :

— Je vous fais flipper. Je n'aurais pas dû poser la question. Ce ne sont pas mes affaires, merde.

— Non, non, dit Arthur. Ça va. J'ai écrit un nouveau roman, et mon éditeur le déteste.

— Qu'est-ce que vous voulez dire ?

— Eh bien, ils l'ont rejeté. Refus de le publier. Je me souviens, lorsque j'ai vendu mon premier livre, que le patron de la maison d'édition m'avait fait asseoir dans son bureau, et m'avait débité un long discours : il savait qu'ils ne payaient pas beaucoup, mais qu'ils étaient une famille, et que j'en faisais désormais partie, qu'ils investissaient sur moi pas seulement pour ce livre mais pour ma carrière tout entière. C'était il y a seulement quinze ans. Et vlan !! Je suis banni. Super famille.

— Ça me rappelle la mienne. Et votre nouveau roman portait sur quoi ?

Remarquant l'expression de Mineur, elle ajoute rapidement :

— Arthur, j'espère que vous savez que vous pouvez me dire d'aller me faire voir.

Mineur a une règle : ne jamais donner de détails sur ses livres tant qu'ils ne sont pas publiés. Les gens se soucient tellement peu de leurs réactions ; et même une simple expression de scepticisme peut faire ressentir la même chose que lorsque quelqu'un dit, à propos de votre nouvel amour : « Ne me dis pas que c'est vraiment avec lui que tu sors ? » Mais, sans vraiment en connaître la raison, il a confiance en elle.

— C'était… commence-t-il en trébuchant sur une grosse pierre du chemin, et puis, reprenant : c'était l'histoire d'un homosexuel plus très jeune, qui déambulait dans San Francisco. Et puis, vous savez, ses… ses chagrins…

Le visage de Zohra se referme, avec une expression dubitative, et Mineur sent qu'il se perd dans son histoire. Depuis les premiers rangs du groupe, on entend les journalistes crier en arabe.

Zohra demande :

— Est-ce qu'il s'agit d'un homme blanc, d'âge mûr ?

— Oui.

— Un Américain blanc d'âge mûr, qui déambule avec ses chagrins d'Américain blanc d'âge mûr ?

— Mon Dieu, je crois bien.

— Arthur. Désolée de vous dire ça. C'est un peu difficile de ressentir de l'empathie pour un type comme ça.

— Même homo ?

— Même homo.

— Allez vous faire voir.

Il ne savait pas qu'il allait dire ça.

Elle s'arrête de marcher, pointe un doigt sur la poitrine de Mineur, et lui fait un large sourire :

— Un bon point pour vous, dit-elle.

Et c'est alors qu'il remarque devant eux, sur une colline, un château crénelé. Il semble fait de boue séchée au soleil. Cela semble irréel. Pourquoi ne s'est-il pas attendu à ça ? Pourquoi ne s'est-il pas attendu à voir Jéricho ?

— Ça, annonce Mohammed, c'est l'ancienne cité entourée de remparts de la tribu des Haddou. *Aït* veut dire que c'est une tribu berbère, *Ben* veut dire « issu de », et *Haddou* est le nom de famille. Et donc, Aït Ben Haddou. Il y a huit familles qui vivent toujours dans l'enceinte de la ville.

Pourquoi ne s'est-il pas attendu à Ninive, à Sidon, à Tyr ?

— Je suis désolé, dit le geek-propriétaire-de-night-club. Vous dites qu'il y a huit familles, ou bien des familles du nom de Aït* ?

— Des familles du nom de Aït.

— Le chiffre huit ?

— Jadis, c'était un village, mais maintenant il ne reste que quelques familles. Huit, en effet.

Babylon ? Ur ?

— Encore une chose. Le chiffre huit ? Ou bien le nom Aït ?

— Oui, les familles Aït. Aït Ben Haddou.

C'est à ce moment-là précisément que la femme reporter de guerre se penche par-dessus le vieux mur, et se met à vomir. Oublié, le miracle qui se trouve devant eux ; son mari accourt, et maintient en arrière ses beaux cheveux. Le soleil couchant couvre d'ombres bleues le décor de briques d'adobe, et Mineur revoit la palette de couleurs de la maison de son enfance, quand sa mère se passionnait pour le Sud-Ouest. De l'autre côté de la

* Jeu de mots sur : *Eight* (huit) et Aït.

rivière, parvient un cri qui résonne comme une sirène de raid aérien : l'appel pour la prière du soir. Le château, ou *ksar*, Aït Ben Haddou s'élève, impassible, devant eux. Le mari de la reporter de guerre tente d'abord un échange furieux en allemand avec le guide, puis en arabe avec le chauffeur, suivi de mots en français, et termine par une tirade incompréhensible, qu'il adresse aux dieux seuls. Sa maîtrise des sorts, malédictions et jurons en anglais reste encore à prouver. Sa femme se tient la tête et tente de se tenir debout, mais s'évanouit dans les bras du chauffeur, et on les dirige tous rapidement vers le bus.

— C'est une migraine, murmure Lewis à Mineur. L'alcool, l'altitude. Je parie qu'elle a son compte.

Mineur lance un dernier regard à l'ancien château de boue et de paille, refait presque chaque année, à mesure que la pluie érode les murs qu'on plâtre et replâtre, si bien que rien ne reste du vieux ksar, sauf le tracé initial. Quelque chose comme une créature vivante, dont ne demeure plus une seule cellule d'origine. Quelque chose comme un certain Arthur Mineur. Mais quelle intention y a-t-il derrière ça ? Est-ce qu'on va simplement, et pour toujours, continuer à rebâtir ? Ou bien est-ce que quelqu'un dira un jour : « À quoi on joue, là, merde ? Laissez-le s'écrouler et foutez le camp ! » Et ce sera la fin de Aït Ben Haddou. Mineur est sur le point de comprendre quelque chose du sens de la vie et de la mort, du sens du temps qui passe, quelque chose venu du fond des âges et de parfaitement évident – quand une voix britannique intervient :

— D'accord, désolé de revenir sur ça, mais juste pour être sûr. Encore une fois. C'est Aït ou bien…

« Prier vaut mieux que dormir », fait entendre depuis la mosquée l'appel matinal – mais voyager vaut mieux que prier : tandis que le muezzin psalmodie, ils sont déjà tous entassés dans le bus, et attendent que le guide revienne avec les reporters de guerre. Leur hôtel – un labyrinthe de pierres sombres la nuit précédente – se révèle être, au lever du soleil, un palais situé dans une vallée de palmiers luxuriants. Près de l'entrée, deux petits garçons jouent en gloussant avec un poussin qu'ils tiennent dans leurs mains. D'une couleur orange vif (soit artificielle, soit surnaturelle), le poussin pépie sans cesse, furieux, indigné, mais ils ne font qu'en rire, et montrent la créature à Arthur Mineur, chargé de bagages. Dans le bus, il s'assoit à côté de la violoniste coréenne et de son petit ami, un mannequin ; le jeune homme regarde Mineur d'un œil bleu dénué d'expression. Qu'est-ce qu'un mannequin peut bien apprécier ? Lewis et Zohra sont assis côte à côte, et s'esclaffent. Le guide revient ; les reporters de guerre sont encore en train de récupérer, rapporte-t-il, et ils les rejoindront plus tard par le chameau suivant. Le bus retentit alors d'un rire bruyant et reprend vie. Voilà qui est bon à savoir : il y a toujours un chameau suivant.

Le reste du voyage est un cauchemar à la Dramamine : une route d'ivrogne pour gravir la montagne ; à chaque tournant en épingle, le scintillement miraculeux de feux de sécurité présentés à la vente : un jeune garçon saute alors à l'approche du bus, se précipite sur le bas-côté en montrant un feu de sécurité peint en violet, pour simplement se retrouver couvert d'un nuage de poussière quand le bus continue sa route. Çà et là, une casbah aux murs d'argile réfractaire munie d'une grande porte verte en bois (la porte de l'âne explique Mohammed), à l'intérieur de laquelle une petite porte est aménagée (la porte pour les gens), mais jamais nulle trace ni d'ânes ni de gens. Seulement les flancs de montagne arides, couverts d'acacias. Les passagers dorment, ou bien regardent par la vitre en bavardant tranquillement. La violoniste et le mannequin chuchotent, avec intensité, si bien que Mineur rejoint l'arrière du bus, où il retrouve Zohra qui regarde à l'extérieur. Elle lui fait signe, et il vient s'asseoir près d'elle.

— Vous savez ce que j'ai décidé, dit-elle d'un air sévère, comme si elle avait organisé une réunion pour donner ses instructions. À propos de ce tournant de la cinquantaine. Deux choses. D'abord : que l'amour aille se faire foutre !

— Qu'est-ce que ça veut dire ?

— Ça veut dire : abandonner ce truc. Et merde ! J'ai laissé tomber la cigarette, je peux bien laisser tomber l'amour. (Il jette un regard sur le paquet de mentholées dans son sac). Eh ben quoi ? J'ai arrêté plusieurs fois ! Les histoires d'amour ? C'est risqué, à notre âge.

— Donc, Lewis vous a dit que moi aussi, je vais avoir cinquante ans ?

— Oui ! Bon anniversaire, chéri ! Nous allons passer de l'autre côté ensemble.

Elle est ravie d'apprendre que son anniversaire tombe un jour avant celui de Mineur.

— D'accord : pas d'histoire d'amour à notre âge. En fait, c'est un immense soulagement. Je pourrai écrire davantage. Et la deuxième chose, c'est quoi ?

— Elle a un rapport avec la première.

— Bon, d'accord.

— Grossir.

— Euh…

— On dit merde à l'amour et on grossit, tout simplement. Comme Lewis.

Lewis tourne la tête :

— Qui, moi ?

— Toi ! dit Zohra. Regarde comme tu es devenu énorme, bordel !

— Zohra ! dit Mineur.

Mais Lewis se contente de glousser. De ses deux mains, il caresse sa bedaine toute ronde :

— Tu sais que ça me fait bien marrer ? Je me regarde tous les matins dans la glace et je ris, je ris, mais je ris ! Moi ! Le petit Lewis Delacroix, tout maigrichon !

— Voilà, c'est ça l'idée, Arthur. Vous êtes partant ? propose Zohra.

— Mais je ne veux pas grossir, dit Mineur. Je sais que ça semble stupide et vain, mais non, je ne veux pas.

Lewis se penche plus près :

— Arthur, il va falloir que tu comprennes quelque chose. Tu vois tous ces hommes de plus de cinquante ans, ces types minces et moustachus ? Imagine tous les régimes et tout le sport et tous les efforts pour rentrer dans les costumes que tu portais quand tu avais trente ans ! Et puis après ? Tu es quand même un vieil homme desséché. Rien à foutre de ça ! Clark dit toujours qu'on peut être mince, ou bien être heureux ; et je vais te dire une chose, Arthur, la minceur, j'ai déjà donné.

Clark, son mari. Oui, Lewis et Clark, c'est leur nom. Ils trouvent encore ça à mourir de rire. À mourir de rire !

Zohra se penche vers lui, et pose la main sur son bras :

— Allons, Arthur. Faites-le. Grossissez avec nous. Le meilleur est encore à venir.

Il y a du bruit à l'avant du bus ; la violoniste parle très bas à Mohammed. Depuis l'un des sièges côté fenêtre, ils entendent maintenant les gémissements du mannequin.

— Oh non, pas encore un autre ! dit Zohra.

— Tu sais, dit Lewis, je pensais qu'il nous lâcherait plus tôt.

*

Maintenant, il n'y a donc plus que quatre chameaux chargés, qui se déplacent à travers le Sahara. On a laissé le mannequin, malade comme pas possible, en même temps que le bus, à M'Hamid, la dernière ville avant le désert. La violoniste est restée avec lui.

— Il nous rejoindra sur un autre chameau, plus tard, leur assure Mohammed, tandis qu'ils montent sur leur chameau respectif, et sont renversés comme des théières quand les créatures s'efforcent de se relever. Quatre des animaux sont chargés d'humains, et cinq non, tous en ligne, projetant des ombres sur le sable ; et, en regardant ces maudites créatures, avec leur tête de marionnette, leur corps de balle de foin et leurs petites pattes maigres, Mineur pense : *Mais regardez-les donc ! Qui pourrait croire qu'il y a un dieu ?* Dans trois jours, c'est son anniversaire ; dans deux, celui de Zohra.

— Ce n'est pas un anniversaire, crie Mineur à Lewis tandis qu'ils se balancent vers le soleil couchant. C'est un roman d'Agatha Christie !

— Parions sur celui qui va être le prochain à abandonner. Je parie sur moi. Tout de suite. Sur ce chameau.

— Je parie sur Josh. Le crack britannique de la technologie.

Lewis demande :

— Tu veux qu'on parle de Freddy maintenant ?

— Pas vraiment. J'ai entendu dire que le mariage était très réussi.

— Moi j'ai entendu dire que la veille, Freddy…

Depuis son chameau, leur parvient la voix de Zohra, qui leur crie :

— Fermez vos gueules, putain ! Profitez de ce putain de coucher de soleil, sur ces putains de chameaux, bordel de nom de Dieu !

Après tout, c'est presque un miracle qu'ils soient là. Non pas parce qu'ils ont survécu aux beuveries, au haschich, aux migraines. Pas du tout. C'est que, dans la vie, ils ont survécu à tout : aux humiliations, aux déceptions, aux peines de cœur, aux occasions manquées, aux mauvais pères, aux sales boulots, aux relations sexuelles pourries et aux drogues tout aussi pourries, tous ces pièges, toutes ces erreurs, tous ces coups durs, pour parvenir enfin à la cinquantaine, et pour parvenir jusqu'ici : dans ce paysage de sucre glace, ces montagnes d'or, avec cette petite table qu'ils peuvent maintenant voir installée sur la dune, garnie d'olives, de pitas, de verres et de vin qui rafraîchit sur de la glace – et puis face à ce soleil, qui attend leur arrivée plus patiemment que n'importe quel chameau. Donc, oui. Comme face à presque tous les couchers de soleil, mais face à celui-ci en particulier : fermez vos putains de gueules.

Le silence dure aussi longtemps qu'il faut à un chameau pour parvenir au sommet d'une dune. Lewis mentionne à voix haute que c'est aujourd'hui le jour de son vingtième anniversaire de mariage, mais que bien sûr son téléphone ne fonctionnera pas ici, et qu'il faudra donc appeler Clark lorsqu'ils arriveront à Fez.

Mohammed se retourne et annonce :

— Oh, mais il y a le wi-fi, dans le désert.

— Ah bon ? dit Lewis.

— Oui, bien sûr, partout, fait Mohammed en hochant la tête.

— Ah, d'accord.

Mohammed lève un doigt.

— Le problème, c'est le mot de passe.

Et les Bédouins de s'esclaffer d'un bout à l'autre de la caravane.

— C'est la deuxième fois que je me fais avoir, dit Lewis.

Puis il regarde Mineur, et désigne du doigt quelque chose.

Pas loin de la table, sur la dune, l'un des deux jeunes chameliers a passé son bras autour des épaules de l'autre et ils sont assis, comme cela, à observer le soleil. Les dunes prennent peu à peu les mêmes nuances de terre cuite et d'eau que celles des maisons de Marrakech. Deux garçons, se tenant par l'épaule. Pour Mineur, cela semble si étrange. Et ça l'attriste. Dans son monde, il ne voit jamais d'hétéros faire cela. Tout comme un couple homo ne peut marcher main dans la main dans les rues de Marrakech, il se dit que deux hommes, deux meilleurs amis, ne peuvent marcher main dans la main dans les rues de Chicago. Ils ne peuvent pas s'asseoir sur une dune, comme ces jeunes, et regarder un coucher de soleil, enlacés dans les bras l'un de l'autre. Un amour à la Tom Sawyer pour Huck Finn.

Le campement est un rêve. Commençons par le centre : un trou creusé pour le feu, chargé de branches noueuses d'acacia et entouré de coussins, d'où partent huit petites allées recouvertes de tapis, qui mènent à autant de simples tentes de toile ; chacune qui, vue de l'extérieur, n'est rien de plus qu'une petite tente de survie, s'ouvre sur un pays des merveilles : un lit de cuivre recouvert d'un dessus-de-lit cousu de minuscules miroirs, des tables de nuit et des lampes de chevet en métal martelé et, masqués derrière un paravent sculpté : une vasque, de pudiques petites toilettes, une coiffeuse et un miroir en pied. Mineur fait un pas en avant, et s'émerveille. Qui a lustré ce miroir ? Qui a rempli la vasque et nettoyé les toilettes ? Et d'ailleurs, qui a apporté jusqu'ici ces lits de cuivre pour des énergumènes pourris gâtés comme lui ? Qui a apporté les oreillers et les tapis ? Qui s'est dit : « Ils aimeront probablement le dessus-de-lit avec ses petits miroirs » ? Sur la table de nuit : une dizaine de livres en anglais, dont un roman de la série des Peabody, et des livres de trois auteurs américains, franchement mauvais ; on croirait qu'ils sont présents à une soirée très sélecte, où l'on va forcément tomber sur la plus banale des connaissances – ce qui va non seulement effacer cette impression d'élégance de la soirée, mais également la vôtre propre – et on dirait qu'ils vont se tourner vers Mineur et lui dire : « Ah, vous aussi, ils vous ont laissé entrer ? » Et là, parmi ces livres : le dernier Finley Dwyer. Ici, en plein Sahara, à côté de son grand lit en cuivre. Merci, la vie !

Venant du nord : un chameau blatérant pour contrarier le crépuscule.

Venant du sud : Lewis hurlant qu'il y a un scorpion dans son lit.

Venant de l'ouest : le tintement des couverts lorsque les Bédouins mettent la table pour leur dîner.

Du sud, à nouveau : Lewis s'écriant de ne pas s'en faire : c'était juste un trombone.

De l'est : le Britannique, le geek-propriétaire-de-nightclub qui dit : « Les gars ? Je ne me sens pas très bien. »

Qui reste-t-il donc ? Au dîner, seulement quatre d'entre eux : Mineur, Lewis, Zohra et Mohammed. Ils terminent le vin blanc autour du feu, et se regardent à travers les flammes ; Mohammed fume tranquillement une cigarette. Est-ce une cigarette ? Zohra se lève et déclare qu'elle va se coucher pour être belle pour son anniversaire : bonne nuit à tous ; et admirez toutes ces étoiles ! Mohammed disparaît dans l'obscurité, et seuls restent Lewis et Mineur.

— Arthur, dit Lewis en s'appuyant sur ses coussins, dans le calme du soir et les crépitements du feu, je suis content que tu sois venu.

Mineur pousse un soupir, et l'on entend son souffle dans la nuit. Au-dessus d'eux, on distingue la Voie lactée à travers un panache de fumée. Il se tourne vers son ami à la lueur du feu et lui dit :

— Joyeux anniversaire de mariage, Lewis.

— Merci. Clark et moi nous divorçons.

Mineur se redresse sur son coussin :

— *Quoi ?*

Lewis hausse les épaules :

— Nous l'avons décidé il y a quelques mois. J'attendais pour te le dire.

— Attends, attends, attends : mais de *quoi* tu parles ? Qu'est-ce qui se passe ?

— Chut, tu vas réveiller Zohra. Et l'autre… je ne sais plus comment il s'appelle.

Il se rapproche de Mineur en prenant son verre de vin :

— Eh bien, tu sais, quand j'ai rencontré Clark : dans la galerie d'art, à New York. Et que nous avons passé un certain temps à faire des allers-retours à travers le pays pour nous retrouver et que, au bout d'un moment, je lui ai demandé de déménager à San Francisco. Un soir, alors que nous nous trouvions sur les divans, dans l'arrière-salle de l'Art Bar – tu te souviens, là où l'on pouvait acheter de la coke – Clark m'a dit : « Très bien, je vais déménager à San Francisco. Je vais vivre avec toi. Mais seulement dix ans. Après dix ans, je te quitterai. »

Mineur regarde autour de lui, mais il n'y a bien sûr personne pour partager son incrédulité.

— Tu ne m'as jamais parlé de ça !

— Eh bien, c'est ce qu'il m'a dit : « Après dix ans, je te quitterai. » Et j'ai dit : « Oh, dix ans, ça nous laisse du temps ! » Et nous n'en avons jamais plus reparlé. Il ne s'est jamais inquiété de devoir quitter son boulot, ou d'abandonner l'appartement à loyer plafonné où il habitait, il ne m'a jamais cassé les pieds pour dire quelles plantes il fallait garder, ou celles dont il fallait se débarrasser. Il a simplement emménagé chez moi, et a organisé sa nouvelle vie. Comme ça, naturellement.

— Mais je n'étais pas au courant de tout ça. Je vous croyais simplement tous les deux ensemble pour toujours.

— Bien sûr, je comprends. Et honnêtement, je le croyais, moi aussi.

— Excuse-moi, je suis vraiment choqué.

— Eh bien, dix ans après, il m'a dit : « Allons faire un tour à New York. » Et nous sommes allés à New York. Franchement, j'avais complètement oublié ce pacte. Les choses allaient si bien, tu sais, nous étions très heureux ensemble, vraiment très heureux. Nous avons pris un hôtel à SoHo au-dessus d'un magasin de lampes chinoises. Et il m'a dit : « Allons à l'Art Bar. » Nous avons donc pris un taxi, nous sommes retournés dans l'arrière-salle, nous avons bu un verre, et il m'a dit : « Voilà, les dix ans sont passés, Lewis. »

— Il est comme ça, Clark ? Il a vérifié ta date de péremption ?

— Je sais, c'est un cas. Lui qui serait capable de boire n'importe quel vieux pack de lait. Mais c'est la vérité : il m'a dit que les dix ans étaient passés. Et je lui ai dit : « Merde, tu es sérieux ? Tu me quittes, Clark ? » Et il m'a dit que non. Il voulait continuer.

— Dieu merci.

— Pour dix ans de plus.

— C'est dingue, Lewis. C'est comme avec un minuteur. Comme s'il vérifiait que la cuisson était bonne. Tu aurais dû le gifler. Ou bien alors, il voulait simplement t'embêter ? Vous étiez stone, tous les deux ?

— Non, non, peut-être que tu ne t'es jamais aperçu de ce trait de sa personnalité ? Il est si bordélique, je sais, il laisse son caleçon dans la salle de bains exactement à l'endroit où il l'a enlevé. Mais tu sais, il a une autre facette : c'est quelqu'un qui a un vrai sens pratique. C'est lui qui a installé les panneaux solaires.

— Je vois Clark comme quelqu'un de si facile à vivre ! Mais ça, c'est… Ça relève de la névrose.

— Je crois qu'il dirait que c'est son sens pratique. Ou que c'est une façon de planifier les choses. Donc, bref, nous sommes à l'Art Bar, et je lui dis : « Bon, OK, je t'aime moi aussi. Commandons du champagne », et je n'y ai plus repensé.

— Et alors, dix ans plus tard…

— Il y a quelques mois. Nous étions à New York, et il m'a dit : « Allons à l'Art Bar. » Tu sais que ça a changé. Ce n'est plus du tout miteux, ni rien de ce genre ; ils ont retiré l'ancienne peinture murale de la Cène, et on ne peut même plus y acheter de coke. Dieu merci, je suppose, non ? Et donc, nous nous sommes installés au fond. Nous avons commandé du champagne. Il m'a dit : « Lewis. » Je savais ce qui allait suivre. Je lui ai dit : « Ça fait dix ans. » Et il m'a dit : « Qu'est-ce que tu en penses ? » Nous sommes restés là un long moment, à boire. Et je lui ai dit : « Mon chéri, je crois qu'il est temps. »

— Lewis. Mais enfin, Lewis…

— Et alors il m'a dit : « Je crois bien, moi aussi. » Et nous nous sommes serrés dans les bras. Là, sur les coussins, au fond de l'Art Bar.

— Est-ce que les choses n'allaient plus entre vous ? Tu ne m'as jamais rien dit.

— Non, tout allait vraiment bien.

— Mais alors, pourquoi dire : « Il est temps » ? Pourquoi renoncer ?

— Parce que, il y a quelques années, tu te rappelles que j'avais un boulot au Texas ? Au Texas, Arthur, tu te rends compte ! Mais ça payait bien, et Clark m'a dit : « Tu as tout mon soutien ; c'est important, descendons ensemble en voiture : je ne connais pas le Texas. » Et nous voilà partis ; il fallait bien quatre jours de voiture. Et chacun d'entre nous a décidé d'établir une règle pour faire la route. La mienne, c'était qu'on ne pouvait passer la nuit que dans des endroits signalés par une enseigne éclairée au néon. Et la sienne, c'était que, où que nous allions, nous devions choisir le menu du jour. S'il n'y avait pas de menu, on devait aller ailleurs. Mon Dieu, Arthur, si tu savais ce qu'il m'est arrivé de manger ! Un jour, le menu, c'était un ragoût de crabe. En plein Texas !

— Je sais, je sais, tu m'as raconté ça. Ce voyage semblait génial.

— Ça a peut-être été le plus beau trajet en voiture qu'on ait jamais fait ; on n'a pas arrêté de rire, tout le long. À chercher ces enseignes illuminées. Et puis on est arrivés au Texas, et il m'a embrassé pour me dire au revoir, il a pris un vol pour rentrer à la maison, et moi je suis resté là quatre mois. Et j'ai pensé : *Eh bien, c'était super.*

— Je ne comprends pas. On dirait bien que vous avez été heureux, tous les deux.

— Oui. Et j'étais heureux, dans ma petite maison, au Texas, le temps où j'y ai travaillé. Et je me disais : *Eh bien, c'était super. C'était un super mariage.*

— Mais tu as rompu avec lui. Quelque chose ne colle pas. Quelque chose est allé de travers.

— Non ! Non, Arthur, non, c'est tout le contraire ! Je te dis que c'est une réussite. Vingt années de joies, de soutien, d'amitié, c'est une réussite. Vingt ans de quoi que ce soit avec quelqu'un d'autre, c'est une réussite. Si un groupe musical reste ensemble pendant vingt ans, c'est un miracle. Si un duo comique reste ensemble pendant vingt ans, c'est un triomphe. Est-ce que cette nuit est un échec, parce qu'elle va se terminer dans une heure ? Est-ce que le soleil est un échec parce qu'il va disparaître dans un milliard d'années ? Non, c'est cette merveille de soleil, bordel. Pourquoi ça ne compterait pas dans le cas d'un mariage ? C'est pas dans notre nature, c'est pas fait pour les êtres humains, d'être attaché à une seule personne toute une vie. Être des frères siamois, c'est une tragédie. Vingt ans, et puis un dernier voyage euphorique en voiture. Et j'ai pensé : *Bon, c'était super. Finissons sur un succès.*

— Tu ne peux pas faire ça, Lewis. Vous êtes Lewis et Clark, putain ! Mon dernier espoir ici-bas, c'est qu'un couple d'hommes puisse durer.

— Oh, Arthur, mais ça dure, tu sais. Vingt ans, ça dure vraiment ! Et ça n'a rien à voir avec toi.

— Je pense tout simplement que c'est une erreur. Tu vas te retrouver là, tout seul, et découvrir qu'il n'y a personne qui vaille Clark. Et il va découvrir la même chose.

— Il va se marier en juin.

— Putain de merde !

— Je vais te dire la vérité. Pendant ce voyage, nous avons rencontré un beau jeune homme au Texas. Un peintre de Marfa. Nous l'avons rencontré ensemble, et ils sont restés en contact, et maintenant Clark va l'épouser. Il est adorable. Il est merveilleux.

— Tu vas aller au mariage, apparemment.

— Je vais lire un poème, au mariage.

— Tu perds la tête. Je suis navré que les choses ne se soient pas bien passées avec Clark. Ça me brise le cœur. Mais je sais que ça ne me concerne pas. Je veux votre bonheur. Mais tu te trompes ! Tu ne peux pas aller à ce mariage ! Tu ne peux pas penser que tout est génial, que tout va bien dans le meilleur des mondes ! Tu es simplement dans une phase de déni. Tu divorces de ton partenaire de vingt ans. Et ça, c'est triste. Ce n'est pas une honte d'être triste, Lewis.

— C'est vrai que les choses peuvent durer jusqu'à la mort. Et que les gens utilisent la même vieille table, même si elle est branlante et qu'elle a été réparée des tas de fois, simplement parce que c'était celle de leur grand-mère. C'est comme ça que les villes deviennent des villes fantômes. C'est comme ça que les maisons deviennent des remises à bric-à-brac. Et je pense que c'est comme ça que les gens vieillissent.

— Tu as rencontré quelqu'un ?

— Moi ? Je pense que je vais sans doute continuer tout seul. Peut-être que je suis mieux comme ça. Peut-être que j'ai toujours été mieux comme ça, mais que c'était simplement parce que, quand j'étais jeune, j'avais trop peur ; maintenant je n'ai plus peur. J'aurai toujours Clark. Je peux encore appeler Clark, toujours, et lui demander conseil.

— Même après tout ça ?

— Oui, Arthur.

Ils parlent encore un petit moment, et le ciel change au-dessus de leurs têtes jusqu'à ce qu'il soit très tard. À un moment, Lewis dit :

— Arthur, tu as entendu que Freddy s'était enfermé dans la salle de bains, la veille du mariage ?

Mais Mineur n'écoute pas ; il pense à toutes les fois où il a rendu visite à Lewis et Clark au fil des ans ; aux dîners et aux fêtes d'Halloween ; et aux nuits où il a dormi sur leur canapé parce qu'il était trop pompette pour rentrer chez lui.

— Bonne nuit, Arthur.

Lewis salue son vieil ami, et disparaît dans l'obscurité ; Mineur reste seul devant le feu qui s'éteint. Une lueur attire son regard : c'est la cigarette de Mohammed, qui va de tente en tente pour en boutonner les rabats, comme s'il bordait des enfants endormis pour les protéger de la nuit. De la tente la plus éloignée, on entend gémir dans son lit le génie de la technologie. Quelque part, un chameau se plaint, suivi de la voix d'un jeune homme qui le calme – est-ce que ces jeunes gens dorment auprès des animaux ? Est-ce qu'ils dorment sous cette canopée magnifique, ce toit majestueux, ce couvre-lit étonnamment orné de brillants : les étoiles ? Regardez, vous tous : il y a assez d'étoiles pour tout le monde ce soir, et parmi elles, brillent les satellites, ces pièces de fausse monnaie. Mineur essaie de suivre des yeux une étoile filante, mais n'y parvient pas. Et, finalement, il va se coucher. Mais il ne peut cesser de penser à ce que Lewis lui a dit. Non pas à cette histoire de dix années, mais à l'idée de vivre seul. Il se rend compte que, même après Robert, il ne s'est jamais vraiment résolu à vivre seul. Même là, durant ce voyage : d'abord Bastian, et puis Javier. Pourquoi ce besoin incessant d'un homme comme d'un miroir ? Pour y voir son reflet à lui, Arthur Mineur ? Il pleure, c'est certain, la perte de son amant, de sa carrière, de son roman, de sa jeunesse : dès lors, pourquoi ne pas couvrir les miroirs, fendre l'étoffe de son cœur, et se laisser simplement aller à son deuil ? Il devrait peut-être tenter de le faire, seul.

Il a un petit rire, tout seul, dans ces instants précédant le sommeil. Seul : impossible à imaginer. Cette vie de solitude semble aussi terrifiante, aussi peu « mineurienne » que celle d'un naufragé sur une île déserte.

La tempête de sable ne se lève qu'à l'aube.

Alors que Mineur est étendu sur son lit sans pouvoir dormir, son roman lui revient à l'esprit. *Swift*. Quel titre. Quel gâchis. Où est donc sa relectrice, quand il a besoin d'elle ? Leona Flowers : son « éditrix », comme il avait coutume de l'appeler. Échangée il y a des années, dans le tourbillon des chaises musicales de l'édition, par quelque autre maison ; Mineur n'a pas oublié la façon dont elle avait repris ses premiers romans, hérissés de prose grandiloquente, pour en faire des livres dignes de ce nom. Si brillante, si habile, si douée pour le persuader d'opérer telle ou telle coupure. « Ce paragraphe est si beau, si spécial, lui arrivait-il de dire, en appuyant sur sa poitrine ses ongles ornés d'une french manucure, que je vais le garder *pour moi toute seule* ! » Où est Leona aujourd'hui ? Au sommet de quelque tour, avec quelque nouvel écrivain favori, tentant sa réplique habituelle : « Je pense que l'absence de ce chapitre aura un véritable écho dans tout le roman. » Qu'est-ce qu'elle lui dirait ? « Plus aimable, rendez Swift plus aimable. » C'est ce que dit tout le monde ; personne ne se soucie des souffrances de ce personnage. Mais comment faire ? C'est comme si on devait se rendre soi-même plus aimable. Et à cinquante ans, songe Mineur à moitié endormi, on a épuisé toutes ses cartouches en termes d'amabilité.

*

La tempête de sable. Tant de mois d'organisation, tant de distance parcourue, tant de dépenses, et voilà où ils en sont : pris au piège à l'intérieur de leurs tentes, pendant que le vent les fouette comme un homme sa mule. Ils sont rassemblés, tous les trois (Zohra, Lewis, Mineur), dans la grande tente où l'on prend les repas, chaude comme le dos d'un chameau et tout aussi odorante, avec sa lourde porte contre le sable, en crin de cheval non lavé, à l'instar des trois visiteurs qui ne se sont pas lavés non plus. Seul Mohammed semble frais et enjoué, même s'il apprend à Mineur que la tempête l'a réveillé à l'aube et qu'il a dû courir s'abriter (car en fait il dormait à la belle étoile).

— Eh bien, annonce Lewis au moment du café et des pains plats au miel, on nous offre l'occasion d'une expérience différente de celle à laquelle on s'attendait.

Zohra accueille ces mots en brandissant un couteau à beurre ; c'est demain son anniversaire. Mais ils sont obligés de se soumettre aux caprices du sable. Ils passent le reste de la journée à boire de la bière et à jouer aux cartes, où Zohra les plume tous les deux.

— J'aurai ma revanche, menace Lewis.

Et ils vont se coucher, pour découvrir au matin que, comme un invité qui s'incruste, la tempête ne manifeste aucune intention de les lâcher. De plus, Lewis s'avère avoir été prophétique : il est, lui aussi, tombé malade. Il gît sur son lit-miroir, suant, gémissant, criant : « Tuez-moi, tuez-moi ! », tandis que le vent secoue sa tente. Mohammed paraît, emmitouflé d'indigo et de violet, plein de regrets.

— La tempête de sable ne souffle que sur ces dunes. Nous quittons le désert : elle est partie.

Il suggère de mettre Lewis et Josh dans les jeeps, et de retourner vers M'Hamid, où au moins il y a un hôtel et un bar avec une télévision, et où attendent les autres : les reporters de guerre, la violoniste, le mannequin. Zohra, dont on ne voit que le regard sous les plis de son chèche vert vif, cligne silencieusement des yeux.

— Non, finit-elle par dire, et elle se tourne vers Arthur en arrachant son voile. Non, c'est mon anniversaire, nom de Dieu ! Envoyez les autres à M'Hamid. Quant à nous, nous allons aller quelque part, Arthur ! Mohammed ? Où est-ce que vous pouvez nous conduire pour nous en foutre plein la vue ?

Pourriez-vous croire que le Maroc possède une station de ski suisse ? Parce que c'est là que Mohammed les a emmenés, les conduisant hors de la tempête de sable et à travers de profonds canyons où des hôtels sont sculptés dans le roc, et où des Allemands, faisant fi de ces hôtels, campent au bord de la rivière dans des Volkswagen combis tout cabossés ; plus loin, ce sont des villages qui, comme dans un conte populaire, paraissent uniquement peuplés de moutons ; ensuite, des chutes d'eau et des barrages, des madrasas et des mosquées, des casbahs et des ksars, et une petite ville (pour la pause déjeuner), où le sculpteur sur bois de la maison voisine reçoit la visite d'une femme toute vêtue de bleu sarcelle, qui lui emprunte des copeaux pour en saupoudrer le pas de sa porte où, semble-t-il, son chat a pissé ; des garçons sont réunis dans ce qui ressemble au premier abord à une classe d'école en plein air mais qui, plus tard (quand commencent les hourras), s'avère être un rassemblement pour regarder un match de football à la télé. Plus loin, nos voyageurs traversent des plateaux calcaires ; puis montent les routes en zigzag des ziggourats du Moyen Atlas, jusqu'à ce que la végétation change, que les aiguilles remplacent les feuilles et où, en traversant une forêt de pins où il fait frais, Mohammed dit : « Attention aux bêtes ! » Au début, il n'y a rien, jusqu'au moment où Zohra pousse un cri et pointe du doigt l'endroit où se trouvent, assis sur une plate-forme de bois, une troupe de macaques de Barbarie impassibles, qui se retournent comme si on les interrompait à l'heure du thé (ou pendant un *déjeuner sur l'herbe**) : « Des singes ! », comme les désigne Zohra. Leur propre troupe se trouve, à l'heure qu'il est, loin devant, à M'Hamid, et Mineur et Zohra sont seuls, installés dans le bar sombre et parfumé de la station alpine, dans des fauteuils en cuir, un verre d'alcool local à la main, sous un lustre de cristal et devant un panorama de cristal. Ils ont mangé une pastilla au pigeon. Mohammed est assis au bar et boit une boisson énergétique. Plus de tenue du désert : il s'est changé et porte un polo et un jean. C'est l'anniversaire de Zohra ; ce sera celui de Mineur à minuit, dans deux heures environ. La satisfaction est, de fait, arrivée par le chameau suivant.

— Et tout ça, dit Zohra en relevant ses cheveux de son visage, tout ce voyage, Arthur, simplement pour éviter le mariage de ton petit ami ?

— Pas mon petit ami, non. Et c'était davantage pour éviter toute confusion, répond Mineur en se sentant rougir.

Ce sont les deux seuls clients du bar. Les barmen, deux hommes en veste rayée de vaudeville, semblent en train de décider lequel fera une pause cigarette, et chuchotent tout en gesticulant comme dans une comédie. Mineur a raconté son périple à Zohra, et le champagne lui a probablement délié la langue.

Zohra porte un tailleur-pantalon doré, et des boucles d'oreilles en diamants. Tous deux se sont enregistrés à l'hôtel, se sont douchés et changés, et elle s'est parfumée. À coup sûr, quand elle a fait ses bagages pour son voyage d'anniversaire, elle a prévu tout cela pour quelqu'un d'autre que Mineur. Mais elle n'a que lui à sa disposition. Il porte, bien entendu, son costume bleu.

— Tu sais quoi ? dit Zohra en soulevant son verre et en l'examinant : cette gnôle me rappelle ma grand-mère en Géorgie. La République, pas l'État. Elle fabriquait exactement le même genre de boisson.

— Ça me paraissait une meilleure idée de m'en aller, continue Mineur, avec toujours Freddy en tête. Et de faire revivre ce roman.

Zohra sirote son verre, en contemplant la vue telle qu'elle se déploie à cette heure.

— Moi aussi on m'a quittée, dit-elle.

Mineur reste silencieux un moment, puis dit tout d'un coup :

— Oh ! Oh non, il ne m'a pas quitté…

— Janet était censée être ici, dit Zohra en fermant les yeux. Arthur, tu es là parce qu'il y avait une place libre, et que Lewis m'a dit qu'il avait un ami ; c'est pour ça que tu es ici. Et c'est agréable d'être en ta compagnie. Je veux dire : tu es le seul qui reste. Tous les autres sont tellement *faibles*, merde. Qu'est-ce qui leur est arrivé, à tous ? Je suis contente que tu sois là. Mais je vais être franche avec toi. J'aurais préféré que ce soit elle.

Pour une raison ou une autre, il n'était jamais venu à l'esprit de Mineur qu'elle était lesbienne. Peut-être est-il, après tout, un mauvais homosexuel.

— Qu'est-ce qui s'est passé ? demande-t-il.

— Que veux-tu que ce soit ? dit Zohra en prenant une gorgée dans son petit verre. Elle est tombée amoureuse. Elle a perdu la tête.

Mineur murmure quelques mots de sympathie, mais Zohra est perdue dans ses pensées. Au bar, le plus grand des barmen semble avoir gagné et se dirige à grandes enjambées vers le balcon. Le plus petit, chauve sur le sommet du crâne à l'exception d'une simple oasis de cheveux, regarde s'éloigner son ami avec un regard envieux non dissimulé. À l'extérieur : une vue qui rappelle Gstaad ou Saint-Moritz. Les forêts vallonnées et sombres aux macaques endormis, le clocher roman au-dessus d'une patinoire, la froidure du ciel noir.

— Elle m'a dit qu'elle avait rencontré l'amour de sa vie, dit finalement Zohra, en regardant toujours par la fenêtre. On lit des poèmes sur ça, on entend des histoires, on entend des Siciliens dire qu'ils ont été frappés par la foudre. Nous, on sait que ça n'existe pas, « l'amour de sa vie ». L'amour n'est pas aussi effrayant. C'est promener le chien pour permettre à l'autre de dormir, putain ; c'est faire la déclaration d'impôts ; c'est nettoyer la salle de bains sans en vouloir à l'autre. C'est avoir un allié dans la vie. Ce n'est pas du feu, ni des éclairs. Et c'est ce qu'elle a toujours eu avec moi. Enfin, je crois, non ? Mais, et si elle avait raison, Arthur ? Et si les Siciliens avaient raison ? Si c'était cette sorte de stupéfaction qu'elle a ressentie ? Quelque chose que je n'ai jamais ressenti. Et toi, l'as-tu déjà ressenti ?

Mineur se met à respirer de façon irrégulière.

Elle se tourne vers lui :

— Et qu'est-ce qui se passe si un jour tu rencontres quelqu'un, Arthur, et que tu sentes que ça ne peut absolument pas être quelqu'un d'autre ? Non pas parce que les autres sont moins attirants, ni qu'ils boivent trop, ni encore qu'ils ont des problèmes au lit, ni même qu'ils ne peuvent s'empêcher de classer par ordre alphabétique tous leurs satanés livres, ou de remplir le lave-vaisselle d'une façon que tu ne peux pas supporter. Mais parce qu'ils ne sont pas cette personne-là. Cette femme que Janet a rencontrée. Tu peux sans doute vivre toute ta vie sans jamais la rencontrer, et penser que l'amour, c'est toutes ces autres choses, mais si tu la rencontres, alors que Dieu t'aide ! Parce qu'alors : vlan ! Tu es baisé. Comme Janet. Elle a ruiné notre vie pour ça ! Mais si c'était ça, la vérité ?

Elle agrippe son fauteuil, à présent.

— Zohra, je suis tellement navré.

— C'est ce qui s'est passé, avec ton Freddy ?

— Je… je…

— Notre cerveau nous leurre tellement, tout le temps, dit-elle en se tournant de nouveau vers le paysage sombre. À propos de l'heure qu'il est, à propos des gens, à propos de l'endroit où l'on est vraiment chez soi : il nous leurre, encore et encore. Notre cerveau n'est que mensonges.

Cette folie, la folie de celle qu'elle aime, voilà ce qui laisse Zohra désorientée, blessée et enflammée. Et pourtant ce qu'elle a dit – « Notre cerveau n'est que mensonges » –, il voit de quoi il s'agit ; c'est ce qui lui est arrivé. Pas exactement de cette façon, ce n'était pas cette folie absolue et terrifiante, mais il sait que son cerveau lui a dit certaines choses, et que c'est pour les oublier qu'il a parcouru le monde. Qu'on ne puisse pas faire confiance à notre esprit, c'est une évidence.

— C'est quoi, l'amour, Arthur ? C'est quoi ? lui demande-t-elle. Est-ce que c'est cette chose tendre et délicieuse que j'ai connue avec Janet pendant huit ans ? Est-ce que c'est cette chose tendre et délicieuse ? Ou bien est-ce que c'est cet éclair foudroyant ? La folie destructrice qui a frappé celle que j'aime ?

— Ça, ça ne ressemble pas au bonheur, ne peut que dire Mineur.

Elle secoue la tête :

— Arthur, le bonheur, c'est des conneries. Voilà ce que je peux te transmettre de vraiment sensé, et crois-en mes cinquante ans depuis vingt-deux heures. C'est le bon sens acquis pendant ma vie amoureuse. Tu comprendras ça à minuit.

Il est évident qu'elle est saoule. Dehors, le barman fume en frissonnant, comme si c'était la toute dernière cigarette qu'il allait fumer. Elle renifle le verre d'alcool et dit :

— Ma grand-mère géorgienne faisait exactement la même liqueur.

La phrase de Zohra résonne dans les oreilles de Mineur : *Est-ce que c'est cette chose tendre et délicieuse ? Est-ce que c'est cette chose tendre et délicieuse ?*

Oui, reprend-elle. Et elle sourit à ce souvenir, reniflant le verre. Il sent exactement comme le *cha-cha* de ma grand-mère !

Le *cha-cha* s'avère trop fort pour celle dont c'est l'anniversaire et, vers onze heures et demie, lui et Mohammed la portent dans sa chambre, tandis qu'elle leur sourit et les remercie. Il la met, heureuse et ivre, dans son lit. Elle parle français avec Mohammed, qui la réconforte dans la même langue et puis de nouveau en anglais. Quand Mineur la borde, elle lui dit :

— Eh bien, c'était ridicule, Arthur, je suis désolée.

En fermant la porte, il se rend compte qu'il passera son cinquantième anniversaire tout seul.

Il se retourne ; il n'est pas tout seul.

— Mohammed, combien de langues parlez-vous ?

— Sept ! répond-il, jovial, en se dirigeant vers l'ascenseur. J'apprends à l'école. Ils se moquent de mon arabe quand je viens à la ville, il est démodé, j'ai appris dans une école berbère, donc je travaille plus dur. Et j'apprends des touristes ! Désolé, je suis toujours à apprendre l'anglais. Et vous, Arthur ?

— Sept ! Mon Dieu !

L'ascenseur est recouvert de miroirs, et tandis que les portes se referment, Mineur est confronté à une vision : d'infinis Mohammed en polos rouges, à côté d'infinies versions de son père à cinquante ans, c'est-à-dire de lui-même.

— Moi... je parle anglais et allemand...

— *Ich auch!* dit Mohammed. (Ce qui suit est traduit de l'allemand :) J'ai vécu deux ans à Berlin ! Cette musique si assommante !

— Je suis revenu de là-bas ! Est excellent votre allemand !

— Et le vôtre est bon. Voilà, nous y sommes, vous d'abord, Arthur. Êtes-vous prêt pour votre anniversaire ?

— Je suis peur de l'âge.

— N'ayez pas peur. Cinquante ans, c'est rien. Vous êtes beau, en bonne santé, et riche.

Il veut dire qu'il n'est pas riche, mais s'interrompt. Il demande :

— Combien d'années avez-vous ?

— J'ai cinquante-trois ans. Vous voyez, c'est rien. Rien du tout. Nous allons vous prendre un verre de champagne.

— Je suis peur de l'âge, je suis peur de seul.

— Vous n'avez rien à craindre.

Il se tourne vers une femme qui a pris son service au bar, qui est aussi grande que lui avec sa queue de cheval, et il lui parle en dialecte arabe marocain. Peut-être lui demande-t-il du champagne pour cet Américain qui vient juste d'avoir cinquante ans. La barmaid offre un large sourire à Mineur, relève les sourcils, et dit quelque chose. Mohammed rit ; Mineur se contente de se tenir là avec son sourire idiot.

— Joyeux anniversaire, monsieur, dit-elle en anglais et en versant un verre de champagne français. C'est ma tournée.

Mineur se propose d'offrir un verre à Mohammed, mais l'homme ne s'autorise que des boissons énergisantes. Non pas à cause de l'islam, explique-t-il ; il est agnostique.

— C'est que l'alcool me rend fou. Fou ! Mais je fume du haschich. Vous en voulez ?

— Non, non, pas ce soir. Ça me rend fou. Mohammed, vous êtes vraiment guide touristique ?

— Je dois, pour vivre, dit Mohammed soudain timide en anglais. Mais en vérité, je suis écrivain, comme vous.

Mais comment Mineur a-t-il une si mauvaise compréhension du monde ? Encore, et toujours ? Où est l'échappatoire dans des moments comme ceux-là ? Où est la porte de sortie pour les ânes ?

— Mohammed, je suis honoré d'être avec vous ce soir.

— Je suis un très grand fan de *Kalipso*. Bien sûr, je n'ai pas lu en anglais mais en français. Je suis honoré d'être avec vous. Et bon anniversaire, Arthur Mineur.

Tom et Freddy doivent probablement faire leurs bagages, à l'heure qu'il est ; il est plusieurs heures plus tard ici, après tout, et à Tahiti il est midi. Le soleil est sûrement en train de marteler le sable de la plage comme un ferblantier. Les mariés plient leurs chemises de lin, leurs pantalons et leurs vestes de lin, ou bien c'est sûrement Freddy qui les plie. Mineur se souvient que c'est toujours Freddy qui faisait les valises, alors que lui restait assis dans le sofa du salon de l'hôtel.

— Tu es trop rapide et trop peu soigné, lui avait dit Freddy ce dernier matin à Paris. Et tout ressort froissé ; tu vois : regarde-moi ça.

Il avait étalé sur le lit les vestes et les chemises comme si c'étaient les vêtements d'une grande poupée de papier, avait placé sur le dessus les pantalons et les pulls, et replié le tout comme un ballot. Mains sur les hanches, il avait souri triomphalement. (Petite précision : les deux hommes sont nus, dans cette scène.)

— Et maintenant, qu'est-ce qu'on fait ? avait demandé Mineur.

Freddy avait haussé les épaules :

— Maintenant, on met ça dans la valise.

Mais bien sûr, la bouchée était trop grande pour être avalée par ce seul bagage, malgré tous les efforts de Freddy pour l'amadouer ; et, après avoir tenté à plusieurs reprises de s'asseoir et d'appuyer dessus, il avait fini par en faire deux paquets, qu'il avait parfaitement fait rentrer dans deux bagages. Victorieux, Freddy avait regardé Mineur d'un air suffisant. Dans l'encadrement de la fenêtre, avec cette silhouette mince du début de la quarantaine, la pluie fine de Paris au printemps piquetant les vitres derrière lui, l'ex-amant de Freddy avait hoché la tête et demandé : « Monsieur Pelu, vous avez tout empaqueté ; maintenant, qu'est-ce qu'on va porter ? » Freddy se rua sur lui, dans une colère noire et, pendant la demi-heure qui avait suivi, ils n'avaient rien porté du tout.

Oui, bien sûr, M. Pelu est en train de tout ranger.

C'est sûrement pour ça qu'il n'appelle pas du tout Mineur pour lui souhaiter un joyeux anniversaire.

Et maintenant, voilà que Mineur se trouve sur le balcon de son hôtel suisse, en train de regarder la ville gelée. La rampe est sculptée d'absurdes coucous, dont chacun possède un bec pointu et proéminent. Dans son verre : le dernier trait de champagne. Il part maintenant pour l'Inde. Pour travailler à son roman, sur lequel il était supposé ne passer qu'un dernier vernis, et qu'il s'agit à présent de faire complètement éclater en morceaux, et de reprendre entièrement. Pour travailler sur ce personnage de Swift, ennuyeux, égotiste, pitoyable et risible. Celui pour qui personne ne ressent aucune peine. Maintenant, il a cinquante ans.

Tout le monde a déjà fait l'expérience d'un chagrin ou d'une perte dans des moments censés être festifs ; comme le sel dans le pudding. Les généraux romains ne louaient-ils pas des esclaves pour défiler à leurs côtés lors d'une parade triomphale et pour leur servir de *memento mori* ? Votre narrateur lui-même, le lendemain matin de ce qui aurait dû être une heureuse occasion, a été trouvé frissonnant au pied du lit (son époux : « J'aimerais vraiment que tu ne sois pas en train de pleurer, là maintenant »). Quant aux petits enfants, qu'on réveille un jour en leur disant : « Aujourd'hui, tu as cinq ans ! » : ne pleurent-ils pas à chaudes larmes en voyant leur monde glisser vers le chaos ? Et puis notre soleil qui meurt lentement, la spirale de la galaxie en expansion, les molécules qui se détachent seconde après seconde vers notre inévitable mort thermique ; ne devrions-nous pas tous élever nos plaintes jusqu'aux étoiles ?

Mais certaines personnes prennent vraiment la chose trop au sérieux. Ce n'est qu'un anniversaire, après tout.

Il y a une vieille histoire arabe qui raconte qu'un homme entend dire que la Mort vient le chercher ; il s'enfuit alors vers Samarra. Et quand il y arrive, il rencontre la Mort au marché, et la Mort lui dit : « Tu sais, j'avais simplement envie de venir en vacances à Samarra. J'allais renoncer à te prendre aujourd'hui ; mais quelle chance : voilà que tu es venu me trouver toi-même ! » Et l'homme est emporté malgré tout. Arthur Mineur a parcouru bien confortablement la moitié du monde aux frais de la princesse, il a changé de vols et échappé à une tempête de sable en se rendant dans les monts de l'Atlas, comme quelqu'un qui veut effacer sa trace ou se montrer plus futé qu'un chasseur – et, pourtant, le Temps l'a attendu ici depuis le début. Dans une station de ski des Alpes. Avec des coucous. C'était évident : le Temps devait s'avérer être suisse. Mineur siffle la dernière lampée de son champagne. Et il pense : *Difficile d'avoir de la peine pour un homme blanc d'âge mûr.*

En vérité : même Mineur ne peut plus ressentir de peine pour Swift. Comme un nageur, en hiver, trop engourdi pour sentir le froid, Arthur Mineur est trop triste pour ressentir de l'empathie. Pour Robert, ça oui, qui respire grâce à un tuyau d'oxygène, là-bas à Sonoma. Pour Marian, qui soigne une fracture de la hanche risquant de la laisser impotente pour le restant de ses jours.

Pour Javier dans son mariage, et même pour les tragiques équipes sportives de Bastian. Pour Zohra et Janet. Pour son collègue écrivain Mohammed. Sa pitié vole de par le monde, et son envergure est plus étendue que celle d'un albatros. Mais il ne peut plus s'apitoyer sur Swift – aujourd'hui devenu une Gorgone représentant l'ego masculin caucasien, à la tête couverte de serpents, traversant son roman pour en pétrifier chaque phrase – pas plus qu'Arthur Mineur ne peut s'apitoyer sur son sort.

Il entend la porte du balcon s'ouvrir à côté de lui, et voit le petit serveur qui revient de sa pause cigarette. L'homme indique un coucou sur la rampe et lui parle dans un français impeccable (si seulement il comprenait le français).

Risible.

Arthur Mineur, soudain, s'immobilise totalement, comme quand on veut écraser une mouche. Ne pas la laisser s'échapper. Diverses images distraient son esprit : Robert, Freddy, cinquante, Tahiti, des fleurs, le serveur montrant la manche de Mineur – mais il ne veut pas les observer. Ne pas la laisser s'échapper. Risible. Son esprit se concentre sur un point de lumière. Et si ce n'était pas du tout un roman mélancolique et poignant ? Et si ce n'était pas l'histoire d'un homme d'âge mûr et triste, parcourant sa ville natale, se souvenant du passé et craignant l'avenir ? Une procession d'humiliations et de regrets ; l'érosion de l'âme d'un célibataire ? Et si ce n'était même pas triste ? Pendant un moment, son roman tout entier se révèle à lui, comme ces châteaux miroitants qui apparaissent aux yeux des hommes progressant à travers les déserts…

Puis tout s'estompe. La porte du balcon se referme en claquant. La manche du costume bleu reste prise dans le bec d'un coucou (un accroc retient l'avenir, quelques secondes). Mais Mineur ne le remarque pas ; il s'accroche à la seule pensée qui reste. Et survient le decrescendo du rire mineurien : « HA Ha ha ! »

Son Swift n'est pas un héros. C'est un imbécile.

— Bien, murmure-t-il dans l'air de la nuit, joyeux anniversaire, Arthur Mineur.

À propos, pour information : le bonheur, c'est pas des conneries.

INDIEN EN MINEUR

Pour un garçon de sept ans, rester assis dans la salle d'attente d'un aéroport est aussi ennuyeux que d'être cloué au lit en convalescence. Ce garçon en particulier, qui a déjà gaspillé le six millième de sa vie dans cet aéroport, a fouillé dans toutes les poches du sac à main de sa mère, sans rien y trouver d'intéressant, hormis un porte-clés fait de cristaux de plastique. Il est en train d'examiner la corbeille à papier (dont le couvercle qui se balance offre sûrement des possibilités de distraction) quand il remarque, à travers la vitre de la salle : l'Américain. Le garçon n'en a pas vu un seul de toute la journée. Il observe l'Américain avec la même fascination détachée et froide que celle avec laquelle il a observé les scorpions qui tournent tels des robots autour du tuyau d'évacuation des toilettes de l'aéroport. L'Américain, grand comme un géant de légende, d'une blondeur sauvage, en chemise et pantalon de lin beige chiffonnés, regarde avec un sourire le panneau indicateur de l'escalator. Ce panneau, aux renseignements si scrupuleusement détaillés qu'il contient même des conseils sur la sécurité des animaux de compagnie, est plus long que l'escalator lui-même. Cela semble amuser l'Américain. Le garçon le regarde fouiller dans toutes les poches de ses vêtements, pour ensuite hocher la tête, satisfait. L'homme lève les yeux vers un écran de télévision, en circuit fermé, y suit les brèves idylles qui se jouent entre les vols et les portes d'embarquement, puis va prendre place dans une file. Bien que chacun ait déjà franchi au moins trois points de sécurité, un homme placé au début de la file demande à tout le monde de sortir une fois de plus son passeport et sa carte d'embarquement. Cette vérification superflue semble également amuser l'Américain. Mais elle s'avère indispensable : trois passagers au moins sont sur le point d'embarquer sur le mauvais vol. Et l'Américain est l'un d'entre eux. Qui sait quelles aventures l'attendaient à Hyderabad ? Nous ne le saurons jamais, car on le conduit vers une autre porte : Thiruvananthapuram. Il se concentre alors sur un calepin. Très peu de temps après, un employé accourt, tape sur l'épaule de l'Américain, et l'étranger se précipite pour prendre le vol qu'il est de nouveau sur le point de manquer. Tous deux disparaissent après s'être engagés dans un couloir qui est un raccourci. Le garçon, déjà sensible au comique de situation malgré son jeune âge, appuie le nez contre la vitre, et attend l'inévitable. Un instant plus tard, l'Américain ressurgit pour s'emparer de sa sacoche oubliée et disparaît de nouveau, cette fois sûrement pour de bon. Le garçon penche la tête, tandis que l'ennui recommence à le submerger. Sa mère lui demande s'il a besoin de faire pipi, et il dit oui – mais seulement parce qu'il veut revoir les scorpions.

— Ici, vous avez les fourmis noires ; ce sont vos voisines. Tout près, par là, il y a Elizabeth, une couleuvre jaune, la grande amie du pasteur, bien qu'il affirme qu'il veut bien la tuer si vous désirez qu'il le fasse. Mais dans ce cas, il y aura des rats. Que les mangoustes ne vous effraient pas. Ne vous fiez pas aux chiens errants : ce ne sont pas nos animaux de compagnie. N'ouvrez pas les fenêtres, car de petites chauves-souris vont vouloir vous rendre visite, et peut-être même des singes. Et si vous vous promenez la nuit, marchez d'un pas lourd et bruyant pour faire fuir les autres animaux.

Mineur demande quels autres animaux pourraient éventuellement lui rendre visite.

Rupali répond, d'un air grave : « Mieux vaut qu'on ne le sache point. »

Parvenir jusqu'à cette résidence d'artistes sur une colline dominant la mer d'Arabie, sur l'invitation de Carlos six mois plus tôt, s'est révélé être un parcours du combattant, mais Mineur a fini par arriver. L'anniversaire tant redouté, le mariage tant redouté sont tous deux derrière lui aujourd'hui ; devant lui, à présent, se trouve son roman, et comme il sait désormais dans quelle direction avancer, il aura en fin de compte une chance d'en venir à bout. Envolés, les soucis de l'Europe et du Maroc ; encore présents à son esprit, ceux de l'aéroport de Delhi, de l'aéroport de Chennai, et puis ceux de Thiruvananthapuram. À son arrivée à Thiruvananthapuram, il a été accueilli par une femme qui semblait ravie : Rupali, la directrice de la résidence, qui l'a gentiment dirigé, dans un parking tout enfumé, vers une Tata blanche, conduite, il devait l'apprendre plus tard, par un membre de sa famille. Ce chauffeur a fièrement montré à Mineur un poste de télévision fixé sur le tableau de bord de sa voiture, ce qui a inquiété Mineur. Et puis les voilà partis. Rupali, une femme mince et élégante, coiffée d'une natte noire impeccable, au profil raffiné d'un César sur une pièce de monnaie, a tenté d'engager la conversation avec Mineur sur la politique, la littérature et l'art, mais Mineur était trop enchanté par le trajet lui-même.

Tandis que le soleil flirtait avec lui entre les arbres et les maisons, tout ce qu'il voyait était différent de ce à quoi il s'était attendu. Le chauffeur roulait très vite sur une route délabrée, le long de laquelle des détritus s'entassaient, comme s'ils y avaient été apportés par un courant : et ce qui, au départ, ressemblait à une plage bordant une rivière, s'avéra être une accumulation de milliers de sacs en plastique, comme un récif de corail est une concrétion de millions de minuscules animaux. Puis vint la série interminable de boutiques, comme construites à partir d'une barrière de béton continue peinte, par intervalles, de diverses enseignes pour des poulets et des médicaments, des cercueils et des téléphones, des poissons rouges et des cigarettes, du thé chaud et des petits plats cuisinés, pour le communisme, pour des matelas, de l'artisanat, de la nourriture chinoise, des coiffeurs, des haltères et de l'or vendu au poids. Les temples, bas et plats, s'offraient à la vue à intervalles réguliers, comme les plaques de ces gâteaux colorés, soigneusement glacés mais immangeables, que Mineur voyait exposés dans la pâtisserie de son enfance. Au bord de la route, on voyait des femmes assises avec des paniers remplis de poissons argentés et chatoyants, de raies manta terrifiantes et de calmars aux yeux de dessin animé ; les hommes, eux, innombrables, étaient debout devant les boutiques qui vendent du thé, devant les bazars et les pharmacies – et ils observaient Mineur lorsqu'il passait devant eux. La façon de conduire du chauffeur, esquivant les bicyclettes, les motos, les camions (mais peu de voitures), et zigzaguant frénétiquement dans la circulation, tout cela rappela à Mineur cette époque où sa mère l'emmenait à Disney World avec sa sœur, dans une attraction extravagante sur le thème du *Vent dans les Saules* : une attraction avec des vieilles voitures où l'on devait se cramponner à s'en faire blanchir les articulations, et qui s'avérait plutôt être une vraie source de traumatisme. Rien, rien ici n'a de rapport avec ce à quoi il s'attendait.

Rupali le conduit sur un sentier de terre rouge. Les extrémités de son foulard rose flottent derrière elle.

— Ici, dit-elle, en faisant un geste vers une fleur pourpre, c'est la fleur de dix heures. Elle s'ouvre à dix heures et se referme à cinq.

— Comme le British Museum.

— Il y a aussi une fleur de quatre heures, réplique Rupali. Et l'arbre somnolent, qui s'ouvre au lever du soleil et se ferme à son coucher. Ici, les plantes sont plus ponctuelles que les gens. Vous verrez. Et cette plante-ci est plus vivante.

Elle effleure de son *chappal** une petite fougère, qui se contracte instantanément à ce contact, en repliant ses feuilles vers l'intérieur. Mineur est horrifié. Ils parviennent à un endroit où les cocotiers sont plus espacés.

— Ici, vous avez une vue qui peut sans doute vous inspirer.

* Une sandale.

Et assurément, c'est le cas : une falaise surplombe une forêt de mangroves, au bord de laquelle la mer d'Arabie fouette la côte aussi impitoyablement qu'un inquisiteur, et vient mousser sur le sable pâle et endurci, laissant d'éphémères crêtes blanches. À côté, sur l'escarpement, les cocotiers encadrent un panorama d'oiseaux et d'insectes, aussi rempli de créatures vivantes que les eaux d'un récif de corail : des aigles à tête rouge et d'autres à tête blanche, qui planent en couples haut dans le ciel, des assemblées de corneilles irritées, massées en haut des arbres et, tout près, des libellules jaune et noir, biplans bourdonnant en un combat acharné à l'entrée d'une petite maison.

— Et voici votre petit logis.

Le chalet, comme les autres bâtisses, est construit dans le style de l'Inde du Sud, tout en briques, avec un toit de tuiles au-dessus d'un système ouvert de treillis en bois permettant le passage de l'air. Mais le chalet est pentagonal et, curieusement, plutôt que de laisser l'espace former un tout, les architectes l'ont subdivisé, comme une coquille de nautile, en « chambres » de plus en plus petites, jusqu'à ce qu'on atteigne le cœur de cette structure ingénieuse, pour se trouver dans un minuscule bureau décoré d'un tableau marqueté représentant la Cène. Mineur reste un moment à contempler cela avec curiosité.

Il a perdu toute trace du document de présentation qu'il a reçu à son arrivée, si bien qu'il lui est difficile de savoir si, dans sa précipitation, il a manqué une partie cruciale des informations, ou bien si c'est Carlos Pelu qui l'a discrètement dissimulée : en tout cas, il s'avère que, au lieu que ce soit dans une résidence d'artistes typique où l'on peut terminer un roman – un endroit où l'art est omniprésent, avec trois menus végétariens par jour, un tapis de yoga et du thé ayurvédique –, c'est dans un centre de retraite chrétienne qu'Arthur Mineur s'est inscrit. Il n'a aucun compte personnel à régler avec le Christ ; certes, il a été élevé dans le rite de l'Église unitaire, avec son omission flagrante de Jésus, et un livre de cantiques si peu orthodoxe qu'il a fallu des années à Mineur pour comprendre que *Accentuate the Positive** ne se trouvait pas dans le *Livre de la prière commune* ; mais, techniquement, Mineur est chrétien. Il n'y a pas vraiment d'autre terme pour désigner quelqu'un qui célèbre Noël et Pâques, même si c'est seulement l'occasion de décorer soi-même sa maison. Et pourtant, il est en quelque sorte abattu. Voyager à l'autre bout du monde pour se voir seulement offrir un univers spirituel qu'il pourrait si facilement se procurer chez lui…

— Le service est célébré le dimanche matin, bien sûr, lui dit Rupali, indiquant d'un geste une petite église grise qui, au milieu de ces dépendances agréables, se dresse avec aussi peu d'humour qu'un surveillant pendant la récréation.

C'est donc ici qu'il va réécrire son roman. S'il plaît à Dieu.

— Et voici un pli arrivé pour vous.

* « Mettre l'accent sur ce qui est positif. » Titre d'une chanson populaire sortie en 1944, dont il existe de nombreux enregistrements postérieurs, et que les unitariens ont inclus dans la liturgie de leur office.

Une enveloppe sur le bureau miniature, sous l'image de Judas. Mineur l'ouvre et lit : « Arthur, contacte-moi dès que tu es en Inde, je serai au *resort*. J'espère que tu es arrivé en un seul morceau. » C'est un papier à lettres à en-tête d'un bureau, et signé : *Ton ami, Carlos.*

Après le départ de Rupali, Mineur sort de ses bagages les fameuses bandes d'étirement.

— Avez-vous remarqué, lui demande Rupali quelques jours plus tard, pendant le petit-déjeuner pris dans le bâtiment principal fait de briques, sorte de forteresse basse dominant l'océan, combien le matin est tellement plus agréable que le soir ?

Elle parle des oiseaux, qui s'éveillent de façon harmonieuse mais se couchent dans la discorde. Mais Mineur ne peut alors avoir en tête que ce vacarme particulier à l'Inde : l'affrontement musical des divers groupes religieux et spirituels.

Cela semble commencer avant l'aube, avec les musulmans, quand une mosquée au bord de la forêt de mangroves annonce doucement, avec la voix que l'on prend quand on lit une berceuse, l'appel matinal à la prière. Pour ne pas être en reste, les chrétiens fidèles au lieu enchaînent bientôt des hymnes qui sonnent comme de la pop, une à trois heures durant. Puis vient une rengaine enjouée quoique trop amplifiée, semblable au son d'un kazoo, provenant du temple hindou, et qui rappelle à Mineur la mélodie entêtante du camion de glaces de son enfance. Ensuite, vient un autre appel à la prière. Puis les chrétiens décident de faire sonner des cloches de bronze. Et ainsi de suite. Il y a des sermons, des chants en direct, des prestations de tambours tonitruants. Et c'est ainsi que les différentes manifestations de foi alternent tout au long de la journée, comme dans un festival de musique dont les sons s'amplifient de plus en plus, jusqu'à ce que, dans la totale cacophonie du crépuscule, les musulmans, qui ont été les premiers à lancer toute l'affaire, sonnent la victoire en lançant non seulement l'appel vespéral à la prière, mais la prière elle-même d'un bout à l'autre. Après cela, la jungle retombe dans le silence. Peut-être est-ce la seule contribution des bouddhistes. Et chaque matin, ça recommence.

— Vous devez me faire savoir, dit Rupali, ce que nous pouvons faire pour faciliter votre travail d'écriture. Vous êtes notre premier écrivain.

— Si cela est possible, j'aimerais utiliser un bureau transportable, suggère Mineur, avec l'espoir de pouvoir écrire, libéré du cœur de son nautile. Et j'aurais besoin de voir un tailleur. J'ai déchiré mon costume au Maroc, et j'ai bien l'impression d'avoir perdu mon aiguille pour le recoudre.

— Nous allons nous occuper de tout cela. Le pasteur connaîtra sûrement un bon tailleur.

Le pasteur.

— Et de la paix et du calme. J'ai besoin de cela par-dessus tout.

— Bien sûr, bien sûr, bien sûr, insiste-t-elle en secouant la tête, et ses boucles d'oreilles d'or se balancent de droite à gauche.

Une résidence d'auteurs sur une colline surplombant la mer d'Arabie. Ici, il pourra tuer son ancien roman, en arracher la chair qu'il souhaite, y greffer un tout nouveau matériau, l'électrocuter de son inspiration, et puis l'obliger à se relever de la table d'opération et enfin le faire parvenir encore chancelant aux éditions Cormoran. Ici, dans cette petite pièce. Tant de choses l'inspirent : cette rivière gris-vert qu'il voit couler en contrebas, entre les cocotiers et les mangroves ; et puis sur l'autre rive, Mineur distingue un taureau noir en plein soleil, au poil magnifiquement soyeux, orné de deux marques blanches aux pattes arrière comme des chaussettes, évoquant davantage un être humain transformé en taureau qu'un taureau véritable. À proximité, une fumée blanche s'élève d'un incendie dans la jungle. Tant de choses ! Il se souvient (à tort) d'une phrase que Robert lui a dite il y a longtemps : « L'ennui est la seule tragédie véritable pour un écrivain ; tout le reste est question d'inspiration. » Robert n'a jamais rien dit de tel. Les moments d'ennui sont essentiels aux écrivains ; ce sont les seuls dont ils disposent pour écrire.

À la recherche de l'inspiration, le regard de Mineur tombe sur son costume bleu déchiré, qui pend dans l'armoire, et il décide alors que c'est *là* sa priorité. Et voilà le roman mis de côté.

Il se trouve que le pasteur est une version miniature et bronzée de Groucho Marx, en soutane boutonnée sur l'épaule comme pour les uniformes des serveurs de fast-foods ; il est amical et, comme l'a prévenu Rupali, fort disposé à tuer son amie la couleuvre. C'est aussi un inventeur de génie comme on n'en voit que dans les livres pour enfants : sa maison est munie de collecteurs d'eau de pluie et de tuyaux de bambou, qui permettent l'acheminement de l'eau vers une citerne commune, et il a trouvé le moyen de transformer les déchets alimentaires en gaz pour cuisiner, grâce à un tuyau d'arrosage qui conduit directement à son poêle. Et puis il y a sa fille de trois ans, qui court partout et ne porte pour tout vêtement qu'un collier de diamants de pacotille. (Qui n'aimerait pas faire de même, s'il le pouvait ?) Elle sait compter, en anglais, méthodiquement, comme une voiture qui grimpe la pente d'une colline, jusqu'au chiffre quatorze, et puis les roues se bloquent : « Vingt et un ! s'exclame-t-elle ravie. Dix-huit ! Quarante-trois ! Onze-deux ! Vindouze ! »

— Monsieur Arthur, vous êtes écrivain, dit le pasteur alors qu'ils se tiennent devant la maison, je veux que vous disiez *Pourquoi ?* à tout ici qui semble étrange ou stupide ; demandez-vous : *Pourquoi ?* Par exemple, les casques de moto.

— Les casques de moto, répète Mineur.

— Vous avez remarqué que tout le monde en porte ; c'est la loi. Mais personne n'attache la sangle du casque. Exact ??

— Je ne suis pas souvent sorti…

— On ne veut pas l'attacher, et pour quelle raison ? Pourquoi mettre un casque s'il va s'envoler ? Stupide, exact ? Ça paraît typiquement indien, typiquement absurde. Mais, demandez-vous : *Pourquoi ?*

Mineur ne peut résister :

— Pourquoi ?

— Parce qu'il *existe*, c'est sûr, une raison. Ce n'est pas simple bêtise. C'est parce qu'un homme ne peut pas répondre à un appel téléphonique si la sangle est attachée. Et ça, pendant les deux ou trois heures de trajet pour rentrer chez lui. Et vous êtes en train de penser : Pourquoi parler en conduisant ? Pourquoi ne pas seulement s'arrêter sur le bas-côté ? Stupide, exact ? Monsieur Mineur, regardez la route. Regardez.

Mineur voit une file de femmes, toutes en saris de couleurs vives brodés de fils d'or, dont certaines portent un sac, d'autres de petits récipients en métal sur la tête, et qui se frayent un chemin à travers les pierres et les mauvaises herbes le long de l'asphalte délabré. Le pasteur écarte les bras d'un grand geste :

— C'est tout simplement qu'il n'y en a pas, de bas-côté !

Grâce au pasteur, il apprend comment se rendre à la boutique du tailleur ; il trouve celui-ci endormi près de sa machine à coudre, et qui sent nettement le whisky indien Signature. Mineur se demande s'il va le réveiller ou non, lorsqu'un chien errant, blanc et noir, s'approche en trottant et se met à aboyer en direction des deux hommes, ce qui réveille l'endormi de son propre chef. Comme par automatisme, le tailleur se saisit d'une pierre et la lance sur le chien qui disparaît. *Pourquoi ?* C'est alors qu'il remarque Mineur. Il lève le visage en souriant vers notre protagoniste. Il explique que son menton n'est pas rasé en montrant celui de Mineur :

— L'argent rentrera, on se rasera.

Mineur dit oui, c'est possible, et lui montre son costume. L'homme fait un geste de la main en constatant combien la réparation est facile.

— Revenez demain, même heure, dit-il, et lui et le fameux costume disparaissent à l'intérieur de la boutique.

À cette séparation, Mineur ressent un bref pincement au cœur, respire un grand coup et décide de descendre vers la ville. Il a l'intention de flâner un quart d'heure à peu près, et puis de se remettre directement au travail.

Quand il repasse devant la boutique, deux heures plus tard, il a transpiré sous sa chemise, et son visage est rubicond. Il a les cheveux taillés très court, et il n'a plus de barbe. Le tailleur lui adresse un large sourire en lui montrant son propre menton : il s'est en effet lui aussi payé un passage chez le barbier. Mineur lui fait des signes de tête et monte péniblement la colline. Il est arrêté à plusieurs reprises par des voisins qui testent leur anglais, ou qui lui offrent un thé, ou bien qui lui proposent de visiter leur maison, ou encore de l'accompagner à l'église. Une fois de retour dans sa chambre, il se souvient qu'il n'y a pas de douche, et remplit avec lassitude un seau de plastique rouge, se déshabille et s'asperge d'eau froide. Il se sèche, s'habille et s'installe pour écrire.

— Bonjour ! (Un appel surgit, venant de l'extérieur.) Je suis ici pour prendre vos mesures, pour votre bureau !

— Pour quoi ? hurle Mineur.

— Pour prendre vos mesures, pour votre bureau.

Quand Mineur sort de la maison, vêtu de lin humide, il y a en effet un homme corpulent et chauve, avec l'ombre d'une moustache d'adolescent, qui lui sourit et tend une bande de tissu. Il fait asseoir Mineur dans la chaise en rotin sous le porche pendant qu'il prend ses mesures ; puis il s'incline et s'en va. *Pourquoi ?* Arrive ensuite un adolescent arborant, lui, une moustache d'adulte, qui lui annonce :

— Je vais prendre votre chaise. Il y a une nouvelle chaise dans une demi-heure.

Mineur se demande ce qui peut bien se passer ; il y a sûrement un malentendu, et quelque chose que le garçon n'a pas compris. Mais il est incapable d'éclaircir la chose ; il sourit donc et dit que, bien sûr, il comprend. Le garçon s'approche de la chaise avec la prudence d'un dompteur de lion, puis s'en saisit et l'emporte. Mineur s'appuie contre un cocotier et regarde la mer. Quand ses yeux se tournent de nouveau vers la maison, il voit le chien blanc et noir devant l'entrée, accroupi et s'apprêtant à déféquer, tout en regardant Mineur. Il fait sa crotte, comme si de rien n'était.

— Eh ! hurle Mineur, et le chien s'enfuit d'un bond.

Sans bureau, il est bien entendu incapable d'écrire, si bien qu'il contemple le seul divertissement qui lui est offert : la mer. Pile une demi-heure plus tard, le garçon revient… avec une chaise identique. Il l'installe sous le porche avec fierté, et Mineur l'accepte avec émerveillement.

— Faites attention, dit le garçon d'un ton sérieux. C'est une nouvelle chaise. Une nouvelle chaise.

Mineur fait un signe de tête, et le garçon s'en va. Mineur regarde la chaise. Il s'assied avec précaution, et le bois émet un craquement de contentement sous son poids. Elle semble convenir. Il observe trois oiseaux jaunes qui se battent sur le toit voisin, qui caquettent et braillent, et sont tellement impliqués dans leur prise de bec qu'ils tombent finalement tous les trois du toit pour atterrir sur l'herbe. Mineur éclate de rire : « HA Ha ha ! » C'est la première fois qu'il voit des oiseaux tomber. Il se relève ; la chaise vient avec lui. C'est vrai qu'elle est neuve, et le vernis, avec ce climat, n'a pas encore réussi à sécher.

— … Et quand finalement je me suis mis à écrire, je pense que le service religieux a dû s'achever. Parce que tous les gens se sont rassemblés autour de ma petite maison. Ils ont étalé des couvertures, ils ont sorti de la nourriture, et ils se sont installés tout autour pour un bon vieux pique-nique.

Il est en train de parler à Rupali. C'est le soir, après dîner ; le paysage depuis la fenêtre est plongé dans le noir, une ampoule fluorescente éclaire la pièce, et les parfums de noix de coco et de feuilles de curry embaument toujours l'air. Il n'ajoute pas que le chahut sous son porche était insupportable : une fête se déroulait sous ses fenêtres ! Il n'avait pas pu se concentrer un seul instant sur la nouvelle version de son livre. Mineur était frustré, si furieux qu'il s'était même dit qu'il allait prendre une chambre dans un hôtel du coin. Mais il était resté là, dans sa petite maison du Kerala, avec sa vue sur l'océan et la peinture représentant la Cène, et s'était imaginé aller trouver Rupali et lui dire la phrase la plus absurde de sa vie : « Je vais m'inscrire à une retraite ayurvédique si ce pique-nique ne s'arrête pas ! »

Rupali écoute son histoire de pique-nique en hochant la tête :

— Oui, c'est quelque chose qui arrive.

Il se souvient du conseil du pasteur :

— Pourquoi ?

— Oh, les gens ici, ils aiment venir voir la vue. C'est un bel endroit pour les familles de l'Église.

— Mais c'est une résidence d'… (Il s'arrête, puis demande de nouveau :) Pourquoi ?

— Ici, cette vue unique sur la mer.

— Pourquoi ?

— C'est parce que… (Elle s'arrête, et baisse les yeux, timide :) C'est le seul endroit. Le seul endroit où les chrétiens peuvent aller.

Mineur est finalement arrivé à saisir le fin mot de l'histoire, mais il y a de nouveau quelque chose qui lui échappe.

— Eh bien, j'espère qu'ils ont passé une bonne soirée. La nourriture sentait fort bon. Et le dîner de ce soir était délicieux.

Mineur s'est rendu compte qu'il n'y a pas de réfrigérateur dans cette résidence d'artistes, si bien que tout est acheté le jour même au marché, ou cueilli dans le jardin de Rupali ; tout est frais, simplement parce que tout doit l'être. Même la noix de coco a été découpée à la main par une fidèle du nom de Mary, une vieille dame en sari qui lui sourit tous les matins et lui apporte son thé. *Si ce pique-nique ne s'arrête pas !* Quel idiot il est, où qu'il aille.

Rupali lui dit :

— J'ai une histoire drôle à propos du dîner ! C'est le repas que j'avais l'habitude d'apporter quand j'enseignais le français en ville. Tous les jours, je prenais le train et, vous savez, il fait si chaud ! Un jour, il n'y avait pas de places pour s'asseoir. Alors, qu'est-ce que je fais ? Je m'assois sur les marches près de la porte ouverte. Ah, c'était si rafraîchissant ! Pourquoi est-ce que je ne l'avais pas fait avant ? C'est à ce moment-là que j'ai fait tomber mon sac par la porte ouverte ! Elle rit, en se couvrant la bouche. C'était affreux ! Il contenait ma carte de l'école, mon argent, mon repas, tout. Une véritable catastrophe. Bien sûr, le train ne pouvait pas s'arrêter, si bien que je suis descendue à l'arrêt suivant, et j'ai loué un pousse-pousse pour retourner là-bas. Nous avons passé tant de temps à chercher mon sac sur les rails du train ! Et puis un policier est sorti d'une hutte. Je lui ai raconté ce qui était arrivé. Il m'a demandé de décrire le contenu de mon sac. J'ai dit : « Monsieur, ma carte de l'école, mon portefeuille, mon téléphone, mon chemisier de rechange, monsieur. » Il m'a regardée un moment. Puis il a demandé : « Et le curry de poisson ? » Il m'a montré le sac. (Elle se remet à rire de bon cœur.) Tout ce qui se trouvait dedans était recouvert de curry de poisson !

Son rire est si charmant ; il ne peut supporter de lui dire qu'ici, ce n'est pas un endroit où l'on peut écrire. Le bruit, les animaux, la chaleur, les ouvriers, les piqueniqueurs – il lui sera impossible d'écrire son livre ici.

— Et vous, Arthur, vous avez passé une bonne journée ? demande Rupali.

— Oh, oui.

Il laisse de côté les détails concernant le barbier chez qui il est allé, où on l'a installé dans une pièce sans fenêtre, derrière un rideau rouge, où un petit homme en chemise identique à celle du pasteur l'a débarrassé de sa barbe (sans qu'il l'en ait prié) et de ses cheveux sur les côtés, n'épargnant que les mèches du dessus, et lui a demandé ensuite : « Massage ? » Ce qui s'avéra être une série de coups, de gifles, un passage à tabac en bonne et due forme, comme pour lui soutirer des informations classées secret-défense, et qui se termina par quatre beignes retentissantes sur le visage. *Pourquoi ?*

Rupali sourit, et lui demande ce qu'elle peut faire d'autre pour lui.

— Ce dont j'aurais vraiment besoin, c'est d'un verre.

Son visage s'assombrit :

— Oh, l'alcool n'est pas permis dans notre résidence chrétienne.

— C'est seulement une plaisanterie, Rupali, dit-il. Où diable pourrions-nous nous procurer des glaçons ?

Nous ne saurons jamais si elle a pu saisir la plaisanterie, car à ce moment précis, les lumières s'éteignent.

La panne, comme la plupart des ruptures, n'est pas définitive ; toutes les cinq minutes, le courant revient, pour s'arrêter un moment après. Ce qui va suivre ressemble à l'une de ces productions théâtrales universitaires où les lumières reviennent par intermittence pour révéler les personnages dans divers tableaux inattendus : Rupali s'accrochant aux bras de sa chaise, inquiète, les lèvres pincées comme celles d'un poisson chirurgien ; Arthur Mineur, sur le point de connaître le nirvana, prenant une fenêtre pour la porte ; Rupali bouche bée, puis criant quand un papier lui tombe sur la tête et qu'elle pense qu'une chauve-souris géante a atterri dans ses cheveux ; Arthur Mineur, franchissant cette fois la bonne porte et introduisant, à tâtons, ses orteils dans les sandales de Rupali ; Rupali s'agenouillant sur le sol, en prière ; Arthur Mineur se retrouvant dehors dans la nuit, pour apercevoir une toute nouvelle vision d'horreur au clair de lune : le chien noir et blanc qui trottine vers le chalet de Mineur avec, dans la gueule, une longueur de tissu bleu moyen.

— Mon costume ! hurle Mineur, qui trébuche pour descendre la côte avant de balancer les sandales. Mon costume !

Il s'approche maintenant du chien, et les lumières s'éteignent à nouveau – pour révéler, nichée dans l'herbe, toute une constellation stupéfiante de vers luisants prêts à s'aimer. Si bien que Mineur essaie de s'y retrouver pour rentrer chez lui, dans son chalet, en jurant et en marchant sans précaution pieds nus sur les carreaux, et c'est à ce moment précis qu'il retrouve sa fameuse aiguille.

Je me souviens d'Arthur Mineur, lors d'une soirée qu'on passait sur un toit-terrasse, me racontant un rêve qu'il faisait souvent :

— En vérité, c'est une parabole, m'avait-il dit en serrant sa bière contre sa poitrine. Je traverse une forêt obscure, comme Dante, et une vieille femme vient vers moi et me dit : Heureux homme, vous avez tout laissé derrière vous. Vous en avez terminé avec l'amour. Pensez à tout le temps qui vous reste pour des choses plus importantes ! Et elle me quitte, et je poursuis ma route – je crois qu'à ce moment-là je suis à cheval ; c'est un rêve très médiéval. Tu n'y es pas, à propos, au cas où ça t'ennuierait.

J'ai répliqué que j'avais mes propres rêves.

— Et je continue à traverser cette forêt profonde jusqu'à parvenir à une vaste plaine, d'où l'on aperçoit une montagne, dans le lointain. Et un fermier est là, qui me fait signe, et il me dit à peu près la même chose : Des choses plus importantes vous attendent ! Et je gravis cette montagne… Tu ne m'écoutes pas, ça se voit ; ça devient vraiment bien, attends. Je gravis la montagne et, au sommet, se trouvent une caverne et un prêtre – tu sais, comme dans un dessin animé. Et je dis que je suis prêt. Et il me dit : Prêt pour quoi ? Et je réponds : Prêt pour penser à des choses plus importantes. Et il demande : Plus importantes que quoi ? Plus importantes que l'amour. Et il me regarde comme si j'étais fou, et dit : Qu'est-ce qui pourrait être plus important que l'amour ?

Nous nous tenions là, bien tranquillement, lorsqu'un nuage est venu cacher le soleil et rafraîchir la terrasse. Mineur s'est mis à regarder au-dessus de la balustrade donnant sur la rue, plus bas, et a dit :

— Voilà, c'est ça, mon rêve.

*

Mineur ouvre les yeux sur une image de film de guerre – l'hélice d'un avion militaire vert fendant brusquement l'air – non : pas une hélice. Un ventilateur installé au plafond. Ces gens qui murmurent, dans le coin, parlent pourtant vraiment en malayalam. Des ombres se déplacent au plafond comme dans un jeu de marionnettes animées. Et maintenant on parle anglais. Des lambeaux de son rêve brillent encore au bord de chaque chose, éclairés de rosée, évaporés. Une chambre d'hôpital.

Il se souvient de son cri dans la nuit, et du pasteur, accouru, vêtu seulement d'un *dhoti* et portant sa fille dans ses bras : cet homme aimable s'étant arrangé avec un fidèle pour conduire Mineur à l'hôpital de Thiruvananthapuram. Il se souvient de l'au revoir inquiet de Rupali, des longues heures pénibles passées dans la salle d'attente, où le seul réconfort était un distributeur de nourriture, qui rendait en monnaie davantage que la somme qu'on y avait introduite, et où le panel des infirmières allait des mégères du style « j'ai-déjà-tout-vu », jusqu'aux mignonnes ingénues ; ensuite Mineur eut droit à une radio de son pied droit (superbe archipel de petits os) qui confirma, hélas, une fracture de la cheville et, bien enfoncée dans son talon, la présence de la moitié d'une aiguille. À ce moment-là, on le soumit à la première intervention, effectuée par une doctoresse aux lèvres gonflées de collagène, qui qualifia sa blessure de « connerie » (« Et pourquoi est-ce que cet homme possède une aiguille à coudre ? »), mais qui fut incapable de retirer l'objet. Et, cette intervention ayant échoué, le pied de Mineur fut dès lors placé dans une attelle provisoire, et il fut conduit dans une chambre de l'hôpital, qu'il partagea avec un travailleur d'un certain âge ayant passé vingt ans à Vallejo, en Californie, qui ne parlait que l'espagnol et pas du tout l'anglais. On le prépara ensuite pour l'intervention chirurgicale du lendemain matin, ce qui nécessita un nombre important de changements de brancards, d'injections d'anesthésiques, jusqu'à ce qu'on le pousse enfin dans une salle d'opération immaculée, dont l'appareil de radiographie mobile permit au chirurgien, un homme affable doté d'une moustache à la Hercule Poirot, de présenter à Mineur, en l'espace de cinq minutes, à l'aide d'un petit aimant, la responsable insignifiante de sa blessure – brandie devant ses yeux au bout d'une pince à épiler. Après quoi, on enveloppa son pied dans une attelle en forme de botte, et on donna à notre protagoniste un puissant analgésique qui le fit presque instantanément tomber dans un sommeil profond.

À présent, il promène son regard tout autour de la pièce, et fait le point sur sa situation. Sa tenue d'hôpital en papier est aussi verte que la Statue de la Liberté, et son pied fracturé est protégé par une botte de plastique noir. Son costume bleu garnit probablement la tanière d'une famille de canidés sauvages. Une infirmière corpulente est occupée dans un coin à remplir des papiers, munie de lunettes à double foyer qui lui donnent l'air d'un poisson muni de deux paires d'yeux *(Anableps anableps)* permettant de voir à la fois au-dessus et au-dessous de l'eau. Il a dû faire du bruit, car elle tourne la tête, et se met à crier en malayalam. D'une manière impressionnante, il en résulte que son chirurgien moustachu franchit le pas de la porte et, sa blouse blanche se balançant au gré de ses mouvements, manipule en souriant le pied de Mineur, comme pourrait le faire un plombier devant un évier de cuisine qu'il a réparé.

— Monsieur Mineur, vous êtes réveillé ! Donc maintenant vous ne ferez plus sonner les détecteurs de métaux : bip, bip, bip ! (Et le docteur, en se penchant vers lui, demande :) Nous sommes tous curieux de le savoir : pourquoi un homme est-il en possession d'une aiguille à repriser ?

— Pour réparer les choses. Pour recoudre les boutons qui manquent.

— C'est un grand risque dans votre profession ?

— Apparemment, une aiguille en est un plus grand.

Mineur a l'impression qu'il ne se reconnaît plus dans ce qu'il dit.

— Quand pourrais-je retourner à la résidence, docteur ?

— Ah ! dit-il en cherchant dans ses poches et en en sortant une enveloppe : la résidence a envoyé ça pour vous.

Sur l'enveloppe, il est écrit : *Vraiment désolé*. Mineur l'ouvre et en sort un petit bout de tissu bleu. Perdu pour toujours, donc. Sans ce costume, Arthur Mineur n'existe pas.

Le docteur poursuit :

— La résidence a contacté votre ami, qui va venir vous chercher d'un moment à l'autre.

Mineur demande alors si c'est Rupali, ou le pasteur, peut-être.

— J'en sais fichtre rien ! dit le docteur en employant une formule contrastant avec son anglais habituel très britannique. Mais vous ne pouvez pas retourner dans cette résidence, ou dans un lieu aussi haut. Des escaliers ! Grimper une colline ! Non, non, reposez votre pied pendant au moins trois semaines. Votre ami a des possibilités d'hébergement. Et oubliez vos histoires de jogging américain !

Ne pas y retourner ? Mais… son livre ! Un coup frappé à la porte, alors que Mineur se demande où peut bien se trouver ce nouvel hébergement, mais la réponse lui est fournie à l'instant même où la porte s'ouvre.

Il est tout à fait possible que Mineur soit pris dans l'un de ces rêves qui fonctionnent comme des poupées russes s'imbriquant les unes dans les autres, au cours desquels on se réveille, on bâille et on bondit de son petit lit d'enfant pour caresser un petit chien mort depuis longtemps, pour accueillir sa mère disparue depuis longtemps, et pour simplement se rendre compte qu'on est encore dans un autre rêve inclus dans le premier, encore dans le cauchemar de la poupée russe suivante, et qu'on doit accomplir la tâche héroïque d'en sortir, en se réveillant réellement cette fois-ci.

Car la silhouette qui se dessine dans l'entrebâillement de la porte ne peut être qu'une image sortie d'un rêve.

— Salut, Arthur. Je suis ici pour prendre soin de toi.

Ou alors non, il doit être mort. On va le sortir de ce purgatoire gris-vert pour le mettre dans une fosse spéciale qui l'attend. Un petit chalet surplombant une mer flamboyante : la Résidence d'Artistes en Enfer. Le visage retient un sourire. Et Arthur, lentement, tristement, finit par accepter la divine comédie de sa vie, et prononce le nom que vous avez peut-être déjà certainement deviné.

*

Le chauffeur se sert du klaxon comme un hors-la-loi de son arme à feu lors d'un échange de tirs. Chiens errants et chèvres surgissent sur la route avec des expressions coupables, et les gens bondissent sur le côté, l'air innocent. Les enfants restent par douzaines sur le bord de la voie, dans les mêmes uniformes à carreaux rouges ; certains sont accrochés aux branches d'un banian ; l'école est sûrement finie. Ils regardent fixement Mineur qui passe. Qui entend constamment le klaxon râler, accompagné de la musique pop anglaise suintant des haut-parleurs comme de la mélasse, et la douce voix de Carlos Pelu :

— … aurais dû m'appeler quand tu es arrivé, heureusement qu'ils ont trouvé mon petit mot, et bien sûr j'ai dit que je t'emmènerais à…

Arthur Mineur, fasciné par le destin, se retrouve à fixer ce visage qu'il a si bien connu au fil des ans. L'arête typiquement romaine de ce nez qu'on voyait se tourner en tous sens pendant les soirées, comme pour capter des bribes de conversation ou ce regard de l'autre côté de la pièce, ou encore les gens qui partaient pour une meilleure soirée ; le nez de Carlos Pelu, si frappant quand il était jeune, inoubliable, et là, dans la voiture, toujours aussi parfaitement droit que la figure de proue en bois, intacte, d'un bateau radoubé. Son corps a pris une ampleur majestueuse avec les années, et n'a plus cette vigueur de la jeunesse. Ni rebondi ni enveloppé, ni gras au sens où l'entendait Zohra quand elle proposait de grossir : corps insouciant enfin autorisé à respirer ; pas un corps heureux d'être gras, d'être sexy dans sa graisse, d'une graisse à se foutre de tout. Mais majestueusement, puissamment, pantagruéliquement gras. Un géant, un colosse : Carlos le Grand.

Arthur, tu sais que mon fils n'a jamais été un garçon pour toi.

— Dieu, que c'est bon de te voir ! (Carlos lui presse le bras et lui fait un sourire espiègle de complicité enfantine.) J'ai entendu dire qu'il y a eu à Berlin un jeune homme qui a chanté sous ta fenêtre.

— Où est-ce que nous allons ? demande Mineur.

— Et tu as eu une liaison ? Avec un prince ? Tu t'es enfui d'Italie sous le couvert de la nuit ? Dis-moi que tu étais le Casanova du Sahara.

— Ne dis pas de bêtises.

— Peut-être qu'en fait c'était à Turin qu'un garçon a chanté sous ton balcon. Désespérément amoureux de toi.

— Personne n'a jamais été désespérément amoureux de moi.

— Non, dit Carlos. Tu leur as toujours donné de l'espoir, n'est-ce pas ?

Le châssis volumineux de leur voiture s'efface momentanément, et les voilà qui sont debout, un verre de vin blanc à la main, sur la pelouse d'un quidam, jeunes à nouveau. Avec l'envie de danser avec quelqu'un.

— Je vais te dire où nous allons. Nous nous dirigeons vers le *resort*. Je t'ai dit que ce n'était pas loin.

*De tous les bars de toutes les villes du monde**…

— C'est très aimable à toi, mais peut-être que je pourrais me rendre dans un centre ayurvédique…

— Ne dis pas de bêtises. C'est un *resort* avec tout le personnel dont tu as besoin, et il est pour l'instant entièrement vide. Nous n'ouvrons que dans un mois. Tu vas adorer… Il y a un éléphant !

Arthur croit qu'il veut dire qu'il y en a un au *resort*, mais il suit le regard de Carlos, et son cœur cesse de battre. Là, juste devant eux, si tavelé par l'âge et si poussiéreux qu'on croit d'abord voir une charrette de caoutchouc blanc, fabriqué à partir d'arbres locaux, jusqu'à ce que se lèvent les oreilles, comme le déploiement de plumes ou de membranes pour voler – c'est sans conteste un éléphant, qui se balade nonchalamment dans la rue, un boisseau de bambous verts dans la trompe, la queue

* Allusion à une célèbre réplique du film *Casablanca.*

fouettant l'air, et qui se retourne maintenant pour fixer, de ses petits yeux insondables, ceux qui le regardent – et Mineur reconnaît ce regard fixe qui semble dire : *Je ne suis pas aussi étrange que vous.*

— Oh mon Dieu !

— Les grands temples en ont un. On va le contourner, dit Carlos et, en jouant à grand bruit du klaxon, ils y parviennent. Mineur tourne la tête pour voir, par la vitre arrière, la créature disparaître en balançant la tête d'avant en arrière, tenant toujours son fardeau de bambou dans la trompe, clairement consciente de la perturbation qu'elle provoque, et pas fâchée d'y prendre un certain plaisir. Ensuite, une foule d'hommes munis de drapeaux communistes sortent d'un immeuble en fumant, et la vision surnaturelle s'arrête.

— Écoute-moi, Arthur, j'ai une idée… Ah, nous sommes arrivés, dit Carlos brusquement, et Mineur sent, plus qu'il ne la voit, leur descente abrupte vers l'océan. Avant de nous dire au revoir, j'ai deux questions rapides. Des questions faciles.

Ils franchissent un portail ; Mineur en croit à peine ses oreilles : le chauffeur est toujours en train de jouer du klaxon.

— Nous nous disons au revoir ?

— Arthur, arrête d'être aussi sentimental. À notre âge, voyons ! Je serai de retour dans quelques semaines, et nous fêterons ta guérison. J'ai des choses à faire. C'est déjà un miracle d'avoir pu passer ce moment ensemble. Ma première question : est-ce que tu as toujours tes lettres de Robert ?

— Mes lettres ?

Le klaxon s'arrête, et la voiture aussi. Un jeune homme en uniforme vert s'approche du côté passager, celui de Mineur.

— Allons, Arthur, tu les as ou pas ? J'ai un avion à prendre.

— Je crois bien.

— Bravo. Et mon autre question : Tu as eu des nouvelles de Freddy ?

Mineur sent le souffle d'air chaud quand la portière s'ouvre de son côté. Il jette un regard et voit un beau portier debout, qui tient ses béquilles d'aluminium. Il se retourne vers Carlos.

— Pourquoi est-ce que j'aurais des nouvelles de Freddy ?

— Pour rien. Concentre-toi sur ton livre jusqu'à mon retour, Arthur.

— Est-ce que tout va bien ?

Carlos lui dit au revoir d'un geste, et puis Mineur se retrouve dehors, et voit la grande Ambassador blanche remonter péniblement la pente et se perdre progressivement dans les palmiers, jusqu'à ce qu'on ne perçoive plus que le bruit constant de son klaxon qui cacarde.

Il entend la mer et la voix du porteur :

— Monsieur Mineur, certains de vos bagages sont arrivés. Ils sont déjà dans votre chambre.

Mais il fixe toujours son regard sur les palmiers ondulant dans le vent.

Étrange. Cela avait été dit avec une telle désinvolture que Mineur n'y avait presque pas prêté attention : Carlos, assis dans la voiture et posant cette simple question. Cela ne se voyait pas sur son visage – Carlos gardait la même expression d'impatience placide que d'habitude – mais

Mineur pouvait voir qu'il jouait avec une bague ornée d'une tête de lion, la tournait et la retournait autour de son doigt, tandis que son regard se fixait sur Arthur Mineur blessé, âgé, désespéré. Mineur comprend que toute la conversation n'était qu'une illusion, un voile de Maya, une chimère, et que le vrai but de Carlos était ailleurs. Mais il ne peut le décoder. Il hoche la tête et sourit au porteur, se saisit de ses béquilles et lève les yeux sur sa nouvelle prison blanche. Il y a quelque chose dans la façon dont son vieil ami a posé la question, quelque piste cachée que seul un auditeur attentif, ou quelqu'un qui l'écoute depuis des années, pourrait remarquer, et que personne ne suspecterait jamais chez Carlos : de *la crainte*.

Pour un homme de cinquante ans, être cloué au lit en convalescence est aussi ennuyeux que de rester assis dans une église. On a donné à Mineur la Suite Raja, et on l'a installé dans un lit confortable avec vue sur l'océan, entachée seulement par un voile épais d'apiculteur – une moustiquaire suspendue au plafond. C'est élégant, frais, pourvu d'un personnel nombreux, et terriblement déprimant. Comme Mineur regrette la mangouste ! Il regrette Rupali et les pique-niqueurs, l'affrontement musical des diverses religions, le pasteur et le tailleur, et Elizabeth la couleuvre jaune ; il regrette même notre Sauveur Jésus-Christ. Sa seule intrigue se joue avec le portier, Vincent, qui passe chaque jour pour contrôler l'état de notre invalide : visage en pointe bien rasé, yeux topaze, le genre de bel homme pudique qui n'a aucune conscience de sa beauté. Et chaque fois que Vincent vient le voir, Mineur prie Jésus-Christ Notre-Sauveur pour qu'il étouffe sa libido ; la dernière chose dont il aurait besoin en ce moment serait d'un béguin de convalescence.

Si bien que les semaines se déroulent dans un morne ennui qui, en fin de compte, s'avère être la situation parfaite pour que Mineur essaie enfin d'écrire.

C'est comme si on prenait de l'eau dans un vieux seau percé pour la verser dans un autre tout neuf ; cela semble presque trop facile pour être honnête. Il va simplement retirer de l'intrigue un événement lugubre – disons, le propriétaire d'un marché qui est en train de mourir d'un cancer – et l'inverser : Swift, pris de pitié, accepte de se charger de sept roues de fromage odorant qu'il devra ensuite transporter partout dans San Francisco, et dont l'odeur sera de plus en plus forte durant tout le reste du chapitre. Dans la scène sordide où Swift emporte un sachet de cocaïne dans la salle de bains de l'hôtel, et qu'il se fait une ligne sur le comptoir, Mineur ajoute simplement un séchoir à main et – dans un vrombissement – voilà un humiliant blizzard ! Tout ce qu'il lui faut, c'est un seau jeté d'une fenêtre, une bouche d'égout ouverte, une peau de banane… « Est-ce que nous sommes des losers ? » demande Swift à son amant à la fin de leurs vacances ratées, et Mineur ajoute en jubilant la réponse suivante : « Disons, chéri, que nous ne sommes pas des gagnants, ça c'est sûr. » Avec une joie qui confine au sadisme, il retourne chaque humiliation pour en montrer l'envers risible. Quel pied ! Si seulement on pouvait faire ça dans la vraie vie !

Il est réveillé à l'aube, au moment où la mer brille, mais où le soleil se débat encore contre les nuages qui le couvrent, et il s'assied pour donner à son protagoniste quelques coups de fouet supplémentaires avec l'autorité que lui confère son statut d'auteur. Dans une certaine mesure, une nostalgie douce-amère qui n'existait pas auparavant commence à apparaître dans le roman. Celui-ci change, devient moins agressif. Mineur, comme un fidèle repenti, se reprend à aimer son sujet et enfin, un matin, après une heure passée le menton dans la main à regarder les oiseaux dans la brume grise de l'horizon, notre Dieu bienveillant accorde à son personnage la brève bénédiction de la joie.

Finalement, un après-midi, Vincent arrive et demande :

— S'il vous plaît, comment va votre pied ?

Mineur répond qu'il peut maintenant faire quelques pas sans béquilles.

— Bien, dit Vincent, et maintenant, s'il vous plaît, Arthur, préparez-vous pour une sortie exceptionnelle.

Mineur, taquin, demande, où ils vont aller ensemble. Peut-être Vincent va-t-il enfin lui montrer un nouvel aspect de l'Inde… Mais pas du tout ; l'homme rougit et réplique :

— Hélas, moi, je ne vais pas aller *ensemble*.

Il dit que cette sortie exceptionnelle est offerte aux résidents à l'occasion de l'ouverture du *resort*. Un bruit à l'extérieur : Mineur regarde par la fenêtre, voit un hors-bord conduit par deux jeunes gens impassibles, et qui s'approche du quai. Vincent aide Mineur à approcher du bateau en boitillant, et à monter à bord, tout tremblant. Le moteur démarre dans un rugissement comme le ferait un tigre.

La promenade en bateau dure une demi-heure, pendant laquelle Mineur aperçoit des dauphins qui bondissent hors de l'eau, et des poissons volants qui ricochent sur la surface comme un galet qu'on lance au ras des flots ; il voit également une méduse à la crinière flottante, et cela lui rappelle la visite d'un aquarium, lorsqu'il était enfant où, après avoir adoré observer une tortue de mer faire de la brasse comme une vieille tante un peu folle, il avait vu une méduse, monstre sans cerveau et en négligé rose mousseux frémissant dans l'eau, et pensé dans un sanglot : *Nous deux, nous n'appartenons pas au même monde*. Ils arrivent enfin sur une île de sable blanc pas plus grande qu'un pâté de maisons, où se dressent deux cocotiers et où le sol est jonché de petites fleurs pourpres. Mineur met le pied à terre précautionneusement, et se dirige vers un endroit ombragé. D'autres dauphins bondissent dans l'océan qui s'assombrit. Un avion passe devant la lune, en en soulignant le contour. C'est sans nul doute le paradis – jusqu'au moment où Mineur se retourne et s'aperçoit que le bateau repart. Naufragé. Est-il possible que ce soit le plan ultime de Carlos ? L'emprisonner dans une chambre pendant des semaines, et maintenant, alors qu'il est à un chapitre de la fin de son roman, l'abandonner sur une île déserte ? C'est un destin digne d'un dessin du *New Yorker*. Mineur en appelle au soleil couchant : il a abandonné Freddy ! Il l'a abandonné de son plein gré ; il est même resté à l'écart du mariage. Il a assez souffert, tout seul ; il est estropié, monoplégique, abandonné, et dépossédé de son costume magique. Il n'a plus rien qui lui reste, à notre Job homosexuel. Il tombe à genoux sur le sable.

Un vrombissement tenace derrière lui. Quand il se retourne, il voit un autre hors-bord se diriger vers lui.

— Arthur, j'ai une idée, lui dit Carlos après le dîner.

Les assistants de Carlos ont fait un rapide feu de camp et leur ont grillé deux poissons bigarrés transpercés le long du récif, et Mineur et Carlos, assis sur des coussins, partagent une bouteille de champagne frais.

Carlos est allongé sur l'un des coussins pailletés ; il porte un caftan blanc.

— Quand tu rentreras chez toi, je veux que tu retrouves toute votre correspondance avec les membres de la Russian River School. De tous ceux que nous avons connus. Les gens importants, Robert, Ross et Franklin surtout.

Mineur, empêtré entre deux oreillers, lutte pour se redresser et demande :

— Pourquoi ?

— Je veux te les acheter.

Par-dessus le bruit lent du ressac pareil à celui d'un lave-linge, une série de ploufs indique la présence d'un poisson. La lune est haute dans le ciel, enveloppée de brume, et jette partout une lueur voilée, qui empêche de voir les étoiles.

Carlos fixe intensément Mineur à la lueur du feu.

— Tout ce que tu as. Combien crois-tu qu'il y en a ?

— J'ai… Je ne sais pas. Il faudra que je regarde. Des douzaines, tu sais. Mais c'est personnel.

— Mais c'est ça que je veux. Je constitue une collection. Ils sont maintenant dans l'air du temps, ceux de toute cette époque. Il y a des cours à la fac sur tout ça. Et nous, nous les avons connus. Nous faisons partie de l'histoire, Arthur.

— Je ne suis pas sûr que nous fassions partie de l'histoire.

— Je veux tout rassembler pour une collection, la Collection Carlos Pelu. Une université est intéressée ; ils peuvent peut-être donner mon nom à une salle. Est-ce que Robert t'a écrit des poèmes ?

— La Collection Carlos Pelu.

— Tu aimes le son de cette phrase ? Tu compléterais la collection. Un poème d'amour de Robert, adressé à toi.

— Il n'écrivait pas ce genre de choses.

— Ou bien ce tableau de Woodhouse. Je sais que tu as besoin d'argent, dit Carlos tranquillement.

Et voilà donc le plan : Carlos veut tout prendre. Prendre son orgueil, prendre sa santé physique et mentale, prendre Freddy, et maintenant, pour couronner le tout, prendre même ses souvenirs, s'emparer de sa mémoire. Il ne restera rien d'Arthur Mineur.

— Je m'en tire très bien.

Le feu, fait d'écorces de cocotiers, trouve à brûler un morceau particulièrement délicieux, et s'enflamme avec ravissement, en éclairant leurs deux visages. Ils ne sont pas jeunes, pas du tout ; il ne reste rien des garçons qu'ils étaient. Pourquoi ne pas vendre ses lettres, ses souvenirs, ses peintures, ses livres ? Pourquoi ne pas les brûler ? Pourquoi ne pas renoncer à tout ce qu'a été sa vie ?

— Tu te souviens de cet après-midi sur la plage ? Tu étais encore avec cet Italien…

— Marco.

Il rit :

— Ah oui, mon Dieu, Marco ! Il avait peur des rochers et nous a obligés à aller nous asseoir avec les hétéros. Tu te souviens ?

— Bien sûr que je me souviens. C'est à ce moment-là que j'ai rencontré Robert.

— Je pense beaucoup à cette journée-là. Bien sûr, nous ne savions pas qu'il y avait une grosse tempête sur le Pacifique, que nous étions fous de nous trouver sur cette plage ! C'était incroyablement dangereux. Mais nous étions jeunes et bêtes, n'est-ce pas ?

— Sur ça, on est d'accord.

— Parfois je pense à tous ces hommes qu'on connaissait sur cette plage.

De petits fragments de mémoire s'éclairent à présent dans le cerveau de Mineur, dont cette image de Carlos, debout sur un rocher et regardant le ciel, le corps svelte et musclé dédoublé par son reflet dans l'eau, plus bas. Le feu crépite, lançant dans l'air des hélices d'étincelles. À part celui du feu et celui des flots, il n'y a aucun autre bruit.

— Je ne t'ai jamais détesté, Arthur, dit Carlos.

Mineur fixe le feu.

— Ça a toujours été de l'envie. J'espère que tu en es conscient.

Une foule de minuscules crabes translucides traverse le sable, pour sortir un peu de leur environnement aquatique.

— Arthur, j'ai une théorie. Écoute-moi bien, maintenant. C'est que nos vies sont pour moitié de la comédie, et pour moitié de la tragédie. Et pour certaines personnes, il se trouve que la première moitié de la vie, *tout entière*, est une tragédie, et puis la seconde une comédie. Moi, par exemple. Regarde la jeunesse pourrie que j'ai eue. Celle d'un pauvre gamin qui arrive dans une grande ville – peut-être que tu ne l'as jamais su, mais, Dieu, qu'est-ce que ça a été dur pour moi. Je voulais simplement réussir à arriver quelque part. Dieu merci, j'ai rencontré Donald, mais voilà qu'il est tombé malade, puis qu'il est mort ; et puis je me suis retrouvé tout d'un coup avec un enfant à charge. Je me suis cassé le cul pour développer le business que m'a légué Donald. Quarante ans d'investissements sérieux, vraiment sérieux. Mais regarde-moi aujourd'hui. Quelle comédie ! Gras ! Riche ! Ridicule ! Regarde comme je suis habillé – en caftan, tu te rends compte !? J'étais tellement en colère contre tout quand j'étais jeune – j'avais tant à prouver ; maintenant il y a l'argent, et le rire. C'est merveilleux. Ouvrons l'autre bouteille. Mais revenons à toi. Tu as eu la comédie dans ta jeunesse. Tu étais alors le garçon ridicule, celui dont tout le monde riait. Tu trébuchais, simplement, sur tout ce qui se trouvait sur ton passage, comme quelqu'un à qui on a bandé les yeux. Je te connais depuis plus longtemps que la plupart de tes amis, et c'est moi qui certainement t'ai observé de plus près. Je suis l'expert le plus averti du monde sur Arthur Mineur. Je me souviens du moment où nous nous sommes rencontrés. Tu étais si maigre, tout en clavicules et en hanches. Et innocent. Nous autres, nous étions loin d'être innocents, je ne pense pas que nous pensions même y prétendre. Tu étais différent. Je crois que tout le monde voulait toucher cette innocence, peut-être la gâcher. Ta façon de traverser le monde, inconscient du danger. Maladroit et naïf. Bien sûr que je t'enviais. Parce que je n'aurais jamais pu être comme toi ; j'avais cessé de l'être alors que j'étais tout gosse. Si tu me l'avais demandé il y a un an, il y a six mois, je t'aurais dit : Oui, Arthur, la première partie de ta vie, c'était de la comédie. Mais maintenant tu te trouves en plein dans la seconde moitié, la moitié tragique.

Carlos prend la bouteille de champagne pour remplir le verre de Mineur.

— De quoi tu parles ? demande Mineur. Le tragique…

— Mais j'ai changé d'avis. (Et Carlos poursuit :) Tu sais que Freddy sait t'imiter ? T'as jamais vu ça ? Oh, tu vas aimer.

Pour ce faire, Carlos doit se lever, et accomplir un mouvement élaboré nécessitant qu'il se tienne au cocotier. Il est ivre, probablement. Même lorsqu'il fait ce mouvement, il garde sa hauteur royale, celle qu'il avait lorsque, comme une panthère, il se dirigeait à pas lents vers la piscine. Et en un seul mouvement leste, il devient Arthur Mineur : grand, maladroit, les yeux exorbités, les genoux cagneux, il arbore un sourire terrifié ; ses cheveux même semblent se dresser à la manière dont se coiffent ses acolytes des bandes dessinées, et que Mineur a toujours adoptée. Il parle d'une voix forte, quasi hystérique :

— J'ai eu ce costume au Viêtnam ! C'est une laine légère pour l'été. Je voulais prendre du lin, mais la vendeuse m'a dit : Non, il va se froisser, ce qu'il vous faut c'est une laine légère pour l'été, et vous savez quoi ? Elle avait raison !

Mineur reste coi un moment, et puis il a un petit rire de stupéfaction.

— Eh oui, dit-il. Une laine légère pour l'été. Ça prouve au moins que Freddy écoutait.

Carlos rit, abandonne sa pose, et redevient lui-même. Appuyé contre un cocotier, il a sur le visage la brève expression que Mineur a surprise dans la voiture. De la crainte. Du désespoir. Concernant quelque chose d'autre que ces « lettres ».

— Alors qu'est-ce que tu en dis, Arthur ? Vends-les-moi.

— Non, Carlos. Non.

Carlos se tourne vers le feu, et lui demande si son refus a quelque chose à voir avec son fils.

— Freddy n'a rien à voir là-dedans, dit Mineur.

Carlos regarde au loin le clair de lune qui se reflète sur l'eau :

— Tu sais, Arthur, mon fils n'est pas comme moi. Je lui ai demandé une fois pourquoi il était si paresseux. Je lui ai demandé ce que diable il voulait dans la vie. Il n'a pas pu me le dire. Si bien que j'ai décidé à sa place, afin qu'il ait vraiment une belle vie, une vie « en majeur », si je puis dire.

— Une minute, revenons en arrière.

Carlos se retourne et baisse son regard sur Mineur :

— Tu n'es vraiment pas au courant ?

Ce doit être le clair de lune : ça ne peut sûrement pas être de la tendresse, là, sur son visage.

— Et c'était quoi, cette moitié tragique dont tu me parlais ? demande Mineur.

Carlos sourit, bien décidé à dire quelque chose :

— Arthur, j'ai changé d'avis. Tu possèdes la chance d'un personnage comique. De la malchance dans tout ce qui ne compte pas. De la chance dans tout ce qui compte. Je crois – et tu vas probablement ne pas être d'accord avec moi – mais je crois que toute ta vie est une comédie. Pas seulement la première partie. Toute ta vie. Tu es la personne la plus absurde que j'aie jamais rencontrée. Tu as évolué tant bien que mal et tu t'es conduit comme un idiot ; tu as emprunté tous les chemins à contresens, tu as employé les mots qu'il ne fallait pas, tu as trébuché sur tout, et sur tous ceux qui se trouvaient sur ton passage – et tu as gagné. Et tu ne t'en rends même pas compte.

— Carlos… (Il ne se sent pas vainqueur ; il se sent vaincu.) Ma vie, ma vie pendant toute cette dernière année…

— Arthur Mineur, l'interrompt Carlos en hochant la tête : tu as une vie meilleure que celle de tous les gens que je connais.

Pour Mineur, cela n'a absolument aucun sens.

Carlos regarde le feu, et siffle le reste de son champagne.

— Je vais retourner vers le rivage ; je dois partir tôt demain. Assure-toi de donner à Vincent les précisions sur ton vol de retour. Pour le Japon, c'est ça ? Kyôto ? On veut être sûrs que tu retournes sain et sauf chez toi. Je te vois demain matin.

Et sur ce, il traverse l'île à grands pas vers l'endroit où son bateau l'attend, au clair de lune.

Mais Mineur ne voit pas Carlos le lendemain. Son propre bateau le conduit vers le *resort*, où il demeure tard à regarder les étoiles, et où il se rappelle la pelouse, devant son chalet, qui scintillait de vers luisants ; il remarque une constellation particulière qui ressemble à cet écureuil en peluche qu'il appelait Michael quand il était enfant, et qui est resté dans une chambre d'hôtel en Floride. Coucou, Michael ! Il se met au lit très tard, et quand il se réveille, il s'aperçoit que Carlos est déjà parti. Il se demande ce qu'il peut bien être censé avoir gagné.

Pour un garçon de sept ans, rester assis dans une église est aussi ennuyeux que de se trouver dans la salle d'attente d'un aéroport. Ce garçon en particulier, assis avec son livre de prières du dimanche sur les genoux – une série d'histoires bibliques avec un style d'illustrations très inconsistant –, en regarde une qui représente le lion de Daniel. Comme il voudrait que ce soit un dragon. Comme il voudrait que sa mère n'ait pas confisqué son stylo. La salle est longue, en pierres, et le plafond blanc est en bois. Deux cents sandales, peut-être, sont alignées dehors, sur l'herbe. Tout le monde porte ses plus beaux habits ; les siens sont délicieusement chauds. Les ventilateurs, là-haut, se balancent d'avant en arrière, spectateurs du match de tennis qui se joue entre Dieu et Satan. Le garçon entend les paroles du pasteur ; il ne pense qu'à la fille du pasteur qui, depuis qu'il n'avait que trois ans, a totalement captivé son cœur. Il jette un regard, et voit qu'elle est sur les genoux de sa mère ; elle lui retourne son regard et cligne des yeux. Mais, plus intéressante encore, la fenêtre derrière elle est ouverte sur la route, où une vieille Tata blanche est prise dans le trafic, et dedans, clairement visible par la vitre baissée : l'Américain !

Comme c'est incroyable, il veut le dire à tout le monde, mais bien sûr il lui est interdit de parler ; ça le rend aussi fou que la tentatrice, la fille du pasteur. L'Américain, celui de l'aéroport, dans le même costume en lin beige que la dernière fois. Tout autour de lui, des vendeurs vont de voiture en voiture avec de la nourriture chaude enveloppée dans du papier, de l'eau, des sodas, et partout c'est un concert de klaxons. Ça ressemble à une parade. L'Américain penche la tête par la fenêtre, probablement pour vérifier où en est la circulation, et puis, un bref instant, ses yeux rencontrent ceux du garçon. Ce que contient ce regard bleu, le garçon ne peut le comprendre. Ce sont les yeux d'un naufragé. En route pour le Japon. Puis l'obstacle invisible est levé, la circulation se remet à avancer, l'Américain se retire dans l'ombre de la voiture, et le voilà disparu.

MINEUR SORT DE SCÈNE

De mon point de vue, l'histoire d'Arthur Mineur ne semble pas se dérouler si mal, somme toute. J'admets que ça pourrait mieux se passer (et la malchance va s'en mêler). Je me souviens de la deuxième fois où nous nous sommes rencontrés, alors que Mineur avait à peine plus de quarante ans. Je me trouvais dans une nouvelle ville, lors d'un cocktail, et je regardais la vue, quand j'ai soudain eu l'impression que quelqu'un ouvrait une fenêtre. Je me suis retourné. Personne n'avait ouvert de fenêtre ; un nouveau venu, simplement, était entré dans la pièce. Il était grand, avait des cheveux blonds clairsemés et le profil d'un Lord anglais. Il a eu un sourire triste pour l'assemblée, et a levé la main comme le font certains accusés qui déclarent, quand on les présente en rapportant une anecdote à leur sujet : « Je reconnais les faits ! » Partout dans le monde, on aurait forcément dit qu'il était américain. L'ai-je reconnu comme étant cette personne qui, dans une pièce blanche et froide, m'avait appris à dessiner lorsque j'étais jeune, et qui, alors que je l'avais pris pour une personne plus jeune qu'il n'était, m'avait trahi en s'avérant être un adulte ? Pas tout de suite : au début, je n'ai pas eu la même impression qu'à l'époque.

Mais en le regardant de nouveau, oui, c'est certain, je l'ai reconnu. Il avait pris de l'âge, sans vieillir : la mâchoire plus nettement dessinée, le cou plus épais, les cheveux et la peau un peu plus pâles. Personne n'aurait pu le prendre pour un jeune homme. Et pourtant c'était bien lui, sans aucun doute : je reconnaissais, identifiable à coup sûr, l'innocence qu'il dégageait. La mienne avait disparu au fil des ans ; la sienne, étonnamment, non. Devant moi se tenait quelqu'un qui aurait dû gagner en maîtrise de soi et qui, pour se protéger, aurait dû se fabriquer une carapace en étant drôle, comme tous les autres qui riaient dans cette pièce ; il aurait dû, depuis, s'endurcir. Mais il était là, debout, comme perdu dans la Grand Central Station de New York.

Presque dix ans plus tard, Arthur Mineur a la même expression alors qu'il sort de l'avion à Osaka et que, ne trouvant personne pour l'accueillir, il ressent cette sensation de sables mouvants que connaît tout voyageur : *Bien sûr il n'y a personne pour m'accueillir ; pourquoi quelqu'un se souviendrait-il de moi, et qu'est-ce que je dois faire maintenant ?* Au-dessus de lui une mouche vole en orbite autour d'une lampe du plafond, selon une trajectoire trapézoïdale, et Arthur Mineur, imitant comme toujours les événements de la vie, commence, dans le terminal des arrivées, un trajet orbital analogue. Il passe devant un grand nombre de comptoirs dont les enseignes, même si elles sont apparemment rédigées en anglais, ne signifient rien pour lui (JASPER !, AERONET, GOLD-MAN). Cela lui rappelle ces moments saisissants où, tandis qu'il lit un livre qu'il ne comprend pas car c'est pour lui du charabia, il s'aperçoit qu'en fait, il est en train de rêver. Au dernier comptoir (CHROME), un homme âgé l'interpelle ; Arthur Mineur, qui maîtrise désormais parfaitement le langage international des signes, comprend qu'il s'agit d'une compagnie de bus privés, et que la mairie de Kyôto lui a réservé un billet. Le nom sur le billet : DR EUR. Mineur est saisi d'un bref vertige, merveilleux au demeurant. Dehors, le minibus attend ; c'est évident : il n'est là que pour lui. Un chauffeur en sort ; il porte la casquette et les gants blancs d'un chauffeur de cinéma ; il fait signe à Arthur Mineur, qui se prend à s'incliner devant lui avant de monter dans le bus, choisit un siège, s'essuie le visage de son mouchoir, et regarde par la fenêtre vers ce qui est sa destination finale. Il ne lui reste plus désormais qu'un océan à traverser. Il a tant perdu au fil du temps : son amant, sa dignité, sa barbe, son costume et sa valise.

J'ai omis de mentionner que sa valise n'est pas arrivée au Japon.

Mineur est venu rédiger un article pour un magazine masculin sur la cuisine japonaise, en particulier la cuisine *kaiseki* ; il s'est porté volontaire pour le boulot lors de cette partie de poker à San Francisco. Il ne sait strictement rien de la cuisine *kaiseki*, mais il a le projet de dîner en l'espace de deux jours dans quatre établissements différents, dont le dernier est une vieille auberge en dehors de Kyôto. Il s'attend donc à une grande variété de menus. Dans deux jours, il en aura terminé. Tout ce qu'il sait du Japon est lié à un ancien souvenir d'enfance : sa mère l'avait emmené à Washington DC pour un voyage spécial ; elle l'avait habillé d'une chemise à col boutonné et d'un pantalon de laine, et l'avait conduit dans un grand immeuble de pierre orné de colonnes. Ils avaient attendu longtemps et fait la queue dans la neige avant qu'on leur permette d'entrer dans une petite salle sombre où étaient exposés différents trésors, des manuscrits, des coiffes et des armures (que Mineur, au début, avait pris pour des personnes réelles).

— On les a laissés sortir du Japon pour la première fois, et on ne le fera probablement plus jamais, lui avait chuchoté sa mère, se référant probablement à un miroir, à un bijou et à une épée, surveillés par deux gardiens en chair et en os, une déception pour l'enfant. Et lorsque résonna un gong et qu'on leur demanda de partir, sa mère se pencha vers lui et lui demanda :

— Qu'est-ce que tu as préféré ?

Il le lui dit, et elle eut une expression amusée :

— Le jardin ? Quel jardin ?

Le garçon avait été attiré non pas par les trésors sacrés, mais par une vitrine contenant une ville miniature, où un œilleton lui permettait de voir, comme peut le faire un dieu, telle ou telle scène dont chacune était élaborée avec une si grande précision de détails qu'il lui semblait observer le passé à travers un télescope magique. Et de toutes les merveilles contenues dans cette vitrine, la plus grande était le jardin, avec sa rivière qui semblait couler, remplie de carpes mouchetées de taches orange, avec les buissons de pins et les érables, et une petite fontaine faite à partir d'une tige de bambou (en réalité pas plus grande qu'une épingle à nourrice !) qui oscillait sans cesse, comme si elle faisait couler goutte à goutte sa charge d'eau dans le bassin de pierre qui se trouvait à sa base. Le jardin enchanta le petit Arthur

Mineur pendant des semaines ; il marcha dans la cour, chez lui, parmi les feuilles brunes, à la recherche de sa petite clé d'or. Il finirait assurément par trouver la porte de ce jardin enchanté.

Tout ce qu'il voit est surprenant et nouveau. Arthur Mineur, assis dans le bus, regarde le paysage industriel qui fleurit le long de l'autoroute. Sans doute espérait-il quelque chose de plus joli. Mais même Kawabata a décrit ces changements de paysage autour d'Osaka, et c'était il y a soixante ans. Mineur est fatigué ; ses vols et ses correspondances lui ont paru plus oniriques encore que son errance de drogué dans l'aéroport de Francfort. Il n'a plus entendu parler de Carlos. Une absurdité bourdonne dans sa tête : *Est-ce à cause de Freddy ?* Mais cette histoire était arrivée à son terme, comme celle-ci l'est presque.

Le bus continue dans Kyôto, qui semble n'être qu'une simple excroissance greffée aux agglomérations traversées avant d'y parvenir, et pendant que Mineur tente toujours de comprendre s'ils se trouvent ou non au centre de la ville, si c'est peut-être une rue principale, si c'est en fait la rivière Kamo : les voilà arrivés. Loin de la rue principale, un mur bas fait de bois. Un jeune homme en costume noir s'incline et regarde avec curiosité l'endroit où devrait se trouver la valise de Mineur. Une dame d'âge mûr, en kimono, vient à sa rencontre depuis la cour pavée. Elle est légèrement maquillée, et sa coiffure fait penser à celles que Mineur associe au début du XXe siècle : une actrice du muet, du style Ethelyn Gibson.

— Monsieur Arthur, dit-elle en s'inclinant.

Il s'incline en retour. Derrière elle, à la réception, un chahut se fait entendre : une vieille femme, elle aussi en kimono, bavarde dans un portable, et fait des marques sur un calendrier accroché au mur.

— C'est ma mère, tout simplement, dit la propriétaire avec un soupir. Elle croit qu'elle est toujours la patronne. Nous lui avons donné un faux calendrier, pour qu'elle s'occupe des réservations. Le téléphone aussi est factice. Puis-je vous préparer une tasse de thé ?

Il répond que ce serait merveilleux, et elle lui adresse un beau sourire ; et puis son visage s'assombrit : on dirait qu'elle a un terrible chagrin.

— Je suis tellement désolée, monsieur Arthur, dit-elle comme si elle annonçait la mort d'un proche. Vous arrivez trop tôt pour voir les cerisiers en fleurs.

Après le thé qu'elle fait à la main, en le remuant vigoureusement jusqu'à obtenir une mousse verte et amère, elle lui précise :

— S'il vous plaît, mangez le cookie sucré avant de boire le thé.

Puis elle le conduit à sa chambre, et lui affirme qu'en fait, c'est celle que préférait le romancier Kawabata Yasunari. Une table basse en laque est installée sur le tatami, et la dame fait glisser les cloisons de papier du mur pour lui faire découvrir un coin de jardin éclairé par la lune, dans lequel tombent quelques gouttes de la dernière pluie. Kawabata a écrit de ce jardin sous la pluie qu'il était le cœur de Kyôto.

— Et pas n'importe quel jardin, insiste-t-elle d'un ton ferme, mais ce jardin même.

Elle l'informe que l'eau de la salle de bains est déjà chaude, et qu'un employé la gardera sans cesse à la bonne température, à toute heure s'il en a besoin. Sans cesse. Il y a un *yukata* dans le placard, à son usage. Est-ce qu'il aimerait dîner dans sa chambre ? Elle s'en chargera personnellement : ce sera le premier des quatre repas *kaiseki* sur lequel il écrira pour son article.

Il a appris que le *kaiseki* est un ancien repas de cérémonie, qu'on élaborait aussi bien dans les monastères qu'à la cour royale. Il est divisé en sept plats, chacun d'eux composé d'un type d'aliment particulier (servi grillé, bouilli ou cru) et accompagné d'ingrédients de saison. Ce soir, ce sont des haricots au beurre, de l'armoise et de la brème. Mineur se sent doublement ému, à la fois devant la délicatesse des mets et devant la grâce avec laquelle les présente son hôtesse.

— Je dois très sincèrement vous prier de m'excuser de ne pouvoir être ici demain pour vous voir ; je dois me rendre à Tokyo.

Elle dit cela comme si elle allait manquer la plus extraordinaire des merveilles : une nouvelle journée avec Arthur Mineur. Aux rides qui entourent sa bouche, il aperçoit se dessiner l'ombre de ce sourire particulier qu'ont toutes les veuves en privé. Elle s'incline et sort, pour revenir avec plusieurs échantillons de saké. Il goûte les trois, et lorsqu'elle lui demande quel est son préféré, il dit : « Le Tonni », bien qu'il ne puisse pas les différencier. Il lui demande quel est son favori, à elle. Elle plisse les yeux, et répond : « Le Tonni ». Si seulement il pouvait apprendre à mentir avec autant d'empathie.

Le lendemain, c'est déjà sa dernière journée, et il semble qu'elle sera bien remplie ; il s'est organisé pour visiter trois restaurants. Il est onze heures du matin, et Arthur

Mineur, toujours vêtu de ses habits de la veille, s'apprête déjà à se rendre au premier rendez-vous. Après avoir récupéré ses chaussures dans la cabine numérotée où les garde l'employé de l'hôtel, il est arrêté, au passage, par la vieille mère. Elle se tient derrière le bureau de la réception, nanifiée et tachetée par l'âge comme un étourneau l'hiver ; elle a peut-être bien quatre-vingt-dix ans, et jacasse, jacasse sans cesse, comme si le remède pour soigner son incapacité à parler japonais était l'application de la méthode *Toujours davantage de japonais* (apprendre à guérir le mal par le mal). Et pourtant, d'une certaine façon, après ses mois de voyages et de pantomimes, et sa quête pathétique vers davantage d'empathie et de télépathie, il a l'impression qu'il peut comprendre. Elle parle de sa jeunesse. Elle parle du temps où elle était la propriétaire. Elle sort une photographie écornée, en noir et blanc, celle d'un couple occidental assis (l'homme aux cheveux argent, la femme très chic coiffée d'une toque) et il reconnaît la pièce où il a pris le thé. Elle dit que la jeune fille qui sert le thé, c'est elle, et que l'homme est un Américain célèbre. Suit une pause assez longue, à mesure que lentement, précautionneusement, comme un plongeur en eau profonde finit par réapparaître à la surface, il reconnaît l'homme et s'exclame :

— Charlie Chaplin !

De joie, la vieille dame ferme les yeux.

Une jeune femme avec des nattes arrive et allume la petite télévision qui se trouve derrière le comptoir ; elle change de chaînes jusqu'au moment où elle s'arrête sur une scène où l'on voit l'empereur du Japon en train de prendre le thé avec quelques invités – dont il reconnaît l'un d'entre eux.

— C'est bien la propriétaire ? demande-t-il à la jeune femme.

— Oh oui, dit-elle, elle est tellement désolée de ne pas avoir pu vous dire au revoir.

— Mais elle ne m'a pas dit que c'était parce qu'elle devait prendre le thé avec l'empereur !

— C'est avec toutes ses excuses, monsieur Mineur.

Et viennent d'autres excuses :

— Je suis également tellement désolée que votre valise ne soit pas ici à votre disposition. Mais tôt ce matin, nous avons eu un appel : il y a un message pour vous.

Elle lui tend une enveloppe. À l'intérieur, un morceau de papier, avec ce message tout en capitales, qui se lit comme un télégramme d'un autre temps :

ARTHUR NE T'INQUIÈTE PAS MAIS ROBERT A EU UNE ATTAQUE DE RETOUR À LA MAISON APPELLE-MOI QUAND TU POURRAS

MARIAN

*

— Arthur, te voilà !

La voix de Marian : près de trente ans depuis qu'ils se sont parlé pour la dernière fois ; il peut à peine imaginer tous les noms dont elle a dû le traiter après le divorce. Mais il se souvient de Mexico : *Elle vous envoie ses amitiés.* À Sonoma, il est sept heures du soir, la veille.

— Marian, qu'est-ce qui s'est passé ?

— Arthur, ne t'en fais pas, ne t'en fais pas, il va bien.

— Qu'est… il… arrivé ?

Ce soupir, depuis l'autre bout du monde, et il lui faut un moment, dans son inquiétude, pour s'émerveiller : *Marian !*

— Il était dans son appartement, tout simplement en train de lire, et il est tombé de tout son long sur le sol. Heureusement, Joan était là. (L'infirmière.) Il s'est fait un peu mal. Il a du mal à parler, un petit problème aussi avec sa main droite. C'est minime. (Elle dit cela gravement.) C'est une « attaque mineure ».

— C'est quoi, une attaque mineure ? Est-ce que ça veut dire que ce n'est rien, ou bien que Dieu merci ce n'était pas une attaque très grave ?

— Plutôt le genre « Dieu merci ». Et Dieu merci il n'était pas dans les escaliers, ou quelque chose comme ça. Écoute, Arthur, je ne veux pas que tu t'inquiètes. Mais je tenais tout de même à t'appeler. Tu sais, tu es le premier sur la liste de ses contacts d'urgence. Mais on ne savait pas où te joindre, on m'a donc appelée. Je suis deuxième sur la liste. (Un petit rire.) Ils ont eu de la chance, je suis coincée à la maison depuis des mois !

— Oh, Marian, vous vous êtes fracturé la hanche !

De nouveau, le soupir.

— Finalement, pas fracturée. Mais je suis couverte de bleus et de noir. Que faire ? Les choses se désagrègent. Désolée d'avoir annulé ce voyage à Mexico ; ç'aurait été une façon plus agréable de nous retrouver.

— Je suis heureux que vous soyez là-bas avec lui, Marian. Je serai là demain, il faut que je vérifie…

— Non, non, ne fais pas ça ! Tu es en voyage de noces.

— Quoi ?

— Robert va bien. Je vais rester une semaine ou un peu plus. Viens le voir à ton retour. Je ne t'aurais pas ennuyé du tout, sauf qu'il a insisté. Tu lui manques, naturellement, dans un moment comme celui-là.

— Marian, je ne suis pas en voyage de noces. Je suis au Japon pour un article.

Mais il n'est pas question de contredire Marian Brownburn.

— Robert m'a dit que tu t'étais marié. Il m'a dit que tu avais épousé un Freddy je-ne-sais-quoi.

— Non, non, non, dit Arthur comme pris de vertige. Ce Freddy je-ne-sais-quoi a épousé quelqu'un d'autre. Peu importe. Je vais revenir immédiatement.

— Écoute, dit Marian de sa voix la plus officielle. Arthur, ne prends pas cet avion. Il va être furieux.

— Je ne peux pas rester ici, Marian. Nous l'aimons tous les deux, vous non plus vous ne seriez pas restée là alors qu'il souffre.

— OK, dans ce cas-là, faisons dès maintenant un de ces appels vidéo dont vous deux avez l'habitude…

Ils s'arrangent pour pouvoir bavarder encore dix minutes, pendant lesquelles Mineur parvient à trouver l'ordinateur de l'hôtel, étonnamment moderne si on tient compte de la vieille chambre où il est installé. En attendant l'appel vidéo, il contemple un oiseau de paradis disposé dans un bol près de la fenêtre. Une attaque mineure. Saleté de vie.

La vie d'Arthur Mineur avec Robert avait pris fin à peu près au moment où il finissait de lire Proust. Ç'avait été l'une des expériences les plus splendides et les plus désarmantes de la vie de Mineur – Marcel Proust, j'entends –, et les trois mille pages d'*À la recherche du temps perdu* lui avaient bien pris cinq étés avant qu'il parvienne à leur terme. Et ce cinquième été, alors qu'il était allongé dans la maison d'un ami à Cape Cod, un après-midi, arrivé aux deux tiers du dernier volume, tout d'un coup et sans qu'il s'y attende, il lut le mot : FIN. Il tenait encore, dans sa main droite, peut-être deux cents pages de plus, mais elles n'étaient pas de Proust ; c'était un tour cruel que lui jouait l'éditeur, avec des notes et une postface. Il se sentit floué, roulé, privé d'un plaisir qu'il avait mis cinq ans à préparer. Il retourna de vingt pages en arrière ; il tenta de retrouver l'enchantement de sa lecture. Mais c'était trop tard ; cette joie possible était perdue à jamais.

C'est ce qu'il avait ressenti lorsque Robert l'avait quitté.

Ou peut-être pensiez-vous que c'était lui qui avait quitté Robert ?

Comme avec Proust, il savait que la fin approchait. Quinze ans, et la joie de l'amour était depuis longtemps passée, et les tromperies avaient commencé. Pas simplement à cause des escapades de Mineur avec d'autres, mais de liaisons secrètes qui duraient, d'un mois à un an, et brisaient toute perspective à long terme. Était-il en train de tester l'élasticité du sentiment amoureux ? Était-il simplement quelqu'un qui avait été heureux d'offrir sa jeunesse à un homme d'âge mûr, et qui maintenant, parvenu lui-même au milieu de sa vie, voulait récupérer la fortune qu'il avait dilapidée ? Qui voulait du sexe, de l'amour, des coups de folie ? Les choses mêmes que Robert lui avait épargnées toutes ces années passées ? Quant aux choses précieuses, à la sécurité, au confort, à l'amour – Mineur se retrouva à les réduire en pièces. Peut-être ne savait-il pas ce qu'il faisait ; peut-être était-ce une sorte de folie. Mais peut-être le savait-il très bien. Peut-être était-il en train de brûler une maison dans laquelle il ne désirait plus vivre.

La fin véritable survint alors que Robert effectuait l'une de ses tournées de lecture, cette fois-là dans le Sud. Robert avait consciencieusement appelé, dès le premier soir de son arrivée, mais Mineur n'était pas à la maison, et durant les quelques jours qui avaient suivi, sa messagerie vocale se remplissait, d'abord d'histoires, par exemple sur de la mousse espagnole tombant des chênes comme des vêtements qui se désagrégeaient, puis de messages de plus en plus brefs, jusqu'à ce qu'enfin il n'y en eût plus. Mineur se préparait, en fait, au retour de Robert, et prévoyait alors d'avoir avec lui une conversation très sérieuse. Il pressentait qu'il y aurait six mois de thérapie conjugale, et que cela se terminerait par une séparation pénible ; peut-être tout cela prendrait-il un an. Mais il fallait commencer dès à présent. Il sentait son cœur se serrer, et il répétait ses répliques comme, avant de se présenter devant un guichet, on répète une phrase dans une langue étrangère : « Je pense que nous savons tous les deux que quelque chose ne marche pas, je pense que nous savons tous les deux que quelque chose ne marche pas, je pense que nous savons tous les deux que quelque chose ne marche pas. » Quand, après un silence de cinq jours, son téléphone sonna enfin, Mineur refoula un coup au cœur et répondit :

— Robert ! Enfin tu arrives à me joindre. Je voulais te parler. Je pense que nous savons tous les deux…

Mais la voix profonde de Robert transperça son discours :

— Arthur, je t'aime, mais je ne vais pas rentrer. Mark va venir chercher certaines de mes affaires. Je regrette, mais je ne veux pas en parler maintenant. Je ne suis pas en colère. Je t'aime. Je ne suis pas en colère. Mais ni toi ni moi ne sommes plus les mêmes. Au revoir.

Fin. Et tout ce qu'il tenait à la main, c'étaient les notes et la postface.

— Regarde-toi, Arthur.

C'est Robert. La connexion est mauvaise, mais c'est Robert Brownburn, le poète mondialement célèbre, qui apparaît sur l'écran, et près de lui (sans doute un effet de la transmission) son écho ectoplasmique. Le voici : vivant. Une belle calvitie, un duvet de bébé crée un halo sur son crâne. Il est vêtu d'un peignoir de bain bleu en tissu éponge. Son sourire reflète encore un peu la même espièglerie, mais aujourd'hui s'affaisse sur la droite. Une attaque. Et merde, putain. Un tuyau sort de son nez comme une fausse moustache, sa voix gratte comme du sable, et Mineur entend près de lui, peut-être amplifiée par la proximité du micro, la lourde respiration d'une machine, qui lui rappelle les coups de fil anonymes qu'on recevait parfois à la maison. Le jeune Arthur écoutait, fasciné, cette lourde respiration à l'autre bout de la ligne tandis que, d'une autre pièce, sa mère s'écriait : « Ah, c'est mon petit ami ? Dis-lui que j'arrive ! » Mais là, c'est Robert. Affaissé, atteint jusque dans sa diction et sa manière d'articuler, mortifié, mais vivant.

Mineur :

— Comment te sens-tu ?

— Je me sens comme si je m'étais battu dans un bar. Je te parle depuis l'au-delà.

— Tu as une mine atroce. Comment tu as osé nous faire ça ? dit Mineur.

— Tu devrais voir l'autre gars !

Il marmonne les mots d'une voix étrange.

— On dirait un Écossais qui parle, dit Mineur.

— Nous devenons nos pères.

Ou nos aïeux : ses *s* sont devenus des *f*, comme dans les vieux manuscrits : *When in the courfe of human events it becomes necefsary**…

Ensuite se penche vers l'écran le docteur, une femme âgée aux lunettes sombres. Mince, anguleuse, creusée de rides comme si on l'avait longtemps froissée dans une poche, la peau distendue sous le menton. Un carré blanc, et des yeux antarctique.

— Arthur, c'est moi, Marian.

Ah, quelle bonne blague ! se dit-il. Ils plaisantent ! Il y a cette scène, à la fin de Proust, où le narrateur, après de nombreuses années d'isolement social, arrive dans une soirée, furieux que personne ne l'ait prévenu que c'est un bal costumé. Tout le monde porte une perruque blanche ! Et puis il se rend compte qu'il ne s'agit pas d'un bal costumé : simplement, tout le monde a vieilli. Et à présent, à regarder son premier amour, sa première épouse – on lui fait une blague, c'est sûr ! Mais la plaisanterie dure trop longtemps. Robert respire avec difficulté. Marian ne sourit pas. Tout cela est très sérieux.

* Déclaration d'Indépendance américaine, 4 juillet 1776.

— Marian, vous êtes superbe.

— Arthur, tu es devenu un adulte, dit-elle, songeuse.

— Il a cinquante ans, dit Robert, qui grimace ensuite de douleur. Bon anniversaire, mon garçon. Désolé de l'avoir manqué. *Déſolé de l'afoir manqué. La vie, la liberté, et la pourſuite du bonheur ?* J'avais rendez-vous avec la Mort.

Marian dit :

— La Mort ne s'est pas montrée. Je vais vous laisser seuls une minute, les garçons. Mais une minute seulement ! Ne le fatigue pas trop, Arthur. Nous devons prendre soin de notre Robert.

Trente ans auparavant. Une plage, à San Francisco.

Elle disparaît ; Robert la regarde partir, puis se tourne à nouveau vers Mineur. Une procession d'ombres, comme pour Ulysse, et là, devant lui : Tirésias. Le voyant.

— Tu sais, c'est bien de l'avoir ici. Elle me rend fou. Elle me donne le courage de continuer. Rien de tel que de faire des mots croisés avec votre ex-femme. Où est-ce que tu es, bon Dieu ?

— À Kyôto.

— Quoi ?

Mineur se penche et crie :

— À Kyôto, au Japon. Mais je vais revenir pour te voir.

— Mais non, putain. Ça va. J'ai perdu mon agilité motrice, mais pas ma tête, nom de Dieu. Regarde ce qu'ils me font faire. (Dans un mouvement très lent, il arrive à soulever sa main. Elle serre une boule de pâte à modeler d'un vert clair). Je dois la pétrir toute la journée. Je te disais bien que c'était l'au-delà. Les poètes doivent pétrir des morceaux d'argile pour l'éternité. Ils sont tous là, Walt et Hart et Emily et Frank. Les fleurons de la poésie américaine. À pétrir des bouts d'argile. Les romanciers doivent… (Et là, il ferme les yeux, reprend son souffle un moment, puis continue plus faiblement…) ce sont les romanciers qui doivent préparer nos cocktails. Est-ce qu'en Inde, tu as écrit ton roman ?

— Oui. Il me reste un chapitre. Je veux venir te voir.

— Termine ton roman, putain.

— Robert…

— N'utilise pas mon attaque comme excuse. Espèce de lâche ! Tu as peur que je meure.

Mineur ne peut pas répondre ; c'est la vérité. *Je sais bien que tu m'as quitté / Mais le jour où je mourrai, / Je sais que tu vas pleurer.*

Dans le silence, la machine poursuit sa respiration. Le visage de Robert s'effondre un peu. *Llorar y llorar, llorar y llorar.*

— Pas encore, Arthur, dit-il brusquement. Ne te précipite pas pour ça, bon Dieu. Est-ce que je n'ai pas entendu quelqu'un dire que tu t'étais laissé pousser la barbe ?

— C'est toi qui as dit à Marian que j'avais épousé Freddy ?

— Qui sait ce que j'ai dit ? J'ai l'air de savoir ce que je dis ? Alors, tu t'es marié ?

— Non.

— Et maintenant, te voilà. Nous voilà tous les deux. Tu as l'air triste, très triste, mon garçon.

Vraiment ? Reposé, pomponné, tout frais sorti du bain ? Mais on ne peut rien cacher à Tirésias.

— Est-ce que tu l'as aimé, cet homme, Arthur ?

Arthur ne répond pas. Il y eut une fois – dans un mauvais restaurant italien de North Beach, à San Francisco, où il n'y avait pratiquement personne, à part deux serveurs et une famille de touristes allemands dont la matriarche devait plus tard tomber dans les toilettes, se cogner la tête et insister pour être emmenée à l'hôpital (elle ne se doutait pas du prix des soins en Amérique) – il y eut une fois où Robert Brownburn alors âgé de quarante-six ans avait pris la main d'Arthur Mineur, et lui avait dit : « Mon mariage ne marche plus, il ne marche plus depuis longtemps. Marian et moi nous ne couchons plus guère ensemble. Je vais au lit très tard, elle se lève très tôt. Elle est fâchée que nous n'ayons jamais eu d'enfants. Et maintenant c'est trop tard, et elle m'en veut encore plus. Je suis égoïste et affreux dans mon rapport à l'argent. Je suis si malheureux. Tellement, tellement malheureux, Arthur. Ce que je veux dire, c'est que je suis amoureux de toi. J'allais déjà quitter Marian avant de te rencontrer. Et je "danserai et chanterai pour ton plaisir à chaque matin de mai*", c'est ce que dit le poème, je crois. J'ai suffisamment mis de côté pour acheter une petite bicoque quelque part. Je sais me contenter de peu. Je sais que c'est absurde. Mais tu es exactement tout ce que je désire. Qu'est-ce qu'on s'en fout, du qu'en-dira-t-on ? Tu es vraiment tout ce que je désire, Arthur, et je… »

Mais il n'y avait rien eu de plus, parce que Robert Brownburn avait fermé les yeux pour retenir le sentiment qui l'avait submergé en présence de ce jeune homme, quand il lui avait pris la main dans ce mauvais

* *« I shall dance and sing for thy delight each May morning », in* Christopher Marlowe, *The Passionate Shepherd to His Love.*

restaurant italien où ils ne devaient jamais plus retourner. Le poète, grimaçant de douleur devant lui, souffrant, souffrant pour Arthur Mineur. Mineur pourra-t-il un jour à nouveau être adoré à ce point ?

Robert, soixante-quinze ans, le souffle court, dit :

— Oh, mon pauvre garçon. Beaucoup ?

Arthur ne dit toujours rien. Et Robert ne dit rien non plus ; il sait combien il est absurde de demander à quelqu'un d'expliquer l'amour ou la peine. C'est inexprimable. Ce serait aussi futile, aussi incommunicable, que de montrer du doigt le ciel et de dire : « Tu vois, cette étoile, là-haut. »

— Suis-je trop vieux pour rencontrer quelqu'un, Robert ?

Robert se redresse légèrement, et son humeur redevient gaie :

— Tu es trop vieux ? Écoute-toi ! Je regardais l'autre jour à la télé une émission scientifique. C'est le genre de choses que font les vieux de mon âge. Je me sens très inoffensif ces temps-ci. C'était à propos de voyage dans le temps. Et on présentait un scientifique qui disait que si c'était possible, on devrait construire une machine à voyager dans le temps dès maintenant. Et en construire une autre dans plusieurs années. Nous pourrions ainsi aller dans les deux sens. Une sorte de tunnel du temps. Mais tu vois, il y a un hic, Arthur. On ne pourrait jamais aller plus loin en arrière qu'au moment de l'invention de cette première machine. Ce qui est, à mon avis, un sacré coup porté à l'imagination. Je l'ai très mal pris.

Arthur dit :

— Nous ne pourrons jamais tuer Hitler.

— Mais tu sais que c'est déjà comme ça. Quand on rencontre les gens. Tu les rencontres, disons, quand ils ont trente ans, et tu ne peux jamais les imaginer plus jeunes que ça. Tu as vu des photos de moi, Arthur, tu m'as vu à vingt ans.

— Tu étais bel homme.

— Mais en réalité, en réalité, tu ne peux pas m'imaginer plus jeune que quand j'avais quarante ans, non ?

— Bien sûr que si, je peux.

— Tu peux te le figurer. Mais tu ne peux pas tout à fait te l'imaginer. Tu ne peux pas retourner encore plus en arrière. Ça va à l'encontre des lois de la physique.

— Tu t'agites trop.

— Arthur, je te regarde, et je vois encore ce garçon sur la plage, les ongles des orteils rouges. Pas avec clarté, mais mon regard s'accommode. Je vois ce jeune homme de vingt et un ans à Mexico. Je vois ce jeune homme dans une chambre d'hôtel à Rome. Je vois le jeune écrivain qui tient entre les mains son premier livre. Je te regarde, et tu es jeune. Tu le seras toujours pour moi. Mais pas pour quelqu'un d'autre. Arthur, les gens qui te rencontrent aujourd'hui ne seront jamais capables de t'imaginer jeune. Ils ne peuvent jamais aller en deçà de cinquante ans. Ce n'est pas si mal. Ça veut dire que maintenant, les gens penseront que tu as toujours été adulte. Ils te prendront au sérieux. Ils ne savent pas qu'une fois, pendant toute une soirée où nous dînions, tu as discuté du Népal alors que tu voulais parler du Tibet.

— Je ne peux pas croire que tu remettes cette histoire sur le tapis.

— Qu'une fois, tu as pris Toronto pour la capitale du Canada.

— Je vais dire à Marian de débrancher la prise.

— Et tu parlais au Premier ministre du Canada ! Je t'aime, Arthur. Ce que je veux te dire, c'est que… (Après cette harangue, il s'était apparemment épuisé, et il respirait par à-coups), c'est que tu dois dire bienvenue à cette vie, merde, quoi ! Cinquante ans, c'est rien, putain. Je repense à mes cinquante ans et je me dis : mais putain, de quoi je m'inquiétais tant à ce moment-là ? Regarde-moi maintenant. Je suis dans l'au-delà. Va, et profite à fond de ta vie.

Tirésias a parlé.

Marian réapparaît sur l'écran :

— OK, les garçons, ça y est. Nous devons le laisser se reposer.

Robert se penche vers son ex-femme :

— Marian, il ne l'a pas épousé.

— Ah bon ?

— Il faut croire que j'ai entendu de travers. Ce type a épousé quelqu'un d'autre.

— Merde, dit-elle, puis elle se tourne vers la caméra avec une expression de sympathie. (Des cheveux blancs retenus en arrière par des barrettes, des lunettes rondes foncées qui reflètent une journée ensoleillée du passé.) Arthur, il est épuisé. C'était bien de te revoir. Nous pourrons prévoir à nouveau un appel visuel plus tard.

— Je serai de retour demain. Je prendrai la voiture pour venir vous voir. Robert, je t'aime.

Le vieux rogue sourit à Arthur et secoue la tête, l'œil clair et brillant :

— Je t'aime toujours, Arthur Mineur.

*

— Dans cette pièce, nous enlevons nos habits avant le repas. (La jeune femme fait une pause sur le seuil, puis se couvre la bouche d'une main. Ses yeux s'écarquillent d'horreur.) Non, pas les habits ! Les chaussures ! C'est nos chaussures que nous enlevons !

C'est le premier des trois restaurants de Mineur aujourd'hui, et, la conversation avec Robert ayant bousculé l'emploi du temps, Mineur est impatient de commencer, mais il suit vaillamment la queue de cheval de la jeune fille jusqu'à une salle immense, garnie d'une table et de sièges profonds, où un homme âgé, tout vêtu de rouge, s'incline et dit :

— Voici la salle du banquet, et vous pouvez voir qu'elle se transforme en un endroit pour danser le *maiko*.

Il appuie sur un bouton, et comme dans le repaire du méchant chez James Bond, le mur du fond se met à descendre en s'aplatissant pour devenir une scène, et des projecteurs sortent en pivotant, par-dessus. Les deux Japonais semblent extrêmement satisfaits. Mineur ne sait pas ce que pourrait bien être un *maiko*. On lui offre un siège près de la fenêtre, et il attend impatiemment son repas *kaiseki*. Sept plats, comme la dernière fois, prenant presque trois heures. Du grillé, du bouilli, du cru. Et – pourquoi ne s'y est-il pas attendu ? – de nouveau : haricots au beurre, armoise, et brème. De nouveau, c'est charmant et très bon. Mais, comme un second rendez-vous qui viendrait trop vite après le premier, peut-être est-ce un peu attendu ?

Regarde-moi maintenant, dit la voix de Robert, qui le hante depuis tout à l'heure. *Je suis dans l'au-delà*. Une attaque. Robert n'a jamais ménagé son corps ; il l'a porté comme une vieille veste de cuir, jetée dans les tumultes des océans, et qu'on laisse sans égards chiffonnée dans un coin ; et Mineur a vu toutes ces marques, ces cicatrices et ces douleurs non pas comme les échecs de l'âge, mais au contraire : la preuve, comme l'a écrit un jour Raymond Chandler, d'« une vie brillante ». Le corps n'est que ce qui permet de transporter cet esprit merveilleux, après tout. L'écrin dans lequel repose la couronne. D'ailleurs, Robert s'est occupé de cet esprit comme une tigresse de ses petits ; il a renoncé à l'alcool et aux drogues, il s'est imposé un rythme strict de sommeil. Il est sage, il est prudent. Et lui voler ça, lui voler son esprit – la Vie n'est qu'une voleuse ! Comme si elle découpait un Rembrandt pour l'ôter de son cadre.

Le deuxième repas de la journée a lieu dans un restaurant plus moderne, décoré avec une sévérité sans fioritures toute suédoise, en bois blond ; le serveur lui aussi est blond, et hollandais. On montre à Mineur un arbre qui se dresse seul à l'extérieur, décoré de bourgeons verts ; c'est un cerisier, et on l'informe qu'il arrive trop tôt pour le voir en fleurs.

— Oui, oui, je sais, dit-il aussi gracieusement qu'il le peut.

Au cours des trois heures suivantes, on lui sert des assiettes de haricots au beurre, d'armoise et de brème : préparés grillés, bouillis et crus. Il accueille chaque plat avec un sourire un peu fou, car il reconnaît l'inclination naturelle de l'être, le concept nietzschéen de l'éternel retour. Il murmure doucement : *Comme on se retrouve.*

Quand il retourne au *ryokan* pour se remettre, la vieille femme est partie, mais la jeune femme avec ses nattes est toujours là, à lire un roman en anglais. Elle l'accueille avec de nouvelles excuses concernant ses bagages : aucune valise n'est arrivée. Cette fois, c'est plus que Mineur ne peut supporter, et il prend appui contre le comptoir.

— Mais, monsieur Mineur, dit la femme d'un ton plein d'espoir, un paquet est bien arrivé pour vous.

C'est une boîte marron peu épaisse, expédiée d'Italie, sûrement un livre ou quelque chose ayant trait au festival. Mineur l'emporte dans sa chambre, où il la pose sur une table face au jardin. Dans la salle de bains, comme dans une hutte enchantée, un bain l'attend déjà, à parfaite température, et il y plonge son corps las, pour se préparer au prochain repas. Il ferme les yeux. *Est-ce que tu l'as aimé, Arthur ?* Un parfum de cèdre embaume l'air alentour. *Oh, mon pauvre garçon. Beaucoup ?*

Il se sèche, enfile une robe de bain grise molletonnée, et s'apprête à remettre les mêmes vêtements de lin froissé qu'il porte depuis l'Inde. Le paquet l'attend toujours sur la table ; Mineur est si fatigué qu'il pense l'ouvrir plus tard. Mais il finit par le défaire en soupirant et, à l'intérieur, enveloppés de plusieurs couches de papier de Noël typiquement italien – comment a-t-il pu oublier qu'il a donné son adresse au Japon ? – se trouvent une chemise en lin blanc, et un costume aussi gris qu'un nuage.

Et pour finir, un défi : le dernier restaurant de ce voyage se trouve à flanc de montagne, en dehors de Kyôto. Il faut donc que Mineur loue une voiture pour y parvenir. Cela se passe plus aisément qu'il ne l'a imaginé ; son permis de conduire international, qui à son avis a l'air d'un faux, pas très convaincant, est pourtant accepté et photocopié plusieurs fois, comme si on devait le distribuer en souvenir. On lui montre une voiture aussi petite, aussi fade et aussi blanche qu'un dessert d'hôpital, et il s'y installe, pour découvrir qu'il manque le volant – puis on lui montre le côté conducteur, pendant qu'il pense, amusé : *Ah, c'est vrai, on conduit de l'autre côté dans ce pays !* Il n'y a jamais réfléchi, au demeurant ; devrait-on donner un permis international à des gens qui n'ont jamais pensé à ça ? Mais après avoir passé du temps en Inde, il sait ce que c'est ; il suffit de conduire tout en regardant le rétro. C'est comme pour poser des caractères en typographie : on inverse simplement les choses dans sa tête.

Les instructions, pour parvenir au restaurant, sont aussi sibyllines qu'un billet doux ou qu'un échange entre espions – *Rencontre sur le Moon Crossing Bridge* – mais il est vite convaincu : il va prendre le volant de ce qui, au fond, ressemble davantage à un toaster émaillé qu'à une voiture, et suivre les indications parfaitement claires à la sortie de Kyôto, en direction de cette colline où est niché le restaurant. Mineur est reconnaissant de constater que les panneaux sont lisibles, car le GPS, après avoir donné des directions nettes et précises pour rejoindre l'autoroute, semble s'enivrer de son propre pouvoir lorsqu'il atteint les limites extérieures de la ville, et finit par le lâcher complètement, pour placer Arthur Mineur en pleine mer du Japon. Ce qui l'énerve aussi, c'est une mystérieuse boîte sur le pare-brise, qui révèle son utilité quand le Toaster approche d'un péage : elle produit un cri de reproche perçant, aigu, très féminin, assez semblable à celui de sa grand-mère quand elle s'apercevait qu'on avait brisé une porcelaine. Il paie ce qu'il doit à l'employé du péage, en pensant qu'il a fait ce qu'exigeait la machine, et il se retrouve au cœur d'une campagne verdoyante où soudain, comme par magie, apparaît une rivière. Mais cette scène bucolique ne dure pas – au poste de péage suivant, la dame hurle de nouveau. Elle doit sans doute le réprimander parce qu'il ne possède pas de passe électronique. Mais se pourrait-il qu'elle ait également découvert tous ses autres crimes et faiblesses ? Découvert que, pour son exposé de fin d'école primaire, il a inventé des cérémonies propres aux religions en Islande ? Qu'il a volé une crème contre l'acné quand il était au lycée ? Qu'il a trompé Robert si outrageusement ? Qu'il se trouve être un « mauvais homosexuel » ? Et un mauvais écrivain ? Qu'il a laissé Freddy Pelu sortir de sa vie ? Des hurlements, des hurlements, encore des hurlements ; c'est presque un accès de furie grecque. Une harpie descendue sur terre pour le punir enfin.

« Prenez la sortie suivante. » Le GPS, ce capitaine qui somnolait, ivre de rhum, s'est réveillé, et reprend les commandes. Une brume s'élève, pareille à la vapeur qui monte de vêtements mouillés qu'on place près d'un feu ; ici, elle provient des montagnes enveloppées d'une laine vert sombre. Une rivière couleur de plomb ondule, le long d'une rive de roseaux. Le Toaster dépasse une fabrique de saké, du moins c'est ce qu'il croit, parce qu'il y a là un panneau représentant un beau tonneau blanc, sans doute une publicité, sur le bord de la route. Une ferme, ou autre chose, indique en anglais : RÉCOLTE DURABLE. Mineur baisse sa vitre, et lui parvient une odeur salée d'herbe verte, de pluie et de terre. Il prend un virage, et voit des bus blancs de touristes garés tous en ligne le long de la rivière, avec leurs grands rétroviseurs semblables à des antennes de chenilles ; devant, en rang militaire, se tiennent des personnes âgées en imperméable clair, qui prennent des photos. Au bas des montagnes fumantes, environ une quinzaine de maisons clairsemées au toit de chaume sont couvertes d'une fourrure de mousse. De l'autre côté : un pont sur chevalets, fait de bois et de pierre, enjambe la rivière ; Mineur change de vitesse pour le traverser, et dépasse les touristes qui s'abritent tant bien que mal de la pluie. Il imagine qu'un bateau va les emmener sur l'autre rive pour gagner le restaurant et, tandis qu'il l'atteint et gare le Toaster (du pare-brise lui parvient le souvenir du hurlement aigu de la harpie), il voit quelques personnes attendre sur le quai, et parmi elles – il la reconnaît sous son parapluie clair – se trouve sa mère.

Arthur, bonjour mon chéri. J'ai eu envie de faire un petit voyage, voilà ce qu'il s'imagine l'entendre dire. *Est-ce que tu as suffisamment mangé ?*

Sa mère relève son parapluie et, débarrassée de cette membrane déformante, une Japonaise apparaît, portant le foulard de sa mère. Orange, avec un motif de coquilles Saint-Jacques blanches. Comment ce foulard a-t-il pu faire tout ce trajet depuis sa tombe ? Ou plutôt non, pas depuis sa tombe ; depuis le centre de l'Armée du Salut d'une banlieue du Delaware, où sa sœur et lui ont tout donné de ce qui lui avait appartenu. Tout cela a été fait dans une telle précipitation. Au début, le cancer avait progressé très lentement, et ensuite très vite, comme le font toujours les choses dans les cauchemars ; et puis il s'était retrouvé en costume noir, en train de parler avec sa tante. De là où il se trouvait, il voyait ce foulard, toujours accroché au bouton en bois de la porte. Il était en train de manger une *quesadilla* ; il n'avait aucune idée, en tant que WASP athée, de ce qu'il fallait faire avec la mort. Deux mille ans d'embarcations vikings flamboyantes, de rites celtiques, de veillées irlandaises, de culte puritain et d'hymnes unitariens – et il ne lui en restait rien. Il avait en quelque sorte renoncé à cet héritage. C'était donc Freddy qui avait pris les choses en main, Freddy qui déjà avait pleuré ses propres parents, Freddy qui avait organisé un petit banquet mexicain lorsque Mineur était revenu de l'église, chancelant, ivre de platitudes et d'horreur totale. Freddy avait même désigné quelqu'un pour prendre son imperméable. Et lui, Freddy, vêtu de cette veste que Mineur lui avait offerte à Paris, s'était tenu derrière lui tout le temps, en silence, une main sur l'omoplate gauche de Mineur comme s'il voulait maintenir un panneau de carton contre le vent. Les gens défilaient, les uns après les autres, pour lui dire que sa mère était en paix. Les amies de sa mère : chacune avec sa propre coiffure, des piques dans les cheveux ou une mise en plis de boucles blanches, comme dans une exposition de dahlias. *Elle repose dans un monde meilleur. Si heureuse qu'elle s'en soit allée si paisiblement.* Et quand la dernière fut partie, il sentit à son oreille Freddy lui murmurer : « Ç'a été horrible, la façon dont ta mère est morte. » Ce garçon qu'il avait rencontré des années auparavant n'aurait jamais su dire ça. Mineur s'était retourné pour regarder Freddy et il avait aperçu, sur ses cheveux coupés court de chaque côté des tempes, les premiers chatoiements d'argent.

Mineur avait particulièrement tenu à garder ce foulard orange. Mais ils avaient tous été pris dans un tourbillon de choses à faire. Le foulard s'était sans doute retrouvé dans le ballot qu'on avait donné à l'Armée du Salut, et avait disparu de sa vie pour toujours.

Mais non. La vie l'avait préservé, après tout.

Mineur sort de la voiture, et est accueilli par un jeune homme en noir, qui tient un énorme parapluie noir pour abriter notre héros ; son costume gris tout neuf est tacheté de gouttes de pluie. Le foulard de sa mère disparaît dans une boutique. Il se tourne vers la rivière, où l'embarcation sombre et plate de Charon arrive déjà pour l'emporter.

C'est un très vieux restaurant bâti sur un rocher surplombant la rivière, dont les parois sont délavées par la pluie de telle façon qu'elles feraient les délices d'un peintre, tout en étant un véritable casse-tête pour un entrepreneur ; certaines d'entre elles semblent courbées par l'humidité, et les rideaux de papier ont pris ce côté chiffonné que Mineur associe aux livres qu'il a laissés sous la pluie. Le toit de vieilles tuiles est intact, ainsi que les larges poutres, les rosaces sculptées, et les parois de papier coulissantes de la vieille auberge que ce fut jadis. Une femme majestueuse l'accueille à l'entrée, s'incline et l'appelle par son nom. En faisant la visite de la vieille auberge, ils passent devant une fenêtre d'où l'on voit un énorme jardin clos, dans l'enceinte du bâtiment.

— Ce jardin a été planté il y a quatre cents ans, quand la culture principale était le peuplier, dit la femme avec un geste circulaire de la main, et il hoche la tête en signe d'appréciation.

— Et aujourd'hui la région est « dépeupliée », ajoute Mineur.

Elle bat poliment des paupières, un instant, puis le conduit vers une autre aile de la bâtisse, tandis qu'il suit le balancement de son kimono vert et or. À la porte, elle retire ses socques, et quant à lui, il délace et ôte ses chaussures. Elles contiennent encore du sable : est-ce celui du Sahara, ou du Kerala ? La femme fait un geste vers une adolescente en kimono bleu, qui le conduit en reniflant vers un autre couloir. Celui-ci est rempli de panneaux calligraphiés suspendus, et donne l'impression qu'on arrive dans le Pays des merveilles d'Alice, où l'on commence par voir une énorme charpente de bois pour finir par apercevoir une porte si petite, qu'après l'avoir fait glisser le long de la paroi, la femme est obligée de s'agenouiller pour entrer. Il est clair qu'on attend de Mineur qu'il en fasse de même. Il suppose qu'on attend de lui qu'il fasse l'expérience de l'humilité. Et il s'y connaît bien désormais, en humilité. Ce bagage-là, il ne l'a pas perdu. Là, dans la pièce, il y a une petite table, une cloison de papier, et une fenêtre si ancienne que le jardin derrière semble onduler comme dans un rêve, tandis que Mineur avance dans la pièce. Elle est tapissée d'un léger papier, orné de gros flocons de neige dorés et argentés ; on lui apprend que le dessin date de la période Edo, lorsque les microscopes faisaient leur apparition au Japon. Avant cela, personne n'avait vu de flocon de neige. Mineur s'installe sur un coussin, à côté d'un paravent doré pliable. La jeune femme sort par la petite porte. Il l'entend qui lutte pour la refermer derrière elle ; la porte a clairement souffert sous le poids des siècles, et est prête à rendre son dernier souffle.

Il jette un regard tout autour de lui : sur le paravent doré, sur les flocons de neige stylisés, sur l'iris placé dans un vase au-dessous du dessin d'un cerf, sur le papier peint. Le seul bruit qu'il perçoit est celui d'un humidificateur qui respire derrière lui et, malgré la pureté de la pièce, de la vue, personne ne s'est soucié d'ôter le sticker : GARANTIE DAINICHI qui se trouve sur l'appareil. Devant lui : la vue déformée du jardin. Mineur a un sursaut de recul, il le reconnaît : c'est celui-là même.

C'est le jardin miniature de son enfance : on a dû prendre pour modèle ce jardin vieux de quatre cents ans pour l'élaborer, car ce n'est pas juste un jardin similaire : c'est précisément ce jardin. L'allée de pierres moussues près des bambous hirsutes, menant, comme dans un conte de fées, vers les sombres pins, au loin, d'une montagne où attendent des mystères (c'est une illusion, car Mineur sait parfaitement que ce qui attend, c'est un système de ventilation et d'air conditionné). Le mouvement dans l'herbe qui pourrait faire penser à celui d'une rivière, les fragments de vieilles pierres qui pourraient être les marches d'un temple. La fontaine de bambou qui se remplit et déverse ses gouttes dans le bassin de pierre – tout est semblable, tout, précisément. Le vent, les pins, les feuilles des bambous, tout est en mouvement ; et, comme un drapeau flottant au même vent, le souvenir de ce jardin se déploie en lui, Arthur Mineur. Il se souvient d'avoir, en vérité, trouvé une clé (en acier, pendue dans l'abri de la tondeuse à gazon), mais jamais la bonne porte. Ça avait toujours été une absurdité d'imagination enfantine, de penser qu'il trouverait cette porte. Quarante-cinq années s'étaient écoulées, pendant lesquelles il avait tout oublié de cette histoire. Mais voilà qu'elle revit aujourd'hui.

Il entend derrière lui la fille qui renifle ; elle se bat de nouveau avec la porte, comme contre une pierre tombale. Il n'ose pas regarder. Enfin, elle gagne le combat, et apparaît à ses côtés, avec du thé vert et un récipient laqué brun. Elle sort une carte usée et la lit à haute voix pour lui : c'est de l'anglais, apparemment, mais ça a autant de sens que si on parlait dans un rêve. Il n'a pas besoin de traduction, de toute façon : c'est son vieux copain qui arrive, le haricot au beurre. Puis elle sourit et s'éloigne. Une nouvelle lutte acharnée avec la porte.

Il prend des notes précises sur ce qu'il y a dans son assiette. Mais il n'arrive pas à goûter ce qu'elle contient. Pourquoi ces souvenirs ont-ils surgi à nouveau, ici au Japon : le foulard orange, le jardin – comme un vide-grenier de sa vie ? A-t-il perdu l'esprit, ou est-ce que tout cela n'est qu'un reflet ? Le haricot au beurre, l'armoise, le foulard, le jardin ; tout cela n'est-il pas un miroir, plutôt qu'une fenêtre ? Deux oiseaux se chamaillent dans la fontaine. De nouveau, comme lorsqu'il était enfant, il ne peut qu'observer. Il ferme les yeux, et se met à pleurer.

Il entend la fille qui se bat encore contre la porte, mais il ne l'entend pas s'ouvrir. Voilà l'armoise qui arrive.

Mais derrière lui, ou plus exactement derrière la porte (il s'en rend compte quand il se retourne), lui parvient une voix masculine :

— Monsieur Mineur… (Mineur s'agenouille tout près, et la voix dit :) … Monsieur Mineur, nous sommes tellement désolés.

— Oui, je sais ! dit-il en haussant la voix. Je suis arrivé trop tôt pour voir les cerisiers en fleurs !

Un raclement de gorge.

— Oui, et aussi, aussi… Nous sommes tellement désolés. Cette porte a quatre cents ans, et elle est coincée. Nous avons essayé. (Un long silence, derrière la porte.) Il est impossible de l'ouvrir.

— Impossible ?

— Nous sommes tellement désolés.

— Réfléchissons une minute…

— Nous avons tout essayé.

— Je ne peux pas rester enfermé ici.

— Monsieur Mineur, reprend, étouffée par la porte, cette voix masculine, nous avons une idée.

— Je suis tout ouïe.

— Voilà.

Un mystérieux échange en japonais, suivi d'un nouveau raclement de gorge.

— C'est que vous brisiez la cloison.

Mineur écarquille les yeux pour examiner la cloison de papier treillagée. On aurait aussi bien pu lui demander de quitter une capsule spatiale.

— Je ne peux pas.

— Elles sont faciles à réparer. S'il vous plaît, monsieur Mineur. Si vous pouviez briser la cloison.

Il se sent vieux ; il se sent seul ; il se sent « dépeuplié ». Dans le jardin, un groupe de petits oiseaux traverse l'écran en voletant, comme si un banc de poissons incolores passait çà et là devant la fenêtre de cet aquarium – dans lequel ce ne sont pas les oiseaux qui sont enfermés, mais bien Mineur – et disparaissait enfin vers l'est d'un mouvement majestueux, et puis – parce que la vie est une comédie – voilà qu'apparaît un dernier oiseau, qui se fraie tant bien que mal un chemin dans le ciel pour rattraper ses congénères.

— S'il vous plaît, monsieur Mineur.

Et la personne-la-plus-courageuse-que-je-connaisse de répondre :

— Je ne peux pas.

C'est vers sept heures du matin, il n'y a pas longtemps, que votre narrateur a eu une vision d'Arthur Mineur.

J'ai été réveillé par un moustique qui avait franchi, de manière impressionnante, tous les obstacles : une forteresse de fumigènes, de ventilateurs électriques, et de moustiquaire imprégnée d'insecticide, pour finir par s'installer dans mon oreille. Je ne cesse de remercier ce moustique. Si cet insecte femelle (car seules les femelles chassent ainsi les humains) n'avait pas été un envahisseur aussi habile, je pense que je n'aurais jamais pu voir cela. La vie est si souvent une question de hasard. Cette femelle moustique, elle a donné sa vie pour moi : je l'ai tuée d'un seul coup, de la paume de ma main. Par la fenêtre ouverte, j'entendais le Pacifique sud gronder tranquillement, et le dormeur, à mes côtés, faisait de même.

Lever de soleil. C'est à la nuit tombée que nous étions arrivés dans cet hôtel, mais progressivement, la lumière du jour révélait que les fenêtres de notre chambre s'ouvraient sur trois côtés ; je me rendais compte que la maison était construite sur l'océan lui-même, comme une scène avancée dans une salle de théâtre, et que la vue offerte par chacune des fenêtres n'était que mer et étendue céleste. J'observais les teintes qu'elles prenaient : l'iris et le myrte, le saphir et le jade, jusqu'à ce que, tout autour de moi, que ce soit au ciel ou sur la mer, je reconnaisse une nuance particulière de bleu. Et je compris que je ne reverrais jamais plus Arthur Mineur.

Pas comme je l'avais fait jusqu'alors ; pas de la manière dont s'étaient étalées toutes ces années passées. C'était comme si j'avais été informé de sa mort. J'avais tant de fois quitté sa maison et refermé la porte, et maintenant, voilà qu'avec insouciance je l'avais claquée derrière moi. Marié : cela m'apparaissait soudain si stupide. Autour de moi, partout, cette nuance de bleu mineur… Désormais, nous allions tomber l'un sur l'autre, c'était sûr, quelque part dans la rue, ou lors d'une soirée, et peut-être même boire un verre ensemble, mais ce serait comme boire un verre en compagnie d'un fantôme. Arthur Mineur. Ça ne pourrait jamais être quelqu'un d'autre. À partir d'un point, très haut au-dessus du monde, je me suis mis à aborder une descente vertigineuse. Il n'y avait plus d'air pour respirer. Le monde se précipitait pour remplir le vide dans lequel Arthur Mineur s'était toujours trouvé. J'avais supposé, sans m'en douter, qu'il m'attendrait toujours sur ce lit blanc, sous sa fenêtre. Je ne savais pas que j'avais besoin de lui, là. Comme un point de repère, comme une pierre pyramidale ou un cyprès, qu'on croit immuable à jamais. Pour pouvoir retrouver sa route et rentrer chez soi. Et puis, inévitablement, un jour… tout disparaît. Et on se rend compte qu'on a pensé être le seul élément changeant, la seule variable au monde ; que les objets et les gens qui nous entourent sont là pour notre bon plaisir, comme les pièces d'un jeu qui ne peuvent se déplacer de leur propre chef, maintenus qu'ils sont par le besoin que nous en avons, par notre amour. Quelle bêtise. Arthur Mineur, censé demeurer dans ce lit pour toujours, qui maintenant voyage de par le monde ; et qui sait où il pourrait bien être ? Perdu pour moi. Je me suis mis à trembler. Il me paraissait si loin, ce moment où je l'avais rencontré à cette soirée, où il avait l'air de quelqu'un perdu dans la Grand Central Station de New York, ce prince couronné d'innocence. Moi qui l'avais observé un court instant avant que mon père ne me présente : « Arthur, tu te souviens de mon fils, Freddy. »

Je me suis assis bien droit dans le lit, longtemps, tremblant, malgré la chaleur de Tahiti. À frissonner, à trembler : je suppose qu'on pourrait appeler ça une attaque de quelque chose. Derrière moi, j'ai entendu un bruissement, et puis le calme.

Puis j'ai entendu sa voix, celle de mon nouveau mari, Tom, qui m'aimait, et qui par conséquent avait tout compris :

— J'aimerais vraiment que tu ne sois pas en train de pleurer, là maintenant.

Debout, dans cette chambre de papier, il se tient parfaitement immobile, notre courageux protagoniste, les poings serrés. Qui sait ce qui se déchaîne dans cette tête d'homme gay qui est la sienne ? Tout semble faire écho maintenant : les oiseaux, le vent, la fontaine, comme s'il sortait d'un long tunnel. Il se détourne du jardin qui offre une image fluctuante derrière le miroir ancien, et il affronte le mur de papier. Là, suppose-t-il, se trouve la porte. Qui ne donne pas du tout dans le jardin, mais sur l'extérieur. Rien de plus que des baguettes et du papier. N'importe qui pourrait briser tout ça d'un seul coup. Quel est l'âge de ce mur ? A-t-il jamais connu un flocon de neige ? De toutes les absurdités de ce voyage, peut-être est-ce la plus folle : avoir peur de ça. D'une main, il va toucher la rugosité du papier. La lumière du soleil brille plus fort derrière, et crée une ombre plus distincte sur la surface de la paroi : celle d'une branche d'arbre. Est-ce l'arbre de soie persan dans lequel il grimpait, enfant ? Pas question de retourner là-bas. Ni sur une plage de San Francisco, dans la chaleur d'une belle journée. Ni dans sa chambre pour un baiser d'adieu. Dans cette pièce, tout se reflète, mais ici, c'est le mur vierge et blanc de l'avenir, où tout pourrait s'écrire. Quelque nouvelle mortification, quelques nouvelles situations ridicules, à coup sûr. Quelque nouvelle plaisanterie à faire sur ce vieil Arthur Mineur. Pourquoi donc y aller ? Et pourtant, malgré tout, au-delà de tout ça, qui sait quel miracle l'attend ? Imaginez-le lever les poings au-dessus de sa tête et là, avec un plaisir non dissimulé, se mettre à rire, même, d'une folie retentissante, d'une sorte d'extase affolée, et baisser les bras en accompagnant son mouvement d'éclats sonores…

… Et puis, observez-le : il sort d'un taxi sur Ord Street, à San Francisco, au bas des Vulcan Steps. Son avion, parti comme prévu d'Osaka, est arrivé à l'heure à San Francisco ; le vol s'est bien passé, et son voisin, qui lisait le dernier livre de H. H. H. Mandern, a même été régalé d'une petite histoire (« Vous savez, je l'ai interviewé un jour à New York ; il avait une intoxication alimentaire, et je portais un casque de cosmonaute… »). Et puis notre protagoniste s'est endormi comme une masse, grâce aux pilules qu'il a prises. Arthur Mineur a terminé son voyage autour du monde ; fini : il est de retour chez lui.

Le soleil a depuis longtemps forcé le brouillard, si bien que la ville est délavée, bleue, comme si un aquarelliste s'était ravisé, et avait jugé que tout était nul, nul, nul. À la main, il n'a pas de valise : sans doute vit-elle sa vie de son côté, perdue sur la planète. Il plisse les yeux le long de l'allée sombre qui mène chez lui. Regardez-le : voyez ses cheveux blonds qui se dégarnissent, la légère grimace sur son visage, la chemise blanche froissée, la main gauche bandée, le pied droit aussi, la sacoche de cuir tachée, et son beau costume gris sur mesure. Mais regardez-le donc : il brille presque dans la pénombre. Demain, il ira prendre un café avec Lewis, et découvrira si Clark l'a vraiment laissé, ou si cela ressemble, peut-être, à une histoire qui finit bien. Il y aura un billet de Robert, à mettre dans le dossier qui ne se trouvera jamais dans la collection de Carlos Pelu : *Au garçon aux orteils rouges – merci pour tout.* Demain, l'amour approfondira sûrement son mystère. Tout ça : c'est pour demain. Mais ce soir, après un long voyage : repos. C'est alors que la sangle de la sacoche se prend dans la rampe, et que pendant un instant – et parce qu'il reste toujours quelques gouttes au fond de la bouteille de l'indignité – il semble qu'il va continuer sa marche, et que la sacoche va se déchirer…

Mineur jette un regard à la sangle, qu'il libère. Contrarié, le destin ! Maintenant : la longue ascension vers la maison. Soulagé, il pose le pied sur la première marche.

Pourquoi la lumière du porche est-elle allumée ? Quelle est cette ombre ?

Ça l'intéresserait de savoir que mon mariage avec Tom Dennis n'a duré qu'une journée : vingt-quatre heures exactement. Nous en avons discuté jusqu'au bout, au lit, entourés de la mer et du ciel baignés de ce bleu mineur. Ce matin, quand j'ai enfin cessé de pleurer, Tom m'a dit que, en tant que mari, il devait rester à mes côtés, que c'était son devoir, pour m'aider à régler tout ça. Je suis resté assis, à hocher la tête, plusieurs fois. Il a dit que j'avais parcouru un chemin terriblement long pour me rendre compte de quelque chose que j'aurais dû savoir plus tôt, quelque chose qu'on lui avait dit depuis des mois, et qu'il aurait dû comprendre, lorsque je m'étais enfermé dans la salle de bains la veille de notre mariage. J'ai hoché la tête. Nous nous sommes embrassés et nous avons décidé qu'après tout, il ne pouvait plus être mon mari. Il a fermé la porte, et je suis resté dans cette chambre pleine de toutes parts, du sol au plafond, de ce bleu qui était comme la marque de l'énorme erreur que j'avais faite. J'ai essayé d'appeler Mineur depuis le téléphone de l'hôtel, mais je n'ai laissé aucun message.

Qu'est-ce que j'aurais bien pu dire ? Que lorsqu'il m'a dit, il y a longtemps, tandis que j'essayais son smoking, de ne pas m'attacher, c'était déjà bien trop tard ? Qu'il n'avait pas fait l'affaire, ce baiser pour se dire adieu ? Le lendemain, sur l'île principale, je m'étais renseigné pour savoir où était la maison de Gauguin, et un habitant m'avait répondu qu'elle était fermée. Pendant de nombreux jours, je suis resté à regarder l'océan, j'en ai été émerveillé, et j'ai composé des variations fascinantes et sans fin sur ce thème récurrent et ennuyeux. Et puis, un matin mon père m'a envoyé ce message :

Vol 172 en provenance d'Osaka, Japon, arrivée jeudi, 18 h 30.

Arthur Mineur : il plisse les yeux en regardant sa maison. Voilà maintenant qu'un éclairage de sécurité s'allume, déclenché par ses mouvements, et l'aveugle un bref instant. Mais qui se tient là ?

Je ne suis jamais allé au Japon. Je ne suis jamais allé en Inde, ni au Maroc, ni en Allemagne, ni dans la plupart des endroits où Arthur Mineur a voyagé ces derniers mois. Je n'ai jamais escaladé de pyramide millénaire. Je n'ai jamais embrassé d'homme sur le toit d'un immeuble parisien. Je ne suis jamais monté sur un chameau. J'ai enseigné l'anglais dans un lycée pendant une bonne décennie, j'ai corrigé des copies tous les soirs, je me suis réveillé tôt le matin pour préparer mes cours, j'ai lu et relu Shakespeare, et j'ai supporté suffisamment de conférences et de réunions pour que m'envient même ceux qui se trouvent au purgatoire. Je n'ai jamais vu de ver luisant. Quelle que soit la façon de l'apprécier, ma vie n'est pas plus belle que celle de tous les gens que je connais.

Mais ce que j'essaie de vous dire (et je n'ai qu'un court moment pour le faire), ce que j'ai essayé de vous dire tout ce temps, c'est que, de mon point de vue, l'histoire d'Arthur Mineur ne semble pas se dérouler si mal, somme toute.

Parce que c'est aussi la mienne. C'est comme ça que ça marche, les histoires d'amour, finalement.

Mineur, encore aveuglé par le projecteur, se met à monter les marches, et se trouve, comme toujours, pris au piège des épines du rosier du voisin ; avec précaution, il les ôte une à une de son chatoyant costume gris. Il dépasse le bougainvillier qui, à l'instar de quelque dame bavarde et ennuyeuse lors d'une soirée, lui barre un instant le chemin. Il le repousse, et se retrouve couvert de bractées pourpres desséchées. Quelque part, quelqu'un est en train de s'exercer au piano, encore et encore : la main gauche ne file pas droit. Une fenêtre ondule sous les reflets bleutés d'un écran de télévision. Et puis, apparaissant entre les fleurs, je vois ses cheveux blonds briller, le halo familier d'Arthur Mineur. Regardez-le : comme toujours, il trébuche sur le carrelage ébréché de la même marche, et s'arrête pour baisser les yeux, étonné. Regardez-le tourner pour emprunter les quelques dernières marches, en direction de celui qui l'attend. Son visage levé vers la maison. Regardez-le, mais regardez-le. Comment pourrais-je ne pas l'aimer ?

Mon père m'a demandé un jour pourquoi j'étais si paresseux, pourquoi je ne voulais pas conquérir le monde, avoir une vie « en majeur », pour ainsi dire. Il m'a demandé ce que je voulais dans la vie, et même si, à ce moment-là, je n'ai pas répondu parce que je n'en avais aucune idée, et si j'ai obéi aux vieilles conventions, même jusqu'à l'autel, eh bien, aujourd'hui, je le sais. Certes, il est bien tard pour répondre à la question – et je te vois, mon cher Arthur, mon vieil amour, lever les yeux vers cette silhouette qui se trouve sous ton porche – qu'est-ce que je veux dans la vie ? Après avoir choisi la voie que les gens voulaient pour moi, épousé l'homme qui devait faire l'affaire, opté pour la facilité (ah, tes yeux écarquillés par la surprise de me voir !), après avoir eu tout cela entre les mains et l'avoir refusé, qu'est-ce que j'attends de la vie ?

Voici ma réponse :

— Rien de moins que Mineur !

TABLE

OUVRAGE RÉALISÉ
PAR L'ATELIER GRAPHIQUE ACTES SUD
REPRODUIT ET ACHEVÉ D'IMPRIMER
EN OCTOBRE 2021
PAR NORMANDIE ROTO IMPRESSION S.A.S.
À LONRAI
POUR LE COMPTE DES ÉDITIONS
ACTES SUD
LE MÉJAN
PLACE NINA-BERBEROVA
13200 ARLES

DÉPÔT LÉGAL
1re ÉDITION : JUIN 2021
N° impr. : 2105388
(Imprimé en France)